RETRATOS DA PESQUISA EM PSICANÁLISE E EDUCAÇÃO

RINALDO VOLTOLINI
ROSE GURSKI
(*Organizadores*)

RETRATOS DA PESQUISA EM PSICANÁLISE E EDUCAÇÃO

São Paulo

2020

CONTRACORRENTE

Copyright © EDITORA CONTRACORRENTE
Rua Dr. Cândido Espinheira, 560 | 3º andar
São Paulo – SP – Brasil | CEP 05004 000
www.loja-editoracontracorrente.com.br
contato@editoracontracorrente.com.br
www.editoracontracorrente.blog

Editores
Camila Almeida Janela Valim
Gustavo Marinho de Carvalho
Rafael Valim

**Coordenadores da Coleção
Educação e Psicanálise**
Ana Cristina Dunker
Christian Dunker

**Comitê editorial e científico da coleção
"Psicanálise e Educação"**

Cleide Terzi
Rose Gurski
Erica Burman
Rinaldo Voltolini
Christian Dunker
Maria Cristina Kupfer
Paula Fonseca
Ilaria Pirone

Debora Vaz
Ilana Katz
Madalena Freire
Ana Cristina Dunker
Marise Bastos
Renata Araújo
Biancha Angelucci

Equipe editorial
Denise Dearo (design gráfico)
Maikon Nery (capa)
Juliana Daglio (revisão)
Douglas Magalhães (revisão)

Dados Internacionais de Catalogação na Publicação (CIP)
(Ficha Catalográfica elaborada pela Editora Contracorrente)

V938   VOLTOLINI, Rinaldo; GURSKI, Rose.
         Retratos da Pesquisa em Psicanálise e Educação– Coleção Psicanálise e Educação|
São Paulo: Editora Contracorrente, 2020.

        ISBN: 978-65-884700-46

         1. Psicanálise. 2. Psicanálise e educação. 3. Educação. 4. Estudos em psicanálise.
I. Título. II. Autor. III. Coleção.

CDD: 150.195
CDU: 037

Impresso no Brasil
Printed in Brazil

@editoracontracorrente
Editora Contracorrente
@ContraEditora

SUMÁRIO

APRESENTAÇÃO 9

SOBRE OS AUTORES 13

PREFÁCIO 19

PARTE I - A PESQUISA PSICANALÍTICA NA UNIVERSIDADE E NO BRASIL

PSICOLOGIA E PSICANÁLISE NO BRASIL: AINDA UM LUGAR PARA O SUJEITO
Anna Carolina Lo Bianco 29

PARTE II - OS DIFERENTES CAMINHOS NA PESQUISA EM PSICANÁLISE E EDUCAÇÃO

A PSICANÁLISE QUE PRATICAMOS NA EDUCAÇÃO E SEUS POSSÍVEIS EQUÍVOCOS
Marcelo Ricardo Pereira 45

DO ENSAIO-FLÂNERIE À ESCUTA-FLÂNERIE: CONTRIBUIÇÕES AO CAMPO DAS PESQUISAS EM PSICANÁLISE E (SOCIO) EDUCAÇÃO
Cláudia Perrone; Rose Gurski 63

A PSICANÁLISE NA PESQUISA SOBRE A FORMAÇÃO DE PROFESSORES: SUJEITO E SABER
Rinaldo Voltolini 81

PARTE III - A PESQUISA PSICANALÍTICA NO CAMPO DA EDUCAÇÃO: A FORMAÇÃO DE PROFESSORES EM QUESTÃO

LIÇÕES DE PEDRA NO SERTÃO DA LINGUAGEM: A CONTAGEM NA FORMAÇÃO CONTINUADA DE PROFESSORES
Cláudia Bechara Frölich; Simone Zanon Moschen 107

MAL-ESTAR NA ESCOLA E A APOSTA DOCENTE: ENCONTROS E DESENCONTROS
Larissa Costa Beber Scherer; Cristiana Carneiro 133

PSICANÁLISE APLICADA À EDUCAÇÃO E FORMAÇÃO DE PROFESSORES: A CONVERSAÇÃO COMO MÉTODO DE PESQUISA-INTERVENÇÃO
Cássio Eduardo Soares Miranda...................... 149

A PESQUISA PSICANALÍTICA COMO INTERVENÇÃO NA FORMAÇÃO CONTINUADA DE PROFESSORES DE LÍNGUA INGLESA
Maralice de Souza Neves; Natália Costa Leite 179

PARTE IV - A INFÂNCIA E O INFANTIL NA PESQUISA EM PSICANÁLISE E EDUCAÇÃO

LINGUAGEM, PSICANÁLISE E EDUCAÇÃO: DE INFANS A FALANTE
Cristóvão Giovani Burgarelli; Dayanna Pereira dos Santos 203

O DIZER DE CRIANÇAS QUE NÃO FALAM
Ângela Vorcaro 229

POR QUE ESTA CRIANÇA NÃO PARA QUIETA? MAL-ESTAR DE PROFESSORES ANTE O CORPO PULSIONAL
Cristiana Carneiro 253

PARTE V - A PESQUISA EM PSICANÁLISE E EDUCAÇÃO NO CAMPO DA ADOLESCÊNCIA

A ADOLESCÊNCIA NAS OCUPAÇÕES DE ESCOLAS: NOVOS ENLAÇAMENTOS NO DISCURSO?
Luciana Gageiro Coutinho; Maria Cristina Poli 279

A ESCUTA DE ADOLESCENTES COMO DISPOSITIVO DE
RESISTÊNCIA À LÓGICA
DA CULTURA DIGITAL
Nádia Laguárdia de Lima; Márcio Rimet Nobre...........................303

APRESENTAÇÃO

O livro que o leitor tem em mãos vem coroar um trabalho de pesquisas e intervenções liderado pelo Grupo de Trabalho Psicanálise e Educação da ANPEPP.[1]

Desde 2006, por iniciativa de psicanalistas, pesquisadores-docentes de universidades públicas e privadas do país, o GT vem liderando uma discussão necessária referente às questões que se problematizam no encontro da psicanálise com a educação na pós-graduação brasileira.

Durante o biênio 2014-2016, construímos uma breve cartografia no campo das pesquisas acadêmicas da área, através de um levantamento das temáticas e metodologias usadas pelos pesquisadores das diferentes regiões do país. Essa iniciativa partiu da constatação do forte crescimento do campo e de uma preocupação com os rumos e com as diversas metodologias que vinham sendo utilizadas nas investigações.

Tal esforço, que deu sequência tanto à iniciativa de Kupfer *et al.*[2] de mapear o estado da arte das pesquisas no campo, como de outros movimentos semelhantes na área, propiciou um retrato das investigações, assim como das metodologias utilizadas pelos diferentes Núcleos e

---

[1] Associação Nacional de Pesquisa e Pós-graduação em Psicologia (ANPEPP).
[2] KUPFER, M. C.; COSTA; CÉSARIS, D.; CARDOSO, F.; ORNELLAS, M.; BASTOS, M.; CROCHIK, N.; PALHARES, D. "A produção brasileira no campo das articulações entre psicanálise e educação a partir de 1980". *Estilos da Clínica*, vol. 15, n. 2, p. 284-305, dez. 2010.

Laboratórios de pesquisas dos quais os membros do GT participam; a discussão acerca desses dados, além de fomentar trocas e intercâmbios entre os pares, pela via de eventos regionais e outros, produziu alguns escritos,[3] tais como o artigo de Pereira e Silveira,[4] que compilou as principais questões do estudo.

O trabalho, de caráter multicêntrico, realizado pelos membros do GT, além de propiciar uma fotografia da área, levou o Grupo a aprofundar os estudos acerca das metodologias de pesquisa em psicanálise e educação. Assim, em meio às discussões nos Simpósios da ANPPEP e em outros encontros científicos, cunharam-se interrogações tais como: *de que forma esses dois campos, cuja interlocução vem sendo debatida desde Freud, podem dialogar no âmbito da pesquisa? Como a psicanálise afeta e é afetada pela pesquisa no campo da educação? De que modo considerar a consistência da psicanálise e de sua posição em relação à ciência, mais particularmente, às ciências da educação?*

Ora, desde Freud, entendemos que buscar a consistência teórica e o rigor das formulações próprias à ciência, em consonância com os desafios políticos e sociais de cada época, constitui o fundamento maior da presença da psicanálise no campo científico e cultural. Desse modo, o GT tem se colocado o desafio de renovar algumas premissas da psicanálise, de modo a buscar formas de levar a *ética do bem-dizer*,[5] soberana no discurso analítico, para as pesquisas no campo da psicanálise e educação. Imbuídos também pelo compromisso com os modos atuais de sofrimento psíquico, temos nos perguntado: *como enlaçar psicanálise, educação, pesquisa e política?*

---

[3] Dentre algumas produções realizadas a partir da cartografia citada, destacamos: GURSKI, R.; STRZYKALSKI, S.; GUS, P.; STUMM, E. "Retratos da produção acadêmica de psicanálise e educação da região sul do Brasil". *Revista Educação e Pesquisa*. USP. VOLTOLINI, R. "A normatividade como anomalia na pesquisa psicanalítica em educação". In: PEREIRA, M. R. (org.). *Os sintomas na educação de hoje:* que fazemos com "isso"? Belo Horizonte: Scriptum, 2017.

[4] PEREIRA, M. R.; SILVEIRA, W. H. "Análise do estado da arte em psicanálise e educação no Brasil (1987- 2012)". *Estilos da Clínica*, São Paulo, vol. 20, n. 3, pp. 369-390, dez. 2015.

[5] LACAN, J. *O Seminário, livro 7:* a ética da psicanálise. Rio de Janeiro: Jorge Zahar, [1959-60] 1992.

APRESENTAÇÃO

Nos textos que compõem o livro, aparece uma evocação importante da noção de *encontro* entre os dois campos. A ideia do *encontro* também nasce de inquietações metodológicas: *como a escuta psicanalítica pode operar em sítios tão diferentes do tradicional consultório? Quais efeitos de afetação ocorrem para a psicanálise, e também para a educação, na medida em que se introduzem dispositivos de origem clínica – a escuta –em um cotidiano institucional, como a escola?*

No vasto campo da pesquisa em educação, a psicanálise convoca a abertura de um lugar para o sujeito através de uma operação que é a sua e que foi chamada por Freud de *peste* a partir de sua visita, no ano de 1909, à Clark University. Nesse sentido, levar o veneno da *peste* para o campo da pesquisa acadêmica seria como propor a mesma subversão freudiana, porém em um contexto no qual o paradigma é o da ciência positivista.

Como se observa, não são poucas as críticas por parte da cultura em geral, particularmente a científica, que, não raro, desqualificam o potencial epistêmico da psicanálise, seja atacando sua capacidade científica, seja atacando sua eficiência clínica. Claro que, desse manancial crítico, na maior parte das vezes, decanta um bom debate, mesmo que Freud tenha apontado o caráter tantas vezes mais emocional do que racional das desqualificações dirigidas à psicanálise.

Em todo o caso, a consistência da posição da psicanálise no campo das ciências da educação depende menos de sua fama pública e mais da possibilidade em dar conta de sua enunciação: (1) eticamente – já que não há perspectiva psicanalítica que não esteja estritamente ligada à ética que ela funda: a ética do bem dizer; (2) epistemologicamente – já que desde Freud os psicanalistas prezam muito pela consistência teórica de suas formulações; e (3) politicamente – já que nenhuma reflexão psicanalítica saberia se dar fora dos desafios da *subjetividade de sua época*.

Podemos, portanto, dizer que, os autores, na sequência dos capítulos, aceitaram o desafio de mostrar como são construídas as pesquisas em psicanálise e educação nas universidades brasileiras. Importa sublinhar que cada autor foi convidado a responder a duas perguntas: *como se articula,*

11

em sua pesquisa, a questão das relações entre psicanálise e pesquisa? E, ainda, *como sua investigação pode ajudar a aprofundar a discussão sobre a pesquisa no campo da psicanálise e educação?* Desse modo, o livro que ora apresentamos revela algumas problematizações escolhidas por cada membro do já nomeado GT a fim de tensionar, pela via das experiências concretas de seus campos de investigação, os modos singulares e criativos que elegem no cotidiano de suas investigações.

Por fim, somente lembramos que, nas pesquisas e estudos narrados, não se trata de ir ao campo educativo para "escutá-lo", tampouco de insistirmos em uma clínica psicanalítica *na* ou *em* educação. Trata-se, sobretudo, de pensarmos a partir dos efeitos que podem advir do encontro entre ambas, buscando que, na pesquisa, a experiência possa gozar do protagonismo de nossas construções, sem descuidarmos dos fundamentos da psicanálise, em cenários que, tantas vezes, rechaçam as produções do inconsciente.

Rinaldo Voltolini
Rose Gurski

SOBRE OS AUTORES

Ângela Vorcaro

Psicanalista; doutora em psicologia; professora sênior do Programa de Pós-graduação em Psicologia FAFICH/UFMG; membro do Centro de Pesquisas Outrarte (UNICAMP); membro do Laboratório de Educação e Psicanálise (LEPSI); membro do GT Psicanálise e Educação ANPPEP. Contato: angelavorcaro@uol.com.br

Anna Carolina Lo Bianco

Professora titular do Programa de Pós-graduação em Teoria Psicanalítica; Instituto de Psicologia da Universidade Federal do Rio de Janeiro; pesquisadora do CNPq; membro do Tempo Freudiano Associação Psicanalítica; membro da Associação Lacaniana Internacional; membro do GT Psicanálise e Educação da ANPEPP. Contato: annacarolina.lobianco@gmail.com

Cássio Eduardo Soares Miranda

Psicanalista; professor permanente do Programa de Pós-Graduação em Saúde e Comunidade da UFPI; coordenador do Núcleo Interdisciplinar de Pesquisas em Psicanálise, Educação e Contemporaneidade (NIPSEC); membro do GT Psicanálise e Educação da Associação Nacional de Pós-graduação e Pesquisa em Psicologia. Contato: cassioufpi@gmail.com.

Cláudia Bechara Fröhlich

Psicanalista; doutora em Educação pela UFRGS; professora no Departamento de Psicologia da Educação da Faculdade de Educação da UFRGS; vice-coordenadora do NUPPEC/UFRGS – Eixo Psicanálise, Educação e Cultura. Contato:claudiafrohlich@hotmail.com

Cláudia Perrone

Psicanalista; professora do Departamento de Psicanálise e Psicopatologia da UFRGS; vice-coordenadora do NUPPEC/UFRGS – Eixo Psicanálise, Educação, Adolescência e Socioeducação; membro da Rede Internacional Coletivo Amarrações; membro da Rede Interamericana de Psicanálise e Política (REDIPPOL); membro da Rede Universitária Internacional de Estudos Psicanalíticos em Educação (RUEPSY). Contato: cmperrone@ig.com.br

Cristiana Carneiro

Psicanalista da Sociedade de Psicanálise Iracy Doyle; professora Associada da Universidade Federal do Rio de Janeiro; coordenadora do Núcleo Interdisciplinar de Pesquisa e Intercâmbio para a Infância e Adolescência Contemporâneas (NIPIAC-UFRJ); editora associada da revista *Arquivos Brasileiros de Psicologia*. Contato: cristianacarneiro13@gmail.com

Cristóvão Giovani Burgarelli

Doutor em Linguística pela Unicamp (2003), com estágio pós-doutoral na Universidade Paris 8, Vincennes-Saint-Denis (2017); professor titular da Universidade Federal de Goiás; membro do GT Psicanálise e Educação da ANPEPP; membro do *Outrarte* (Psicanálise entre ciência e arte), com sede no Instituto de Estudos da Linguagem da Unicamp; coordenador do *Entraste* (Grupo de estudos, pesquisa e extensão dos fundamentos litorâneos entre linguagem, psicanálise e educação), com sede na Faculdade de Educação da UFG. É psicanalista. Contato: crgiovani@gmail.com

Dayanna Pereira dos Santos

Doutora em Educação pela Universidade Federal de Goiás; docente no Programa de Pós-Graduação em Educação Profissional e Tecnológica do Instituto Federal de Educação, Ciência e Tecnologia de Goiás; membro do GT Psicanálise e Educação da ANPEPP; membro do *Entraste* (Grupo de estudos, pesquisa e extensão dos fundamentos litorâneos entre linguagem, psicanálise e educação), com sede na Faculdade de Educação da UFG. Contato: dayannagyn@hotmail.com

Larissa Costa Beber Scherer:

Psicanalista/APPOA-RS; mestre em Educação/UFRGS, professora substituta da Faculdade de Educação/UFRJ de 2016 a 2018; integrante do NIPIAC-UFRJ; psicóloga educacional da Unidade Integrada Garriga de Menezes/RJ. Doutoranda em Psicologia UFRJ. Contato: larissascherer70@gmail.com

Luciana Gageiro Coutinho

Psicanalista, membro do CPRJ; doutora em Psicologia pela PUC-Rio; professora associada da Faculdade de Educação da Universidade Federal Fluminense/Programa de Pós-Graduação em Educação; coordenadora do Grupo de Pesquisa Psicanálise, Educação e Laço Social (LAPSE/UFF); membro do NIPIAC/UFRJ. Contato: lugageiro@uol.com.br

Maralice de Souza Neves

Professora titular da Faculdade de Letras da UFMG; licenciada e mestre em Letras; doutora em Linguística Aplicada; psicóloga pela UFMG; psicanalista; professora residente do Instituto de Estudos Avançados Transdisciplinares – IEAT/UFMG; atua no Programa de Pós-Graduação em Estudos Linguísticos – POSLIN; membro do LEPSI-Minas e do GT de Psicanálise e Educação da ANPPEP. Contato: maraliceneves@gmail.com

Marcelo Ricardo Pereira

Psicólogo; psicanalista; doutor em Educação (Psicologia Educacional); pós-doutor em Psicologia, Psicanálise e Psicopatologia Clínica; professor de Psicologia, Psicanálise e Educação do Programa de Pós-Graduação e da Faculdade de Educação da UFMG; membro do GT Psicanálise e Educação ANPEPP, do LEPSI e das redes INFEIES e AMARRAÇÕES; pesquisador

Produtividade do CNPq e PPM-FAPEMIG; autor de 11 livros e diversos artigos sobre psicanálise e educação. Contato: mrp@fae.ufmg.br

Márcio Rimet Nobre

Doutorando em Psicologia/Estudos Psicanalíticos; pesquisador do grupo Além da Tela: Psicanálise e Cultura Digital pela UFMG; mestre em Psicologia pela PUC Minas; organizador em coletâneas interdisciplinares, com trabalhos publicados na interface psicanálise e cultura digital. Contato: marcionobre205@hotmail.com

Maria Cristina Poli

Psicanalista, membro da APPOA; doutora em Psicologia pela Université Paris 13; professora do Programa de Pós-graduação em Teoria Psicanalítica do Instituto de Psicologia da UFRJ; bolsista produtividade do CNPq. Contato: mccpoli@gmail.com

Nádia Laguárdia de Lima

Psicanalista; doutora em Educação; professora Associada do Departamento de Psicologia e do Programa de Pós-Graduação em Psicologia da UFMG; coordenadora do Núcleo de estudos Além da tela: psicanálise e cultura digital, vinculado à UFMG; coordenadora do Programa de Extensão Brota: juventude, educação e cultura; membro do Lepsi Minas e da Rede Internacional Coletivo Amarrações; vice-coordenadora do GT Psicanálise e Educação da ANPEPP. Contato: nadia.laguardia@gmail.com

Natália Costa Leite

Professora Classe DIII do Centro Federal de Educação Tecnológica de Minas Gerais (CEFET-MG); doutora em Estudos Linguísticos pelo POSLIN; pesquisadora no grupo Estudos sobre Narrativas de Si a partir de corpora e suportes diversos (CEFET-MG); colabora com as atividades e as pesquisas no projeto de extensão de formação continuada de professores de língua inglesa ContinuAção Colaborativa – ConCol da UFMG; coordena a área de Línguas Estrangeiras no CEFET/MG. Contato: nataliacostaleite@uol.com.br

Rinaldo Voltolini

Psicanalista; doutor em Psicologia pelo Instituto de Psicologia da USP; pós-doutorado em Psicogênese e Psicopatologia pela Université Paris XIII; professor e orientador de psicanálise e psicologia na Faculdade de Educação da USP; membro do GT Psicanálise e Educação da ANPEPP; membro da Rede Interamericana de Psicanálise, Infância e Instituições (INFEIES); membro da Rede Interamericana de Psicanálise e Política (REDIPPOL); membro da Rede Universitária Internacional de Estudos Psicanalíticos em Educação (RUEPSY); editor associado da revista *Estilos da clínica*; autor de vários livros e artigos em psicanálise, política e educação. Contato: rvoltolini@usp.br

Rose Gurski

Psicanalista, membro da APPOA; doutora em Educação pela UFRGS; professora do Instituto de Psicologia e do PPG de Psicanálise: clínica e cultura, ambos da UFRGS; membro do GT Psicanálise e Educação da ANPEPP; pesquisadora colaboradora do PSOPOL - Laboratório de Psicanálise, Sociedade e Política da USP; pós-doutoranda (IPUSP); coordenadora do NUPPEC/UFRGS – Eixo Psicanálise, Educação, Adolescência e Socioeducação; membro da Rede Internacional Coletivo Amarrações; membro da Rede Interamericana de Psicanálise, Infância e Instituições (INFEIES); membro da Rede Interamericana de Psicanálise e Política (REDIPPOL) e da Rede Universitária Internacional de Estudos Psicanalíticos em Educação (RUEPSY); autora do livro *Três Ensaios sobre Juventude e Violência* (Escuta, 2012) e *Quando a Psicanálise escuta a Educação* (Fino Traço, 2019). Contato: rosegurski@ufrgs.br

Simone Zanon Moschen

Psicanalista, membro da APPOA; doutora em Educação pela UFRGS; pós-doutorado no Programa de Pós-graduação Psicanálise – UERJ; professora no PPG de Psicanálise: clínica e cultura e no PPG em Educação, ambos da UFRGS; coordenadora do NUPPEC/UFRGS – Eixo Psicanálise, Educação e Cultura; bolsista de Produtividade CNPq. Contato: simoschen@gmail.com

PREFÁCIO

Muito se tem escrito sobre a metodologia da pesquisa em psicanálise, um campo relativamente novo e prenhe de impasses e confrontos. Soma-se a isso, ainda, o significante educação, e temos um campo de diálogos (im)pertinentes, dada a heterogeneidade dos significantes e a diversidade de outras associações a que cada um deles remete.

A articulação *psicanálise e pesquisa* tem ocupado o centro de debates entre pesquisadores de outras áreas e entre os psicanalistas que adentraram na universidade e fazem pesquisa. Estão, nesse âmbito, os diálogos sobre como se faz ciência, como se opera a construção de conhecimento, o que se ensina na universidade brasileira, bem como sobre metodologias de pesquisa, entre outros. Nesse sentido, são muitos os grupos de pesquisa que, baseados na metodologia psicanalítica, solidificaram seus trabalhos e são hoje reconhecidos no âmbito da pesquisa acadêmica.

A ousadia, no entanto, não para aí. A pesquisa vem ganhando novos campos e acrescenta à psicanálise outros significantes, tais como o social, a política, a violência, a arte e, nesse caso, a educação. Aos pesquisadores de cada um desses âmbitos, cabe retomar conceitos, rever concepções, inovar e sustentar seus trabalhos. Entre eles, destaco o do Grupo de Trabalho psicanálise e educação da Associação Nacional de Pesquisa e Pós-graduação em Psicologia (*ANPEPP*), que já tem um vasto percurso de produção e ora organiza este livro.

Psicanálise e educação

O significante *educação* se desdobra em muitas direções e encontra outros desafios e impasses. Sem pretender esgotar, elencamos alguns deles, tais como os temas da transmissão, aprendizagem, escola, criança e adolescente, família, aluno ou estudante, política pública, trabalhador da educação e da socioeducação, atuação docente. Esses e outros temas são debatidos, no contexto brasileiro, considerando a problematização do polêmico atravessamento interseccional (marcadores de gênero, raça e classe social). Configura-se, portanto, como um campo interdisciplinar, com o desafio de não perder a contribuição da psicanálise, fundamental para o campo da educação – a saber, o lugar do sujeito e as modalidades de reconhecimento desse sujeito.

Nessa ampla discussão, proposta pelos professores, pesquisadores-psicanalistas do GT, a escola desempenha um papel fundamental tanto na infância quanto na adolescência, qual seja, a de propiciar condições de inscrição no mundo social. Cada criança deve ser investida de um desejo parental não anônimo[6] e deve ser pensada de uma forma singular em cada sociedade. Tal inscrição supõe, para além da transmissão, o aprendizado das ferramentas fundamentais de pertença social e cultural.

Assim, a aprendizagem e o ensino tornam-se os pilares desse processo em que muitos atores se atravessam, sendo a escola a instituição/palco que o abriga. Historicamente, a instituição escolar tem sua origem na modernidade e foi um ente fundamental para a afirmação do Estado-nação, uma vez que a criação de um *currículo comum* é um importante uniformizador das sociedades. A escola também abrigou a concepção que fazia a demarcação daqueles que eram "educáveis" e, portanto, estavam dentro da norma, e daqueles que estavam fora da norma e excluídos de sua circulação. Nessa direção, destacamos a importância da universalização da educação e sua função pública, apesar das contradições que a escolarização carrega desde sua fundação.

---

[6] LACAN, J. "Duas notas sobre a criança". *In:* _____. *Outros escritos*. Rio de Janeiro: Jorge Zahar, [1969] 1981.

No Brasil, a escola tem se caracterizado por ser uma instituição ancorada em uma política pública que tem raízes históricas e várias peculiaridades. Nela, a criança e o adolescente ganham o prestigiado lugar de aluno/estudante – e o perdem, quando fracassam, abandonam a escola ou são excluídos através de artifícios que a lei, muitas vezes, não alcança.

Em uma sociedade marcada pela desigualdade social, a educação chega de modo também desigual às diferentes parcelas da sociedade. Há escolas que reafirmam as desigualdades sociais ao segregar ou desinvestir de expectativas os alunos que apresentam dificuldades na aprendizagem, especialmente quando essas são vivenciadas por aqueles com menor volume de capital cultural e econômico. Há escolas que, por estarem em bairros ou regiões pobres e periféricas, recebem pouco investimento do Estado.

Tais diferenças ancoram-se no discurso social que atribui lugares específicos à criança e ao jovem. Os discursos sociais sedimentaram-se desde as primeiras leis voltadas para a infância e a juventude, isto é, os Códigos de Menores de 1927 e de 1979. Ambos os códigos adotam o termo *menor* para referenciar exclusivamente a infância pobre e marginalizada, de modo estigmatizante, não abrangendo crianças e adolescentes como um todo, delimitando um campo de atuação específico, de caráter disciplinar, ligado à esfera da assistência social, como também norteando o campo do direito.

O Estatuto d̶ ̶ ̶ ̶ ̶ ̶lo Adolescente (ECA)[7] procurou eliminar a nomeação men̶ ̶ ̶ ̶ ̶ ̶s pobres; denominou todos de crianças e adolescentes. Tem ̶ ̶ ̶ ̶ ̶ ̶ os princípios da Constituição Federal de 1988 e na Convenç̶ ̶ ̶ ̶ ̶ ̶sobre os Direitos das Crianças de 1989[8]. Nessa Convenção, ̶ ̶ ̶ ̶ ̶ ̶países, incluindo o Brasil, procuraram

---

[7] BRASIL. Lei n. 8.069, ̶ ̶ ̶ ̶ ̶ '990. "Dispõe sobre o Estatuto da Criança e do Adolescente e dá outr̶ ̶ ̶ ̶ ̶ *tatuto da Criança e do Adolescente*. Disponível em: http://www.planalto.̶ ̶ ̶ ̶ ̶ eis/l8069.htm. Acesso em: 05 jan. 2020.

[8] BRASIL. [Constituiçã̶ ̶ ̶ ̶ ̶ ição da República Federativa do Brasil: promulgada em 5 de outub̶ ̶ ̶ ̶ ̶ DF: Presidência da República, [2018]. Disponível em: https://w̶ ̶ ̶ ̶ ̶ :/bdsf/bitstream/handle/id/518231/ CF88_Livro_EC91_2016.pd̶ ̶ ̶ ̶ ̶ ce=1?concurso=CFS%202%202018. Acesso em: 05 jan. 2020.

definir quais são os direitos fundamentais e comuns a todas as crianças, com o objetivo de compor um alicerce para formulação de normativas aplicáveis em qualquer nação. Em linhas gerais, buscava-se recuperar e instituir o caráter de universalidade, passando a lei a contemplar todas as crianças e adolescentes, independentemente do aspecto econômico ou social.

No entanto, muito do discurso do código de menores se mantém operante no campo social e institucional. Muitas práticas são mantidas e geram impasses, especialmente junto à infância pobre ou vinda de outras culturas (rural, indígena, regional). Observamos conflitos de pertença, de pacto e de lealdade da criança com a escola, o que leva a mal-entendidos, inibições e dificuldades na aprendizagem. Tal discurso social se acirra com a chegada da adolescência que, em vez do despertar da primavera, encontra a hostilidade e um destino já traçado. É nesse período que há significativo abandono escolar. Várias pesquisas estabelecem a correlação do abandono escolar com alguns fenômenos tais como gravidez e envolvimento com atos infracionais. Muitos adolescentes passam precocemente da escola aos programas socioeducativos - principalmente aqueles que frequentam a escola pública, onde esses impasses são mais agudos.

Um desafio desse campo certamente é incluir os conflitos gerados no e pelo laço social para que não recaiam sobre o aluno os impasses desse (des)encontro, pois tais conflitos podem gerar resistências na criança, no adolescente e mesmo no professor. Tornar o aluno um paciente de uma instituição de saúde tem efeitos que podem não apenas eximir a escola de rever seus dispositivos, como também anular uma expressão de resistência da criança ou do adolescente, ao eximir-se da escuta do sujeito.[9]

Nessa direção, faz diferença o modo como se processam a escuta da queixa e os encaminhamentos dos casos que se apresentam à escola.[10]

---

[9] CARMO-HUERTA, V. *O laço social de crianças e adolescentes em situação de imigração*: a escola brasileira diante do desafio da integração. Tese pós-doutoral (relatório) – Universidade de São Paulo, São Paulo, 2015.

[10] PRIMO, J; ROSA, M. D. "Fronteiras invisíveis: alteridade e lugares discursivos". *Revista Culturas & Fronteiras*, vol. 1, n. 1, pp. 25-42, set. 2019. Disponível em: https://www.periodicos.unir.br/index.php/culturaefronteiras/article/view/4475. Acesso em: 05 jan. 2020.

O pesquisador desse campo constrói o caso – qual é o caso, quem são os atores, qual estratégia de escuta, quais as implicações para o discurso social de cada estratégia utilizada na pesquisa. Situar o sujeito na trama edípica não inviabiliza "[...] desconstruir os modos como são capturados e enredados pela maquinaria do poder e intervêm nos laços sociais que atualizam os processos de exclusão em curso".[11]

O professor, por sua vez, é a figura que está na ponta dos impasses entre a política pública e o aluno e sua família. Historicamente, no Brasil, o professor perdeu o lugar de prestígio e de autoridade. Desconsiderado e sobrecarregado, acaba responsabilizado pelos impasses dos alunos, tanto pela família como pela política pública e, não raro, é hostilizado também pelos próprios alunos. O excesso de trabalho, a falta de recursos para viabilizar o processo educativo, a destituição de autonomia na atividade quando passa a ser um executor das práticas pedagógicas, os excessos de aulas e de alunos, o não poder pensar, são elementos a serem levados em consideração ao se perceber o adoecimento da função, quando o professor retira-se, seja com sintomas orgânicos, somáticos ou psíquicos, como também quando desenvolve uma máscara de indiferença e insensibilidade – adoece de si mesmo.

A pesquisa psicanalítica em educação, portanto, depara-se não apenas com o impossível de educar, mas também com um campo em que o sujeito não pode ser isolado da cena social/educacional e dos laços sociais. A teoria dos discursos em Lacan[12] demonstra as relações estreitas entre linguagem, discurso e laço social. Tomar o campo social como cena que inclui o sujeito é um método que permite incluir, na análise dos laços sociais, a fantasia e o gozo.

A outra cena, o *insabido*, a que Lacan remete quando diz que *o inconsciente é a política*,[13] traduz-se, entre outros sentidos, na cena social

---

[11] ROSA, M. D. *A clínica psicanalítica em face da dimensão sociopolítica do sofrimento*. São Paulo: Escuta/ FAPESP, 2016, p. 170.
[12] LACAN, J. *O Seminário, livro 17*: o avesso da psicanálise. Rio de Janeiro: Jorge Zahar. [1969-1970] 1992.
[13] LACAN, J. *O Seminário, livro 14: a lógica do fantasma*. Recife: Centro de Estudos Freudianos do Recife, [1966-1967] 2008.

que articula a trama do sujeito em sua história libidinal, familiar, social e institucional: a escuta do sujeito e dos (des)encontros de professores, alunos, pais e gestores nas instituições de ensino pode desvendar a trama subjetiva e política de modo a permitir transformar o *impasse da situação na força viva da intervenção*[14] – ou seja, transformar, com as estratégias da pesquisa psicanalítica, os impasses da situação escolar.

Discursos e sujeito: ética e política na pesquisa em educação

Como já enunciamos acima, muitos são os desafios da pesquisa em psicanálise e educação. Desafios metodológicos, conceituais, clínicos e éticos para os quais diríamos que cabe ao pesquisador-psicanalista dirigir a pesquisa no rumo do campo de significações de cada caso. A multiplicidade de caminhos nas investigações reflete a complexidade em jogo e responde à ética da psicanálise, aqui traduzida em não ceder ao desejo de escutar o sujeito invisibilizado na trama escolar e social. Tal como Lacan exorta a não se recuar diante da psicose, esses desafios incitam a não recuar diante da pesquisa em psicanálise no campo da educação.

A psicanálise tem seu próprio método de investigação e uma dimensão singular de sujeito e de objeto, em que o desejo do pesquisador faz parte da investigação e o objeto da pesquisa não é dado *a priori*, mas, sim, produzido na e pela investigação. Mais do que pelo tema e lugar, a pesquisa em psicanálise se define pelo modo de formular as questões. O pesquisador está incluído nessa cena e pesquisa o seu próprio movimento na intervenção a partir da transferência e da resistência. Sua estratégia é clínica, pautada na escuta do singular, mas vai depender dos dispositivos criados para viabilizar tal escuta.

Os vários trabalhos que compõem este livro, intitulado *Retratos da pesquisa em psicanálise e educação*, organizado por Rinaldo Voltolini e

---

[14] LACAN, J. "A psiquiatria inglesa e a guerra". *In:* _____. *Outros escritos*. Rio de Janeiro: Jorge Zahar, [1947] 2003.

Rose Gurski, reúnem-se em torno de eixos fundamentais, apresentando o estado da arte dessas pesquisas na universidade e no Brasil, o que o torna leitura fundamental e referência para os pesquisadores do campo da educação.

Miriam Debieux Rosa[15]

---

[15] Psicanalista. Professora livre-docente do PPG Psicologia Clínica da USP. Coordenadora do Laboratório de Psicanálise, Sociedade e Política da USP (PSOPOL). Presidente da Rede Interamericana de Psicanálise e Política (REDIPPOL). Pesquisadora da Rede Internacional Coletivo Amarrações: políticas com adolescentes. Autora, entre outros, do livro *A clínica psicanalítica face ao sofrimento sócio-político* (Escuta, 2016).

Parte 1
A PESQUISA PSICANALÍTICA NA UNIVERSIDADE E NO BRASIL

PSICOLOGIA E PSICANÁLISE NO BRASIL: AINDA UM LUGAR PARA O SUJEITO

ANNA CAROLINA LO BIANCO

Uma observação não sistematizada, sem tabelas e sem gráficos, autoriza-nos a afirmar, no entanto, que os cursos de psicologia no Brasil frequentemente acolhem disciplinas e conteúdos de teoria e de clínica psicanalítica em seus currículos, suas ementas e seus estágios. Também é inegável que, ao darem esse lugar à psicanálise, estão na contramão das configurações curriculares em vigor na absoluta maioria das universidades ao redor do mundo atualmente. Tirando-se os casos de países como a Argentina e, cada vez em menor grau, a França, e sem contaras iniciativas pontuais que se espalham por alguns núcleos de pesquisa em poucas universidades estrangeiras, os quais se dirigem aos estudos psicanalíticos, a psicologia quase sempre segue um caminho que persegue a garantia de um saber científico, respaldado na medição e em procedimentos metodológicos que a aproximem, nem sempre de forma efetiva, das ciências exatas.

O cenário no Brasil difere de toda a modalidade internacional, em que a psicologia se reconhece e se firma como área de estudos de próprio direito, independente da fisiologia ou da filosofia, da qual surge entre meados e finais do século XIX. Ainda que a psicanálise não esteja presente em todos os cursos e de forma homogeneamente distribuída nas diversas regiões do país; ainda que certos Estados da Federação hajam tradicionalmente incluído em suas ênfases os estudos psicanalíticos de forma mais expressiva que outros; e mesmo que em alguns cursos não se tenha introduzido sequer noções básicas de psicanálise; ainda assim, a presença da psicanálise nos cursos de psicologia brasileiros é notória e, acima de tudo, singular.

Antes que se tome essa constatação e que ela seja remetida a algum atraso, ou a indícios de subdesenvolvimento ou desatualização acerca do pensamento internacional de ponta, os quais deveriam ser eliminados urgentemente para garantir nossas condições de competitividade nas estatísticas mundiais, é necessário examinar mais detidamente as suas implicações. O que encontramos quando surpreendemos na psicologia brasileira o lugar mantido, ou o lugar conquistado, para a psicanálise? Procuraremos no presente artigo responder a essa pergunta, fazendo menção a passagens da história da psicologia. Veremos que, na verdade, tais passagens estão relacionadas ao estabelecimento do funcionamento hegemônico da ciência. Este funcionamento forma a atitude intelectual predominante nas culturas ocidentais ou ocidentalizadas, e obrigam, necessariamente, a que o conhecimento trilhe caminhos cada vez mais voltados para o cálculo e para o que pode ser contado e mensurado.

Veremos ainda como o progresso da ciência tende a deixar de lado algo que não pode ser introduzido no estabelecimento de suas leis e na matematização a que recorre para operar com precisão. Este 'algo' é o sujeito que a psicanálise, desde Freud, identifica e estabelece como o sujeito da linguagem – ou sujeito à linguagem –, sujeito ao desejo inconsciente que o domina e a cujas injunções está submetido. Esse sujeito, com suas antinomias, sua angústia e sua condição de objeto de um funcionamento que o ultrapassa, mal pode ser apreendido nas malhas do cálculo ou da medição. Só tivemos notícia dele justamente quando Freud constatou que esse sujeito é o que resta, o que escapa da operação de formalização encetada pela ciência e emulada por tantas outras disciplinas, como muitas das psicologias o comprovam.

A presença da psicanálise nas graduações em psicologia no país remete certamente a características da cultura brasileira e à história da implantação dos estudos psicanalíticos no Brasil. Seguir essas características e essa história poderia nos trazer importante conhecimento acerca delas. No entanto, no âmbito deste artigo, nos serviremos antes da pista que nos é oferecida por essa presença para nos aproximarmos do ponto em que estamos na civilização, quando se trata do desejo inconsciente de um sujeito sistematicamente abolido e progressivamente afastado do que seria sua condição de sujeito à linguagem. É importante averiguar como se lida, como se estuda, como se pesquisa, como se concebe o que diz respeito ao humano – àquele que fala e está submetido à linguagem em suas vidas nos dias de hoje.

Sem dúvida, a maneira de lidarmos com o humano veio paulatina e firmemente sendo resultado do progresso da ciência. Logo, considerar o lugar que é dado ao sujeito do desejo inconsciente aí nos oferece condições de sabermos como estamos com a psicologia que fazemos e, mais ainda, condições para o que devemos fazer valer quando se trata de seu futuro entre nós.

Apesar desse quadro, em que a psicanálise chega a ser considerada uma das ênfases da psicologia em algumas universidades, está-se longe de um reconhecimento unânime da legitimidade de seu pertencimento aos saberes da área por aqueles que nela trabalham. Logo, não foi sem um certo conflito que a psicanálise foi recebida nos cursos de psicologia, ou não foi sem resistências que, mais de uma vez, a psicanálise fez para si um lugar nesses cursos. No entanto, queremos mostrar que a relação entre as duas não pode ser apreendida numa dicotomia simples, psicologia/psicanálise.

Freud mesmo, como muitos autores de sua época, dos princípios da psicologia, entendia seus procedimentos e suas concepções como a "psicologia" que estabelecia e desenvolvia. Desse lugar, a psicanálise sempre foi e sempre será uma psicologia. Logo, quando se sistematizaram os estudos e as pesquisas na área, nada mais esperado que nela estivesse incluída a psicanálise como método de investigação e tratamento.

Nesse ponto, vale a pena recorrer a alguns autores da história da psicologia para observarmos os movimentos que a levaram a se estabelecer como disciplina. As pesquisas atuais em história da psicologia remetem aos movimentos que, ao longo do pensamento ocidental, cuidaram de temas e objetos que estão próximos aos incontáveis objetos reconhecidos como de interesse para a psicologia hoje.[1] Procuraremos em seguida situar um ponto de inflexão necessário em que foi exigido da psicologia que marcasse, ou mais exatamente, tomasse uma posição frente aos procedimentos científicos, pois ela não nasce necessariamente formulada em termos científicos, até por ter surgido nos meandros de questões filosóficas. Tentaremos então demonstrar que essa tomada de posição, mais claramente identificada com aquela realizada pela psicologia experimental para seu estabelecimento, não se resume apenas a esta modalidade de psicologia. O conhecimento em psicologia, que doravante se entende quase sempre como a psicologia científica, mesmo em áreas que se querem mais afastadas do modelo experimentalista, passa a ter compromisso com o que caracterizaremos como a operação da ciência. A psicologia, como veremos, passa ainda a estar imersa na atmosfera intelectual que circunda o cada vez mais hegemônico *modus operandi* científico, visando integrar-se a ele e dele participar.

Por sua vez, e ao contrário, a psicanálise, nesse mesmo momento, em face do mesmo contexto, toma uma decisão teórica que a leva a se dirigir ao humano de forma distinta de como as psicologias o fizeram, instaurando uma diferença que, no entanto, não deve ser adotada por uma visão binária simplificada. Como demonstraremos, trata-se, de ver que, sujeitas às mesmas injunções, cada disciplina tomou seu caminho

---

[1] Conferir: ARAUJO, S. F. "Wilhelm Wundt e o estudo da experiência imediata". *In:* JACÓ-VILELA, A. M.; FERREIRA, A. A. L.; PORTUGAL, F. T. (orgs.). *História da psicologia rumos e percursos.* [S.l.: s.n.], 2013. pp. 107-118. ARAUJO, S. F. "Wilhelm Wundt e a fundação do primeiro centro internacional de formação de psicólogos". *Temas em Psicologia*, vol. 17, n. 1, pp. 1-6, jun. 2009. FERREIRA, A. A. L. "A psicologia no recurso aos vetos kantianos". *In:* JACÓ-VILELA, A. M; FERREIRA, A. A. L.; PORTUGAL, F. T. (orgs.). *História da psicologia rumos e percursos.* [S.l.: s.n.], 2013. pp. 97-103. VIDAL, F. "A mais útil de todas as ciências: configurações da psicologia desde o Renascimento tardio até o fim do Iluminismo". *In:* JACÓ-VILELA, A. M.; FERREIRA, A. A. L.; PORTUGAL, F. T. (orgs.). *História da psicologia rumos e percursos.* [S.l.: s.n.], 2013, pp. 55-81. VIDAL, F. La place de la psychologie dans l'ordre des sciences. *Revue de Synthese*, vol. 4, n. 3-4, pp. 327-353, 1994.

epistemológico e, claro, metodológico e terapêutico, envoltas que estavam em uma teia complexa de decisões teóricas e conceituais. Tais escolhas não foram sem consequências para o que depois adveio.

Para nossa demonstração, tomaremos a trajetória de alguns daqueles que durante décadas foram considerados fundadores da psicologia. A despeito das críticas que podem ser feitas aos historiadores que assim os reconheceram, não há como negar os lugares ocupados por nomes como Wundt (1832-1920) e James (1842-1910), para ficarmos com dois grandes pesquisadores da área. Ademais, acreditamos que eles têm o valor de *tipo-ideal*[2] para mostrar como o campo foi se formando na diversidade de temas, nas tentativas de delimitação, de circunscrição da disciplina mesma, de modo que não se limita em absoluto ao ponto preciso em que Wundt e James incidiram por seus trabalhos de psicólogos experimentais.

Os biógrafos de Wundt ressaltam que é muito difícil responder à pergunta se ele era um "experimentalista ou um filósofo".[3] Havia passado anos interessado na descrição do inconsciente; em seguida, durante uma década, dedicara-se aos estudos de filosofia. Nessa época, escreveu dois grossos volumes sobre lógica, além de um livro sobre ética. O interessante é que até a sua morte, aos 88 anos, continuava atualizando e reeditando esses dois livros, apesar de ter escrito um *Esboço de psicologia* (1896) e uma *Introdução em psicologia* (1911).[4]

James, por sua vez, não tem percurso muito diferente. Era médico de formação e foi nomeado professor de filosofia antes de ganhar o título inusitado de Instrutor de Psicologia. Alguns autores que biografaram a vida desse autor[5] apontam para os conflitos que o cercaram como precursor da psicologia. Ao acabar de escrever uma de suas mais

---

[2] WEBER, M. *The methodology of the social sciences.* New York: The Free Press, 1949.

[3] BORING, E.G. *A history of experimental psychology.* New York: Appleton-Century-Crofts, 1957, p. 327.

[4] BORING, E.G. *A history of experimental psychology.* New York: Appleton-Century-Crofts, 1957.

[5] BORING, E.G. *A history of experimental psychology.* New York: Appleton-Century-Crofts, 1957.

importantes obras — *Princípios de psicologia*— James reconhece que "não há algo como uma ciência da psicologia" e que "a psicologia está ainda em uma condição anticientífica".[6] Tendo sido nomeado anteriormente também Instrutor de Fisiologia, seus últimos anos foram dedicados à filosofia, o que o levou a se afastar progressivamente da psicologia, ainda que nunca a houvesse abandonado em definitivo.

Esses apontamentos na leitura das biografias de Wundt e de James demonstram as circunstâncias que cercam a constituição de uma disciplina que os autores afirmam ser filha da fisiologia com a filosofia. Certamente, além desses dois campos, vários outros se entrecruzavam, como a psicofísica, de um lado, ou os importantes estudos sociais que surgiam, entre os quais os do próprio Wundt, de outro. Mas o que nos interessa, para o que queremos apontar, são as relações que esse saber, então em composição, guarda com os procedimentos da ciência.

Nesse momento já havia se dado a passagem do "mundo do 'mais-ou-menos' para o mundo da precisão".[7] Não se mostrava fácil para a psicologia, então se estabelecendo, contentar-se com um objeto a que não podia ser dada uma formulação unívoca. E é interessante, nesse ponto, vermos como a questão da busca da cientificidade nas disciplinas perpassa vários grupos de pesquisadores, que incluíam os pioneiros da área, como Fechner e Helmholtz. Muitos outros fisiólogos estudavam principalmente a natureza dos nervos, a condução e os impulsos nervosos, as funções cerebrais e o ato reflexo.[8]

Vale mencionar de passagem, e voltaremos a isso, que Freud pertencia à mesma época em que o cientificismo se estabelece como a via para o conhecimento objetivo, havendo sido discípulo de E. Brücke,

---

[6] JAMES, H. The letters of William James, 1920, s/dados editoriais; s/p. apud BORING, E.G. *A history of experimental psychology*. New York: Appleton-Century-Crofts, 1957, p. 511.

[7] KOYRÉ, A. 'Do mundo do "mais-ou-menos" ao universo da "precisão"'. *In:* _____. Estudos da história do pensamento filosófico. Rio de Janeiro: Forense Universitária, 1991. p. 271.

[8] BORING, E.G. *A history of experimental psychology*. New York: Appleton-Century-Crofts, 1957.

no Laboratório de Fisiologia da Universidade de Viena. Brücke, por seu turno, era membro da Escola Médica de Helmholtz, integrada pelo próprio Helmholtz, E. de Bois-Reymond e C. Ludwig.[9] Para fazermos ideia da cena em que estavam todos implicados, é bastante lembrar que Ludwig era o orientador de Pavlov. Vale dizer, Freud e Pavlov fazem parte da mesma linhagem de investigadores da área.

As questões em que estavam envolvidos são bem exemplificadas por um notório fato envolvendo a Escola de Helmholtz. Seus quatro componentes eram discípulos de um dos mais proeminentes fisiólogos do século XIX – Johannes Müller, que, no entanto, por ser de uma época anterior, guardava em seus trabalhos certo vício "vitalista",[10] enquanto os quatro estavam progressivamente interessados em se certificarem de que a fisiologia pudesse vir a fazer parte do escopo da ciência. Queriam, podemos dizer, encontrar a garantia de que qualquer traço de imprecisão seria banido em favor de comprovações que instalariam a objetividade inequívoca dos fatos estudados. Por isso, fizeram um juramento que tornava efetiva essa verdade:

> [...] nenhuma outra força que não sejam as físico-químicas estão ativas no organismo. Nos casos que não possam ainda ser explicados por estas forças, é preciso encontrar formas ou caminhos específicos na sua ação por meio do método físico-matemático ou assumir a existência de novas forças iguais em dignidade às forças físico-químicas inerentes à matéria, reduzidas à força da atração e da repulsão,[11]

Esse juramento é interessante de ser analisado porque mostra a relação da fisiologia com a física, uma vez que muito do que era feito

---

[9] AMACHER, P. "Freud's neurological education and its influence on psychoanalytic theory". Psychological Issues, vol. IV, n. 4, pp. 32-48, 1965.

[10] AMACHER, P. "Freud's neurological education and its influence on psychoanalytic theory". Psychological Issues, vol. IV, n. 4, p. 32-48, 1965.

[11] AMACHER, P. "Freud's neurological education and its influence on psychoanalytic theory". *Psychological Issues*, vol. IV, n. 4, p. 32-48, 1965, p. 37.

em fisiologia dependia da física, inclusive avanços na última permitiam avanços na primeira. Por exemplo, foi preciso esperar pelos avanços na galvanometria, como a invenção dos galvanômetros mais sensíveis, para que várias formulações da condução neuronal fossem feitas.

Mas, nesse ponto, uma observação se torna preciosa: a fisiologia acreditava que as próprias operações do conhecimento fisiológico poderiam ser "equivalentes" às da ciência física.[12] O juramento solene nos permite concluir que as atividades fisiológicas deviam ser explicadas por referência às forças físico-químicas ou achar suas equivalentes com o mesmo prestígio. É um tempo que – como menciona Koyré,[13] ao falar da passagem "do mundo do mais ou menos para o mundo da precisão" – demonstra que, a essa altura da cultura ocidental, a categoria ciência já exercia enorme fascínio sobre todos. Havia penetrado sobretudo nas universidades e faltava muito pouco para, principalmente em relação à medicina, ser revestida dos signos da garantia que até hoje a caracterizam e enaltecem. Voltando à psicologia, podemos observar que esta pretendia ter, com a ciência fisiológica, a mesma relação que a fisiologia visava ter com a ciência física.

É precisamente aqui, no entanto, que um embaraço vem se instalar nos propósitos de se alcançar esse "universo da precisão". Boring[14] chama atenção para o fato de que a nova psicologia, que se entendia como experimental, afasta-se da fisiologia. A psicologia passa a se dedicar aos estudos da consciência, enquanto a fisiologia se dirige à questão dos reflexos inconscientes. Era conveniente conceber uma linha clara de delimitação entre os processos conscientes e os inconscientes. A distinção entre eles é usada então para delimitar, de um lado, a psicologia (mesmo a psicologia fisiológica), e de outro, a fisiologia. Aliás, essa linha divisória

---

[12] AMACHER, P. "Freud's neurological education and its influence on psychoanalytic theory". Psychological Issues, vol. IV, n. 4, p. 32-48, 1965, p. 10.

[13] KOYRÉ, A. 'Do mundo do "mais–ou–menos" ao universo da "precisão"'. In: _____. Estudos da história do pensamento filosófico. Rio de Janeiro: Forense Universitária, 1991.

[14] BORING, E. G. *A history of experimental psychology*. New York: Appleton-Century-Crofts, 1957.

será borrada um pouco depois, tanto por Pavlov, que descobre que movimentos inconscientes podem ser aprendidos (os reflexos condicionados), quanto por Freud, que estabelece que a maior parte das motivações e muito do pensamento podiam ser inconscientes.

Há, pois, um problema colocado para a psicologia então a emergir: a fisiologia mental, que apresenta fenômenos que desafiam os experimentos até então conduzidos pela psicologia fisiológica. Nesse momento, a psicologia é chamada a fazer uma virada para se estabelecer como disciplina científica. Desnecessário afirmar que a virada é em sentido oposto à efetuada logo depois por Freud. Duas posições distintas, tomadas ambas, no entanto, frente à ciência e ao ideal cientificista que dela deriva.

Era uma época em que – como comenta Boring,[15] "*mesasurement was winning the day*" – a possibilidade de mensuração estava se colocando com toda a força, e nada contribuía mais para o avanço da psicologia que "a contínua redução do sistema nervoso, o agente da mente, à medida e ao controle finito". Foi com a determinação de medir e, assim, controlar, que a psicologia pôde se declarar independente tanto da fisiologia quanto da psicologia. Esse caminho estava sendo feito desde Fechner, que viu que poderia medir a sensação, enquanto Helmholtz media a visão. Ambos divisavam que a mente não seria mais uma entidade inefável, mas um objeto apropriado para o controle experimental e a observação. Tratava-se apenas de aperfeiçoar os instrumentos de medida.

Freud faz parte desse contexto: não pode conceber algo que não seja em termos científicos, mas não toma a via da mensuração. Esse caminho, tendo sido inspirado na física e nas operações matemáticas, é um caminho que, ao escrever seu objeto, ao apreendê-lo com as escalas de medida, ao proceder a uma tentativa (mesmo não bem-sucedida) de matematizá-lo, no mesmo passo, retira dele algo que excede, sobra, resta quando da iniciativa de redução, de objetificação, de definição e delimitação que permita a medida e o controle.

---

[15] BORING, E. G. *A history of experimental psychology*. New York: Appleton-Century-Crofts, 1957, p. 44.

Entretanto, é disso que resta que a psicanálise vai tratar. Como vimos, se Freud afasta-se dos procedimentos que vigoram na metodologia de pesquisa em psicologia daí em diante, não é por não os conhecer. Trata-se, antes, de uma decisão, de um ato teórico que introduz justamente um corte com alguns desses procedimentos ditados, ou diríamos, inspirados pela ciência.

Importante que se enfatize que esse mesmo movimento de corte, ao ser dado, faz surgir com toda a nitidez o fundo sobre o qual a sua teoria irá se construir. Esse fundo diz respeito ao universo da mensuração e das tentativas de obter a precisão, a univocidade, as mesmas que não serão abordadas quando Freud ousa se retirar desse mundo legítimo (acadêmico-científico de finais do século XIX) para se debruçar sobre questões deixadas de lado por esse mesmo mundo. É o momento em que irá se dedicar a escutar a histeria, os sintomas das histéricas, esses que traziam um enigma para a ciência, a qual, com seus recursos, via-se impotente para tratar. Ou, como afirma Lacan,[16] vai ouvir as suas próprias antinomias, as da sua infância, seus próprios problemas neuróticos, seus sonhos etc. Lembra ainda que irá tomar, de agora em diante, as contingências da vida cotidiana: a morte, a mulher, o pai, o sexo.

Podemos dizer que, nesse ponto, a psicanálise surge quando se dirige ao que não funciona no sujeito e que, ainda assim, é parte dele. E há poucos saberes endereçados ao que não anda bem, mas, acima de tudo, há poucos saberes que se endereçam ao que não anda bem, sem a promessa de redenção, salvação, cura ou eliminação do que mal funciona – como é o caso das psicoterapias e ainda das crenças religiosas.

Há, portanto, um contraste acentuado com aquelas disciplinas, práticas e concepções que acompanham o progresso da ciência, ao mesmo tempo em que dela resultam. Ciência essa que nos açoda com um sem número de procedimentos, protocolos, objetos e pílulas para lidarmos com nossos limites, acostumou-nos a esperar por alcançar resultados e, por isso, encontramo-nos apensos à promessa de que resultados ainda

---

[16] LACAN, J. « Le Seminaire, livre 1 ». In: _____. *Les écrits techniques de Freud*. Paris: Seuil, [1953-1954] 1975.

melhores estão (sempre) por vir. A psicanálise se situa e nos situa em uma posição diferente.

A ciência toma o real e, ao estabelecer as leis que o regem, escrevendo-as com letras e organizando-as em equações, deixa de fora algo que não pode ser compreendido por essas leis. Não inclui, na verdade, a operação subjetiva necessária para que as leis mesmas sejam enunciadas. Não tem, em seus procedimentos, recursos para lidar com algo irredutível a essas leis e necessário para engendrá-las: o sujeito. A ciência o exclui – e não é difícil concebermos que a psicanálise o recolha ou encontre nele o objeto, a razão mesma de sua existência.

Ao nascer numa cultura perpassada pela ciência e, ao mesmo tempo, ter como objeto o que é rejeitado por ela, a psicanálise, no entanto, não toma o sujeito para lhe dar sentido, tampouco irá tentar encontrar nele algumas regularidades que permitam que se considere uma parte do real sobre a qual também poder-se-iam escrever leis e reduzi-las a equações. A psicanálise irá, ao contrário, reconhecer no sujeito algo que não é redutível, não é apreensível nas malhas da medida, do cálculo ou da previsibilidade. Esse é então o sujeito do inconsciente, sujeito ao desejo que o constitui no mesmo ponto que dele não tem mais conhecimento.

Dar lugar à psicanálise torna-se, pois, algo da ordem de oferecer um lugar a esse sujeito que sobra do esquadrinhamento, o qual o confunde com seu funcionamento, entendido como se dando por meio de processos básicos, capturáveis nas medidas, nos experimentos e nos laboratórios experimentais. É em outro cenário que se aposta quando, em um curso de psicologia, criam-se as condições para que a psicanálise seja incluída. A última traz a marca de um saber que, por se dirigir àquilo que não se domina, ao que escapa constantemente às malhas da apreensão objetivante, ao que, vale dizer ainda, não se revela inteiramente, é também um saber que não se completa. Trata-se literalmente de um saber que deixa a desejar.

O que merece relevo nas questões apontadas aqui é que elas nos mostram que, quando se acolhe a psicanálise em um curso de psicologia, dá-se lugar ao enigma que carrega o sujeito no dia a dia, seu sofrimento,

39

que é o de cada um, o mais comezinho e cotidiano, com a transitoriedade característica da vida e a finitude a que ela está votada.

As iniciativas brasileiras que incluem a psicanálise, indo na contramão da tendência dominante em todo o mundo, dão-nos prova da resistência ao desaparecimento do sujeito do inconsciente, com o que ele traz de contrário aos indivíduos da alta *performance* e dos grandes *achievements* que se tornaram o padrão de posição a ser conquistada e mantida, posição que justamente não conta com a responsabilidade e a implicação do sujeito. Este, por sua vez, acaba por ser guiado, antes, pelo que tem a adquirir, pelo que tem a fazer para alcançar o sucesso, e "chegar lá".

Apostar na psicanálise é, pois, sustentar um lugar bastante estreito no mundo atual, um mundo que não procure só a perfeição, a maximização de lucros, a melhor razão custo-benefício, mas dê condições mínimas ao sujeito de exercer o singular de seu desejo – o que o torna, a bem dizer, responsável pelo pouco de liberdade que tem, mas que é toda a que lhe é dada em seu curto período de vida.

REFERÊNCIAS BIBLIOGRÁFICAS

AMACHER, P. "Freud's neurological education and its influence on psychoanalytic theory". *Psychological Issues*, vol. IV, n. 4, pp. 32-48, 1965.

ARAUJO, S. de F. "Wilhelm Wundt e a fundação do primeiro centro internacional de formação de psicólogos". *Temas em Psicologia*, vol. 17, n. 1, pp. 1-6, jun. 2009.

_____. Wilhelm Wundt e o estudo da experiência imediata. *In:* JACÓ-VILELA, A.M.; FERREIRA, A.A.L.; PORTUGAL, F.T. (orgs.). *História da psicologia rumos e percursos*. [S.l.: s.n.], 2013. pp. 107-118.

BORING, E.G. *A history of experimental psychology*. New York: Appleton-Century-Crofts, 1957.

FERREIRA, A.A.L. "A psicologia no recurso aos vetos kantianos". *In:* JACÓ-VILELA, A.M; FERREIRA, A.A.L.; PORTUGAL, F.T. (orgs.). *História da psicologia rumos e percursos*. [S.l.: s.n.], 2013. pp. 97-103.

KOYRÉ, A. 'Do mundo do "mais-ou-menos" ao universo da "precisão"'. *In:*
_____. *Estudos da história do pensamento filosófico*. Rio de Janeiro: Forense Universitária, 1991. pp. 271-288.

LACAN, J. « Le Seminaire, livre 1 ». *In:* _____. *Les écrits techniques de Freud.* Paris: Seuil, [1953-1954] 1975.

Parte 2
OS DIFERENTES CAMINHOS NA PESQUISA EM PSICANÁLISE E EDUCAÇÃO

A PSICANÁLISE QUE PRATICAMOS NA EDUCAÇÃO E SEUS POSSÍVEIS EQUÍVOCOS

MARCELO RICARDO PEREIRA

Para que alcancemos o objetivo de testemunhar nossa prática psicanalítica ou de orientação clínica nos diversos ambientes educativos, o presente capítulo abordará: 1) a interface entre a psicanálise e a educação, com ênfase na constituição de uma disciplina específica na atualidade e sua orientação para o sintoma; 2) a pesquisa-intervenção e as ações de extensão seguindo tal orientação; e 3) possíveis equívocos em que essa interface pode incorrer. Vamos aos três pontos.

A interface entre a psicanálise e a educação, com ênfase na constituição de uma disciplina específica na atualidade e sua orientação para o sintoma

Desde sua invenção, a psicanálise se dedicou a criar condições e fazer subjetividades se realizarem a despeito das verdades e das formas jurídicas que muitas vezes refreiam ou interditam tal realização em razão da arbitrariedade das normas. É isso que fez com que o principal operador psicanalítico, notadamente sua clínica, marcasse presença diferencial nas mais variadas práticas institucionais desde o início do século XX, como as hospitalares, judiciárias, artísticas, universitárias, sociais, prisionais e educativas. Essas práticas se dão para além mesmo da que é convencionalmente circunscrita a consultórios ou gabinetes privados, à qual se tem o hábito de associar a psicanálise *standard*, reduzindo-a. Muitos teóricos e práticos da psicanálise ao longo desse tempo empenharam-se em levá-la de modo desinibido às cidades, às ações de muitos e à sociedade como um todo. Entre tantos, Donald Winnicott (1983) chegou certa vez a afirmar que, com o tempo, seria mais fácil crer que as descobertas psicanalíticas estariam alinhadas com outros pensamentos, tendências e ações orientadas para uma sociedade que não viole a dignidade de seus integrantes. O próprio Sigmund Freud (2006) se mostrou, desde o início de suas teorizações, muito favorável a interfaces da psicanálise com práticas sociais mais amplas, dizendo o quanto se deveria dar o direito, a todo aquele nela experimentado, de exercê-la sem que os "pobres de espírito" – provoca o autor – ponham obstáculos nesse caminho.

No que se refere à presença da prática psicanalítica em instituições educacionais, pode-se remontar a ícones dessa iniciativa que passam pelos trabalhos seminais de August Aichhorn, pedagogo e psicanalista austríaco que dirigiu reformatórios educativos para jovens delinquentes na primeira metade do século XX; de seu contemporâneo Siegfried Bernfeld, educador freudo-marxista nascido na Ucrânia de hoje, tendo sido diretor de escola sionista de acolhimento e educação antiautoritária de crianças e jovens refugiados da Primeira Guerra; e da própria Anna Freud, pedagoga e psicanalista, filha do inventor da psicanálise, que foi precursora em estabelecer a não pouco polêmica interface entre psicanálise e educação ao instaurar uma clínica e instituição educativa para crianças vítimas da Primeira Guerra ou por esta atormentadas.

O fato é que, desde os primórdios da psicanálise, a educação foi tema de pesquisa e intervenção por parte de estudiosos das teorias do inconsciente. No Brasil, por exemplo, podemos citar as obras seminais dos médicos higienistas Porto Carrero (*O caráter do escolar segundo a psicanálise*, de 1928) e Arthur Ramos (*Educação e Psicanálise*, de 1934, e *A criança-problema: higiene mental na escola primária*, de 1939). Depois disso, uma multiplicidade de trabalhos se fez ao longo do século XX, trabalhos orientados pela Psicanálise da Criança, de caráter desenvolvimentista, e inspirados, sobretudo, em Anna Freud, Melanie Klein, Donald Winnicott e na *Ego psychologie* norte-americana.

Somente em fins dos anos 1970, na Europa, como possível efeito dos movimentos contraculturais de maio de 1968, e ao longo da década seguinte no Brasil, é que se experimentou maior autonomia dos estudos de psicanálise e educação em relação à Psicologia do Desenvolvimento, na qual, muitas vezes, o inconsciente, como conceito fundamental e operativo, pareceu ser negligenciado. Contra isso e mais independente, psicanálise e educação se tornou uma disciplina própria. Ela passou a se interessar menos pelas ortopedias de descrições lineares, individualizantes e quase instrumentais acerca das fases de desenvolvimento da libido e do complexo de Édipo, e a buscar mais abertamente o entendimento das vicissitudes do "isso", do desejo, da pulsão, do mal-estar e do sintoma no âmbito educativo. Tal fato vem ocorrendo em diversas universidades, instituições psicanalíticas e outros órgãos de pesquisa de certas partes do mundo, incluindo o Brasil, que tem posição de destaque no que tange a essa nova disciplina.

Como se pode constatar, a psicanálise praticada nessa interface é bem mais desentrincheirada, desinibida, aberta e extensamente experimentada nos espaços sociais e educativos. Isso a deixa menos suscetível aos efeitos grupais e aos fechamentos doutrinários quando a circunscrevemos apenas aos muros escolásticos e protegidos dos pares que se encontram nas instituições convencionais de formação de analistas. É importante confrontar a psicanálise com outros saberes e outras experiências. Temos, assim, de levá-la à cidade, ao vínculo social e ao debate de muitos. "Há que se passar do analista reservado, crítico, a um analista que participa, capaz de entender qual foi sua função e qual lhe corresponde agora".[1]

Nesse sentido, não haveria porque herdar as pelejas paralisantes e depreciativas de que diferentes associações psicanalíticas podem influenciar, doutrinar e colonizar seus súditos menos livres e mais

---

[1] LAURENT, E. *A sociedade do sintoma*. Rio de Janeiro: Contracapa, 2007, p. 143.

demandantes de reconhecimento institucional. Não se corre tanto esse risco. A psicanálise e educação não é a psicanálise, tampouco é a educação. É um campo de interface que acolhe, de uma e de outra, elementos para melhor analisar e intervir no real educativo – sem comiseração, sem relaxamento de rigor. Justamente devido ao seu exercício ocorrer sobremaneira em universidades, e por isso menos suscetível a tentáculos doutrinários e sectários encontrados amiúde em instituições de formação de analistas, suspeita-se que a psicanálise e educação possa estar um pouco mais imune às pelejas depreciativas que reivindicam para si, cada uma a seu modo, o trunfo esclerosado de deter a verdadeira psicanálise.

Temos, na verdade, muitos outros problemas de que nos ocupar. Ao longo desses últimos decênios, desenvolvemos saberes, práticas, intervenções e experimentações sobre a abordagem de crianças com problemas; a inclusão de pessoas com deficiência; o trabalho com a saúde mental, o autismo e outros transtornos de desenvolvimento no meio educacional; a psicanálise aplicada à lida com adolescentes agressivos, violentos, em vulnerabilidade ou em medidas socioeducativas; as formas de intervenção contra os modos destrutivos de laço social de sujeitos em condição de fracasso escolar, desistência e conduta antissocial; bem como a oferta da palavra, da escuta e de outros tipos de intervenção que permitam a alunos, a professores e a outras pessoas do âmbito educativo terem a chance de elaborar subjetivamente seus obstáculos pedagógicos, de transmissão e de gestão do que Freud[2] considera o "impossível de educar".

Tanto a psicanálise quanto a educação são artes ou ofícios essencialmente relacionais, marcadas pela lógica do *não todo* ou, dito de outro modo, são artes nas quais as relações nunca se explicam ou se dão plenamente em razão de trabalharem justamente o descontínuo, o incongruente e o contingente que se encontram no cerne do âmbito social. Ambas, na realidade, se juntam às profissões que trabalham com pessoas nas quais o sucesso jamais está assegurado, sendo necessário àqueles que as operam aceitar uma cota importante e visível de fracassados aos

---

[2] FREUD, S. "Análise terminável e interminável [1937]". In: _____. *Edição standard brasileira das obras completas*. Rio de Janeiro: Imago, 1980.

olhos da norma. Junto aos psicanalistas e aos educadores estão os assistentes sociais, os psicólogos, os enfermeiros, os médicos – como reconhece Philippe Perrenoud[3] –, mas igualmente os especialistas em inclusão de sujeitos com deficiências, em desintoxicação de drogas, em reinserção de presos, em medidas socioeducativas, ou seja, "aqueles que atuam onde a sociedade se desfaz ou ameaça se desfazer".[4]

Com efeito, aqueles que suportam ou pretendem suportar o lugar da dissolução do social através de seu ofício sabem que não se confrontam apenas com um sujeito vivo para o qual se formula um projeto previamente estabelecido, prescrito e medido, mas também – e sobretudo – se confrontam com um sujeito do inconsciente (ou do recalque) que inventa um sintoma para a realização enviesada de seu desejo, ou seja, inventa "algo que lhe concerne, algo no qual sua posição se acha em jogo".[5] Muitas vezes, tal sintoma aparece de maneira essencialmente mortífera e por demais ameaçador da própria destruição do laço social. Há, portanto, de se buscar formas de escutar esse sintoma seja em qualquer âmbito que ele surgir e – inspirando-nos em José Correia[6]– ter no horizonte que aquilo de Freud que deveria interessar ao educador não é tanto o conteúdo do seu discurso, mas o lugar de onde ele é produzido.

Consideramos que, no cerne desse lugar, está o sintoma subjetivo, mais especificamente, o sintoma subjetivo no âmbito educativo. Ele é aquilo que, de saída e sem disfarce, é apresentado pelo sujeito ou pela instituição na cena pedagógica. É a ele que, primeiramente, o prático da psicanálise e educação dedicará seus esforços, não tanto para dar um

---

[3] PERRENOUD, P. *Práticas pedagógicas, profissão docente e formação*. Lisboa: Dom Quixote, 1993.

[4] PEREIRA, M. R. De que hoje padecem os professores da Educação Básica? *Educar em Revista*, n. 64, 2017, p. 207. Disponível em: http://www.scielo.br/scielo.php?pid=S0104-40602017000200071&script=sci_abstract&tlng=pt. Acesso em: 14 fev. 2019.

[5] TIZIO, H. "La posición de los profesionales en los aparatos de gestión del síntoma". In: _____. *Reinventar el vínculo educativo*. Barcelona: Gedisa, 2003, p. 178.

[6] CORREIA, J.A. "O discurso psicanalítico em educação". In: _____. *Para uma teoria crítica em educação*. Porto: Porto Ed., 1998.

sentido ou decifrar o sintoma, mas para auxiliar o sujeito a destravar-se deste, a deslocá-lo e a elaborar-se subjetivamente. Na contramão de quaisquer psicologismo e psiquiatrização estigmatizantes, evocamos aqui seu caráter político, já que reconhecemos que todo sintoma é propriamente social – mesmo sendo em si uma resistência a esse social; está inscrito num tempo e numa história e se apresenta sempre à espera de alguém que o induza a ser falado. O sintoma quer falar.

Não abordamos aqui, note-se bem, o sintoma médico que tende a reduzi-lo à resposta orgânica, mas o sintoma psíquico ou subjetivo que pode ser considerado "o que há de mais real [...] cerrado em torno de um ponto preciso, que é o que chamo de sintoma, a saber, *o que não funciona*".[7]

Um dos modos de ele se apresentar na cena pedagógica é por meio da crítica a comportamentos dos alunos: "falta de limites", "condutas antissociais", "zombaria", "zoação", "agressividade", "violência", "fracasso escolar", "inclusão de pessoas com deficiências", "alunos que não querem saber nada", "recusa do saber". Eis alguns termos e expressões empregados pelos educadores que traduzem o quanto o seu ofício é marcado por formas subjetivas de manifestação do sintoma. A educação não se reduz apenas a receitas formatadas, a alguns saberes planejados ou a racionalizações de comportamento, mas a um sistema de gestos, valores, proibições, pulsões e subversões que geram resistências. Todo sintoma educativo não deixa de ser uma forma de resistência; resistência à própria ordem educativa. Ora, educar significa transmitir marcas simbólicas, visando inserir sujeitos no campo da fala e da linguagem, como também os inserir na tradição humana de conhecimentos acumulados. E não há como fazê-lo sem se requerer uma cota expressiva de interditos e renúncias por parte desses sujeitos. Ou seja: não se é educado sem que não haja resistências, que muitas vezes se dão sob a forma de sintomas.

É desse modo que entendemos o quanto o imperativo comeniano, datado do século XVII, de "ensinar tudo a todos", como fundamento

---

[7] LACAN, J. *O triunfo da religião*. Rio de Janeiro: Jorge Zahar, [1974] 2005, p. 66 e 71.

maior da pedagogia enquanto arte da educação, leva o sujeito muito frequentemente ao "que não funciona" ou ao seu sintoma. Invariavelmente, o universal desse imperativo desemboca no singular de todo sujeito. O problema da educação (e da ordem pedagógica que ela engendra) não é visar didaticamente ao universal do ensino – dele, afinal, não se pode nem se deve escapar quando se busca inserir sujeitos na tradição e na cultura –, mas rechaçar tudo que disser respeito ao singular de cada um dos sujeitos. Em outros termos: que se cuide, sim, da universalidade do ensino, sem que se despreze a singularidade de quem a esse ensino se submete. A educação, decerto, é para todos, mas sempre um por um.

A instituição escolar – como lócus maior do empreendimento pedagógico – vem recolhendo sem comiseração os efeitos nefastos dessa singularidade rechaçada quando vive no seu cotidiano a impotência de não conseguir levar a termo aquilo que Comênio um dia vislumbrou. E como se pode intervir para minimamente problematizar e tentar reverter essa tendência de rechaço das subjetividades? Passemos ao próximo ponto.

A pesquisa-intervenção e as ações de extensão orientadas para o sintoma

Não desconhecemos que todo método em psicanálise deve encerrar-se em si mesmo, e que a perspectiva a ser considerada é a da construção do caso, um a um, de modo a não mecanizar a técnica, nem universalizar qualquer procedimento que se queira terminal. Ainda vale o princípio freudiano do *xadrez*: somente a abertura e o final do jogo são previstos contra a infinidade de jogadas que se desenrolam nesse intervalo sem que se possa sabê-las ou mesmo prevê-las. "A extraordinária diversidade das constelações psíquicas envolvidas, a plasticidade de todos os processos mentais e a riqueza dos fatores determinantes opõem-se a qualquer mecanização da técnica".[8]

---

[8] FREUD, S. "Sobre o início do tratamento (Novas recomendações sobre a técnica da psicanálise I) [1913]". *Edição standard brasileira das obras completas*. Rio de Janeiro: Imago, 1980b. vol. 12, p. 164.

Esse princípio é básico para todo trabalho orientado psicanaliticamente; não obstante, arriscamos a introduzir aqui alguma discussão de método, dando nosso testemunho, sem que ele seja uma regra, tampouco uma recomendação. Vejamos o que é feito em nossas investigações e extensões.

Fazemos o que denominamos pesquisa-intervenção de orientação clínica, seja no campo da investigação, seja no da extensão, como aplicação e expansão do método clínico ao campo educacional e escolar. Trabalhamos com uma equipe do LEPSI[9] que acolhe demandas referentes às manifestações do "que não funciona", do mal-estar na cultura, de desordens sociais e subjetivas, de confrontos, de violências, de escárnios etc. de adolescentes e jovens (do 6º no do Ensino Fundamental ao 3º ano do Ensino Médio) e também de seus professores, pessoal de apoio e gestores. São demandas provenientes, sobretudo, de escolas públicas da Região Metropolitana de Belo Horizonte. Junto aos gestores ou a quem nos fez a demanda, procuramos qualificá-la no sentido de depurar falas e discursos que possam traduzir de forma menos alarmista ou dramática o problema aparente. Lançamos mão de "entrevistas com gestores" (diretores, coordenadores pedagógicos ou similares), levantamos históricos e contextos sociais e políticos, visando configurar os coletivos de alunos, de professores e de demais funcionários da escola para a efetivação trabalho de intervenção.

Em seguida, instituímos os "Espaços de Fala",[10] sobretudo coletivos, para que, neles, cada sujeito possa expor-se franca e livremente acerca do sintoma subjetivo e/ou institucional que lhe acomete. São espaços "de liberação e de direito à palavra"[11] de modo a comover e a tensionar cada um a ponto de fazê-lo produzir furos nos discursos, lapsos, lacunas ou equívocos que possam ser escutados pelos demais. Procuramos conduzir os Espaços de Fala em quatro níveis de intervenção a partir de certo esgotamento ou revelação do nível anterior:

---

[9] Referente ao Lepsiminas, parte mineira do Laboratório de Estudos Psicanalíticos e Educacionais da USP, UFMG, UFOP e UNIFESP, fundado por Maria Cristina Kupfer e Leandro de Lajonquière.
[10] MANNONI, M. *Éducation impossible*. Paris: Seuil, 1973.
[11] MANNONI, M. *Éducation impossible*. Paris: Seuil, 1973, p. 183.

Queixa: externalização de reclamações, de problematizações e de culpabilizações do outro-escola, do outro-sistema ou do outro-norma pelos impasses e sintomas visíveis, formalizados como aquilo "que não funciona" ali.

Implicação: "Qual é a sua responsabilidade na desordem da qual se queixa?", como pergunta Freud à Dora, no sentido de revelar o que cada um faz ou age de modo a contribuir para que o sintoma daquele espaço institucional possa existir e se manter.

Microssoluções: "O que eu fiz com o que fizeram de mim?", como se auto interroga Sartre, no sentido de saber o que cada um ou pequenos grupos fazem como tentativa cotidiana e microfísica de solução dos sintomas, de destravamento deles, sintomas que muitas vezes podem passar invisíveis ao universal do espaço institucional como um todo.

Politização de soluções: com uma intervenção orientada para o sintoma, busca-se dar visibilidade às microssoluções, aproximá-las quando são similares para criar potência, para politizá-las e para vetorizá-las na direção do bem comum institucional e de elaboração de problemas.

Em certos ambientes, torna-se necessário alongar esse trabalho e introduzir as "Entrevistas de Orientação Clínica" individuais, que permitem melhor recortar a localização subjetiva e o sintoma psíquico derivado de tal localização no contexto em que se encerra. "Localizar o sujeito não apenas avaliar-lhe a posição, [...] nem apenas uma investigação para localizá-lo, mas também é a mudança efetiva de posição [...], uma retificação das relações do sujeito com o real".[12]

É possível que se exija também que se proceda às "observações de singularidade", as quais, com esse mesmo sentido, acompanham um determinado sujeito ou grupo dentro da instituição na realização de suas atividades para que se decante algo único acerca da prática e da localização do sintoma.

---

[12] MILLER, J-A. *Lacan elucidado*. Rio de Janeiro: Zahar, 1997, p. 250.

Entendemos que tais entrevistas, observações e espaços de fala podem ser considerados como ferramentas do que denominamos uma "micropolítica da fala" voltada a desidentificações, dessubstancializações e deslocamentos de sintomas subjetivos, quando eles parecem cristalizados e repetitivos no interior dos espaços institucionais. Fundamentamos esse conceito metodológico de "micropolítica da fala"[13] na própria técnica freudiana "recordar, repetir e elaborar",[14] segundo a qual sujeitos são levados a elaborar aquilo que recordam como repetição, tendo a chance de se destravarem dessa repetição. Promovemos, para isso, uma escuta apurada com intervenções mínimas – nunca longas –, sempre um pouco atrás, de modo a fazer a palavra circular em francos espaços de fala. E lembremos: uma intervenção de ordem clínica trabalha sempre com a palavra, mas essa palavra é, sobremaneira, a do sujeito, e não de quem o dirige.

Importa salientar ainda que, no nível de nossas intervenções, adotamos amiúde a premissa lacaniana da diferença entre "citação" e "enigma", no que concerne à interpretação psicanalítica. A *citação*

> é – eu exponho o enunciado e, quanto ao restante, trata-se do sólido apoio que encontra no nome do autor; ela é tirada do texto tal como foi enunciado; que é aquele que pode ser considerado uma confissão, desde que ajuntem a todo contexto – que é seu autor.[15]

O *enigma*, por sua vez, "é uma enunciação colhida, tanto quanto possível, na trama do discurso do psicanalisante, e que o analista, o intérprete, de modo algum pode completar por si mesmo, nem considerar como confissão".[16]

---

[13] PEREIRA, M. R. "De que hoje padecem os professores da Educação Básica?". *Educar em Revista*, n. 64, 2017, p. 85. Disponível em: http://www.scielo.br/scielo.php?pid=S0104-40602017000200071&script=sci_abstract&tlng=pt. Acesso em: 14 fev. 2019.

[14] FREUD, S. *Recordar, repetir, elaborar [1914]*. Edição standard brasileira das obras completas. Rio de Janeiro: Imago, 1980c. vol. 12.

[15] LACAN, J. *O Seminário, livro 17*: o avesso da psicanálise. Rio de Janeiro: Jorge Zahar, [1969-1970] 1992, pp. 34-35.

[16] LACAN, J. *O Seminário, livro 17*: o avesso da psicanálise. Rio de Janeiro: Jorge Zahar, [1969-1970] 1992, pp. 34-35.

Nos ambientes educativos, não se trataria nem de psicanalisante, nem de analista ou intérprete, tampouco de psicanálise *stricto sensu*, como descreve essa premissa de Jacques Lacan relativa às interpretações. Não procedemos a *interpretações*, mas sim a *intervenções* que, em parte, tendem a levar em conta algo que se acha no cerne de tal premissa. Pensamos que uma clínica orientada para o sintoma, como a que propomos à educação, deve se centrar muito mais ao nível da "citação", retornando o enunciado ao próprio "autor" quando fazemos uso de suas próprias palavras, gestos e experiências. Assim, tem-se a chance de, através do enunciado do falante, introduzi-lo ao nível do "enigma", isto é, de introduzi-lo ao nível dos furos do discurso, dos lapsos e do equívoco que o próprio sintoma tende a recobrir. Se as interpretações na clínica convencional têm a prerrogativa de fazer uso diretamente do enigma, uma vez que o analista pode gozar de melhores efeitos da transferência, nas intervenções voltadas à educação (que não são interpretações), tal prerrogativa torna-se difícil de manejar senão paulatinamente. Refratários de início ao laço transferencial, raramente os adolescentes, professores e gestores toleram de saída o enigma como fonte de operação de mudança ou implicação subjetiva. Algo do enigma de cada um deve, sim, ser alcançado, entretanto, não divisamos outro meio disso ocorrer que não seja através da citação do próprio enunciado do sujeito, "que é o seu autor". Sua própria palavra o engendraria e o levaria à contingência do sintoma, fazendo vacilar possíveis certezas identificatórias alienantes. Logo, nosso manejo se daria numa direção que parte da citação até o enigma, e não o contrário.

Todo material levantado é registrado e examinado imediatamente após ter sido recolhido em Espaços de Fala da própria equipe de pesquisa ou de extensão, que se coloca na posição de "analisante" a produzir seus próprios lapsos, lacunas e furos discursivos em relação ao trabalho de intervenção que realiza. Empregamos também o uso do "Diário de Bordo"[17] e do "Diário Clínico"[18] para complementarem as "análises

---

[17] BARROS, A.; LEHFELD, N. *Fundamentos de metodologia*. São Paulo: McGraw-Hill, 1986.
[18] FERENCZI, S. *Diário clínico*. Rio de Janeiro: Imago, [1932] 1993.

clínicas da fala e do discurso"[19] e dos "indícios" recolhidos do campo de trabalho. A devolução aos sujeitos que participam das intervenções ocorre em novos Espaços de Fala Devolutivo de modo a ajudá-los a gestionar o mal-estar, a reconduzir seus vínculos educativos, a destravarem-se de seus sintomas, a politizar coletivamente as intervenções e a elaborarem-se subjetivamente.

Desse modo, algo do "modelo indiciário"[20] é levado em conta para que possamos intervir "nos lugares onde os sintomas contemporâneos são recolhidos. Isso não quer dizer que eles sejam entendidos ou tratados, mas sim que deixam traços em alguns lugares".[21]

Possíveis equívocos em que a interface psicanálise e educação pode incorrer

No interior das instituições educacionais, esse modo de intervenção vem contribuindo para restituir a psicanálise enquanto clínica fora dos domínios exclusivos dos consultórios e esvaziá-la de ser apenas, como lembra José Correia,[22] um conhecimento abstrato, naturalizado e exportável a todos os fenômenos psíquicos, indiferentemente. Isso nos afastaria de Freud e só contribuiria para a intervenção tornar-se um observatório generalizado de dados e uma acumulação irrestrita de provas para validá-la no meio acadêmico. Não é o que defendemos. Preconizamos que o método psicanalítico não deva ser estanque, mas interveniente; não ser positivo, mas crítico; não imune às ambivalências, mas fazer delas trabalho. Não há como desconhecer a intencionalidade emancipatória de uma hermenêutica que a psicanálise nos legou ao possibilitar uma elaboração de si tanto por parte de quem fala quanto de quem escuta.

---

[19] PEREIRA, M. R. *O nome atual do mal-estar docente*. Belo Horizonte: Fino Traço/Fapemig, 2016, p. 96.

[20] RAMIREZ, M. E.; GALLO, H. *El psicoanálisis y la investigación en la universidad*. Buenos Aires: Grama, 2012, p. 19.

[21] LAURENT, E. *A sociedade do sintoma*. Rio de Janeiro: Contracapa, 2007, p. 177.

[22] CORREIA, J. A. "O discurso psicanalítico em educação". In: _____. *Para uma teoria crítica em educação*. Porto: Porto Ed., 1998.

1. Entretanto, quando se institui a disciplina psicanálise e educação e a orientação clínica como modo de intervenção no real educativo, não nos vemos livres de possíveis equívocos epistêmicos e práticos herdados desses dois campos em separado que poluem a sua interface. Um desses equívocos é o efeito "naturalizador" a respeito da distinção entre "normal" e "patológico", que teoricamente é problematizada e rejeitada pela psicanálise, mas por ela institucionalizada – ou no mínimo ignorada – quando associada ao campo educacional. É muito comum educadores, alunos, profissionais de apoio e demais agentes institucionais invocarem a psicanálise e educação para discorrer sobre o que é norma ou desvio no ambiente, o que é moralmente virtuoso ou vicioso, ou o que seria afinal patológico no comportamento desses agentes. O tom evasivo ou mesmo a resposta mestra por parte do prático em psicanálise e educação, reforçando tal distinção, pode incorrer em um desastre para os efeitos que se quer recolher ao fazer o sintoma falar, fixando-o mais do que o destravando.

2. Outro equívoco possível reside no fato de repetir certa aura desenvolvimentista ou psicológica de reduzir o professor a um *adulto* e a criança ou o adolescente a um *aluno*, condicionando-os a um sistema de relações duais que oculta ou desconsidera a própria instituição, os pais, a sociedade e a política do entorno. Nesse sentido, se assim proceder, a psicanálise e educação pode estar mais afeta a afirmar-se por meio de saberes gerais, previamente consagrados pela própria psicanálise, do que a debruçar-se sobre a tempestividade de se extrair um saber singular do caso a que se dedica intervir, com todos os seus intricados políticos. Isso a faria ir na contramão do modelo indiciário ou do princípio do xadrez que ora expomos aqui, pois tenderia a reduzi-los, assim como certas propostas desenvolvimentistas, a uma biologia dos afetos ou da sexualidade extraída do par exclusivo (dual e incestuoso) adulto-criança.

3. Um terceiro equívoco divisado por nós quando supervisionamos ou orientamos trabalhos acadêmicos de intervenção na educação advém do deslocamento de uma prática de escuta de si e do outro nesse contexto de intervenção para o de uma "*observação impessoal* de forma a encontrar nos seus *efeitos* a *acumulação de provas* que validassem

cientificamente a psicanálise".[23] Assim, o vetor não se daria no sentido da problematização do real à hermenêutica da psicanálise na educação, mas no sentido dos construtos teóricos da psicanálise a serem reafirmados por esse real educativo com fins de glorificação de conceitos ou de escamoteamento de quem os replica. A herança de um Freud clínico, que pratica uma crítica radical do positivismo e uma hermenêutica alargada ao discurso singular, cederia ao erro de um suposto Freud conformista aos ditames das ciências empíricas e universalmente comprováveis.

4. Cabe ainda assinalar outro equívoco, que é o de igualar os procedimentos metodológicos da psicanálise e educação a outros dos chamados fundamentos educacionais, como a Sociologia da Educação, a História da Educação, a Pedagogia etc. Com efeito, enquanto pedagogos, sociólogos e historiadores educacionais centram-se metodologicamente na reconstituição e compreensão regular dos acontecimentos e dos discursos de forma a mostrar como eles foram experimentados subjetiva e objetivamente, um trabalho de orientação psicanalítica – sem desprezar esse princípio – centra-se muito mais nos modos singulares de como um acontecimento é sorrateiramente repetido ao ser narrado, e não apenas recordado ou contado. "Importam menos os fatos, as consciências ou as cronologias no que concerne a intervenções dessa natureza, e mais a repetição singular que as falas e os silêncios dão a conhecer no que tentam igualmente ocultar".[24]

5. E, por último, reiteramos que o saber psicanalítico é um saber singular que dificilmente pode conviver com uma transposição incontrolada para contextos diferentes dos da sua produção como tratamento ou cura. Por isso, ele nunca pode arvorar-se a formular soluções, conselhos, verdades oraculares e nem "afirmar-se como último refúgio das insuficiências do discurso dominante [...], construindo certezas para o educador".[25]

---

[23] CORREIA, J. A. "O discurso psicanalítico em educação". In: _____. *Para uma teoria crítica em educação*. Porto: Porto Ed., 1998, p. 71.

[24] PEREIRA, M. R. *O nome atual do mal-estar docente*. Belo Horizonte: Fino Traço/Fapemig, 2016, p. 74.

[25] BAÏETTO, M-C. *Le desir d'enseigner*. Paris: ESF, 1982, p. 162.

Ao contrário, tal saber reafirma a todo sujeito na instituição educativa "o direito ao erro, à incerteza, ao insucesso; o direito a não saber tudo, de duvidar de tudo o que faz e de tudo o que pensa".[26]

Encontramo-nos, por fim, em condições de talvez compreender melhor o entusiasmo de Freud quando, certa vez, escreveu que

> nenhuma das aplicações da psicanálise suscitou tanto interesse nem despertou tantas esperanças, e nenhuma, por conseguinte, atraiu tantos trabalhadores capazes, quanto seu emprego na teoria e na prática da educação.[27]

Como se vê, o autor jamais escondeu seu "interesse" e suas "esperanças" a respeito desse campo, o qual considerou mais tarde como "o trabalho mais relevante da psicanálise".[28] Naturalmente, não desconhecemos que sua suposta motivação guardava uma intenção política de apoiar as incursões pedagógicas de sua filha Anna Freud. Ainda assim, seu gesto revela um encorajamento e um entusiasmo de querer dar a essa interface um valor singular entre aquelas da psicanálise associada a outros domínios. Eis mais uma face do desejo freudiano que também se tornou o nosso.

Referências

BAÏETTO, M-C. *Le desir d'enseigner*. Paris: ESF, 1982.

BARROS, A.; LEHFELD, N. *Fundamentos de metodologia*. São Paulo: McGraw-Hill, 1986.

COMÊNIO, J. A. *Didática magna*. Lisboa: Calouste Gulbenkian, 1957.

---

[26] BAÏETTO, M-C. *Le desir d'enseigner*. Paris: ESF, 1982, p. 162.
[27] FREUD, S. "Conferência XXXIV: esclarecimento, explicações, orientações [1933]". *Obras completas*. São Paulo: Companhia das Letras, 2009, p. 307.
[28] FREUD, S. "Conferência XXXIV: esclarecimento, explicações, orientações [1933]". *Obras completas*. São Paulo: Companhia das Letras, 2009, p. 307.

CORREIA, J. A. "O discurso psicanalítico em educação". In: _____. *Para uma teoria crítica em educação*. Porto: Porto Ed., 1998.

FERENCZI, S. *Diário clínico*. Rio de Janeiro: Imago, [1932] 1993.

FREUD, S. "Conferência XXXIV: esclarecimento, explicações, orientações [1933]". *Obras completas*. São Paulo: Companhia das Letras, 2009.

_____. Prefácio [1925]. In: AICHHORN, A. *Juventud desamparada*. Barcelona-ES: Gedisa, 2006.

_____. "Análise terminável e interminável [1937]". In: _____. *Edição standard brasileira das obras completas*. Rio de Janeiro: Imago, 1980.

_____. "Sobre o início do tratamento (Novas recomendações sobre a técnica da psicanálise I) [1913]". *Edição standard brasileira das obras completas*. Rio de Janeiro: Imago, 1980.

_____. *Recordar, repetir, elaborar [1914]*. Edição standard brasileira das obras completas. Rio de Janeiro: Imago, 1980.

LACAN, J. *O triunfo da religião*. Rio de Janeiro: Jorge Zahar, [1974] 2005.

_____. *O Seminário, livro 17*: o avesso da psicanálise. Rio de Janeiro: Jorge Zahar, [1969-1970] 1992.

LAURENT, E. *A sociedade do sintoma*. Rio de Janeiro: Contracapa, 2007.

MANNONI, M. *Éducation impossible*. Paris: Seuil, 1973.

MILLER, J-A. *Lacan elucidado*. Rio de Janeiro: Zahar, 1997.

PEREIRA, M. R. "De que hoje padecem os professores da Educação Básica?". *Educar em Revista*, n. 64, pp. 71-87, 2017. Disponível em: http://www.scielo.br/scielo.php?pid=S0104-40602017000200071&script=sci_abstract&tlng=pt. Acesso em: 14 fev. 2019.

_____. *O nome atual do mal-estar docente*. Belo Horizonte: Fino Traço/Fapemig, 2016.

PERRENOUD, P. *Práticas pedagógicas, profissão docente e formação*. Lisboa: Dom Quixote, 1993.

RAMIREZ, M. E.; GALLO, H. *El psicoanálisis y la investigación en la universidad*. Buenos Aires: Grama, 2012.

TIZIO, H. "La posición de los profesionales en los aparatos de gestión del sintoma". *In:* _____. *Reinventar el vínculo educativo*. Barcelona: Gedisa, 2003.

WINNICOTT, D. *Tudo começa em casa*. São Paulo: Martins Fontes, 1983.

DO ENSAIO-*FLÂNERIE* À ESCUTA-*FLÂNERIE*: CONTRIBUIÇÕES AO CAMPO DAS PESQUISAS EM PSICANÁLISE E (SOCIO)EDUCAÇÃO

CLÁUDIA PERRONE
ROSE GURSKI

Introdução

Há alguns anos, temos[1] nos dedicado a alargar as bordas da escuta psicanalítica, buscando levá-la para espaços fora da universidade e do *setting* padrão. Nosso interesse voltou-se à reflexão sobre as nuances metodológicas envolvidas nas investigações em psicanálise quando estas se encontram com o campo da educação – em especial, com a socioeducação. Nessas pesquisas e extensões, consideramos, sobretudo, a possibilidade da escuta dos sujeitos adolescentes em contextos de vulnerabilidade e violência.

---

[1] Referimo-nos ao NUPPEC – Eixo 3: Psicanálise, Educação, Adolescência e Socioeducação. O NUPPEC é uma ação conjunta de docentes do PPG em Psicanálise: Clínica e Cultura do Instituto de Psicologia e do PPG da Faculdade de Educação, ambos da UFRGS, além de pesquisadores de outras IES do país. No âmbito do Eixo 3, buscamos investigar as condições da adolescência de sujeitos em situação de violência e vulnerabilidade, em meio às condições do laço social contemporâneo.

O início dessa trajetória é marcado pela tese de doutoramento de Gurski,[2] no Programa de Pós-graduação em Educação (UFRGS), momento em que a pesquisadora cunhou o termo ensaio-*flânerie*, uma metodologia de pesquisa que buscou traçar um caminho de estudo nos interstícios do campo da psicanálise e educação, através do diálogo da escuta psicanalítica com o tema da experiência e do *flâneur* em Walter Benjamin. Tal enlace é proposto a partir da articulação entre três elementos: "a *flânerie* como um modo de olhar do pesquisador, o ensaio como a 'janela da escrita' e o tema da experiência em Benjamin como uma tentativa de afirmar a polissemia e a criação ao invés de repetição e fechamento de sentidos".[3] Na proposta da tese, tratava-se de uma pesquisa com o tema da violência juvenil, cujo campo empírico foi uma espécie de *flânerie* por notícias de jornais e produções culturais do cinema e da mídia em um dado tempo social, mais especificamente, entre 1995 e 2006.

Desse período em diante, em meio ao trabalho de interlocução entre a escuta psicanalítica e os efeitos ético-metodológicos da leitura de Benjamin acerca do tema da experiência e do *flâneur* de Baudelaire, em espaços sociais de intensa vulnerabilidade juvenil, passamos a propor a construção de dispositivos de escuta – tais como o *Cine na Escola*[4] e as *Rodas de R.A.P.*[5]

---

[2] GURSKI, R. *Juventude e paixão pelo real:* problematizações sobre experiência e transmissão no laço social atual. 219 f. Tese (Doutorado) – Programa de Pós-graduação em Educação, Faculdade de Educação, Universidade Federal do Rio Grande do Sul, Porto Alegre, 2008.

[3] GURSKI, R. *Juventude e paixão pelo real:* problematizações sobre experiência e transmissão no laço social atual. 219 f. Tese (doutorado) – Programa de Pós-graduação em Educação, Faculdade de Educação, Universidade Federal do Rio Grande do Sul, Porto Alegre, 2008, p. 25.

[4] GURSKI, R; STRZYKALSKI, S. "A pesquisa em psicanálise e o "catador de restos": enlaces metodológicos". *Revista Ágora: Estudos em Teoria Psicanalítica,* Rio de Janeiro, n. 21, pp. 406-415, 2018.

[5] GURSKI, R; STRZYKALSKI, S. "A escuta psicanalítica de adolescentes em conflito com a lei – que ética pode sustentar esta intervenção?". *Revista Tempo Psicanalítico,* n. 50, pp. 72-98, 2018; GURSKI, R; STRZYKALSKI, S. "A 'Invencionática' na pesquisa em psicanálise com adolescentes em contextos de violência e vulnerabilidade: narrando uma trajetória de pesquisa". *In:* TAROUQUELLA, K.; CONTE, S.; DRIEU, D. (orgs.). *Proteção à infância e à adolescência*: intervenções clínicas, educativas e socioculturais. Brasília: Cátedra Unesco de Juventude, Educação e Sociedade, 2018b.

Nesse âmbito, argumentamos que qualquer pesquisa-intervenção que inclua a ética psicanalítica como referencial subverte os pressupostos do que se toma como ciência, já que a ética da psicanálise reinsere, no âmbito da pesquisa, a experiência do sujeito, ou seja, a dimensão do inconsciente por meio da transferência. Além do critério da transferência, ressaltamos que toda pesquisa em psicanálise se caracteriza como uma pesquisa clínica, não no sentido de utilizar o espaço do *setting*, mas sim por considerar a premissa de que as produções do inconsciente – estejam em um espaço terapêutico ou não – são passíveis de investigação.[6]

A partir de 2014, depois de alguns anos de trabalho com adolescência em situação de violência e vulnerabilidade, passamos a realizar nossas investigações no campo da socioeducação. Com essa nova direção, adensamos a premissa de que nossos estudos têm, fundamentalmente, uma função ético-política que nos convoca a articular a ética psicanalítica com a produção acadêmica e com as demandas sociais atuais. Em meio ao contexto da socioeducação, foi possível dar sequência a um modo de fazer pesquisa que, conforme referido acima, surgiu como efeito da articulação da psicanálise com o tema da *flânerie* trabalhada por Walter Benjamin.[7] Em meio ao diapasão das investigações junto ao campo da socioeducação, o ensaio-*flânerie* deslizou para a construção da escuta-*flânerie*,[8] conforme veremos mais adiante.

---

[6] ELIA, L. "Psicanálise: clínica e pesquisa". *In:* ALBERTI, S.; ELIA, L. (orgs.). *Clínica e pesquisa em psicanálise*. Rio de Janeiro: Marca d'Água, 2000; GURSKI, R. *Psicopatologia da adolescência contemporânea*: a experiência, o tempo e os impasses da inscrição do adolescente na atualidade. Projeto de Pesquisa. UFRGS, 2010.

[7] "Três tópicos para pensar (a contrapelo) o mal na educação". *In:* VOLTOLINI, R. (org.). *Retratos do mal-estar na educação contemporânea*. São Paulo: Escuta/FEUSP, 2014; GURSKI, R; STRZYKALSKI, S. A 'Invencionática' na pesquisa em psicanálise com adolescentes em contextos de violência e vulnerabilidade: narrando uma trajetória de pesquisa. *In:* TAROUQUELLA, K.; CONTE, S.; DRIEU, D. (orgs.). *Proteção à infância e à adolescência*: intervenções clínicas, educativas e socioculturais. Brasília: Cátedra Unesco de Juventude, Educação e Sociedade, 2018b; GURSKI, R; STRZYKALSKI, S. "A pesquisa em psicanálise e o "catador de restos": enlaces metodológicos". *Revista Ágora: Estudos em Teoria Psicanalítica,* Rio de Janeiro, n. 21, pp. 406-415, 2018c.

[8] GURSKI, R. A escuta-flânerie como efeito do encontro entre psicanálise e socioeducação. *In:*GURSKI, R.; PEREIRA, M. R. (orgs.). *Quando a psicanálise escuta a socioeducação*. Belo Horizonte: Fino Traço, 2019; GURSKI, R. "A escuta-flânerie

No que se refere à ética da psicanálise, trata-se, como disse Lacan,[9] de *bem-dizer* o sujeito, oferecendo condições para que ele possa falar nos termos da associação livre, isto é, sem se preocupar com julgamentos morais e eximindo-se ao máximo da censura de dizer o que lhe ocorre. Aquele que escuta deve se preocupar apenas em lançar um convite àquele que fala no sentido de poder surpreender-se, estranhar-se e construir novos sentidos através da abertura aos equívocos, aos lapsos, às repetições – aquilo que aparece como Outro, como alteridade, como o estranho-familiar do sujeito.[10]

Todavia, como fazer a palavra circular o mais próximo possível nos termos da associação livre em contextos como o da socioeducação, em que os corpos e vozes estão, não raro, aprisionados e massificados? De que maneira é possível evocar a dimensão do sujeito singular ali onde ele se encontra tão apagado? E, ainda, como a ética da psicanálise pode se presentificar no âmbito da pesquisa em psicanálise e (socio)educação?[11]

À guisa de um começo: método ou métodos?

O método psicanalítico de pesquisa foi inicialmente sustentado pelo breve artigo de Freud, *Dois verbetes de enciclopédia*, de 1923, no qual há a clássica afirmação de que o método de investigação coincide com o método de tratamento. Christian Dunker,[12] ao retomar uma afirmação

---

como efeito ético-metodológico do encontro entre Psicanálise e socioeducação". *Tempo Psicanalítico*, vol. 51, n. 2, pp. 166-194, 2019b. PIRES, L.; GURSKI, R. "A construção da escuta-flânerie: uma pesquisa psicanalítica com socioeducadores". *Psicologia USP*, vol. 31, pp. 180128, 8 abr. 2020.

[9] LACAN, J. Televisão. *In:* LACAN, J. Outros escritos. Rio de Janeiro: Jorge Zahar, [1974] 2003.

[10] GURSKI, R.; STRZYKALSKI, S. "A pesquisa em psicanálise e o "catador de restos": enlaces metodológicos". *Revista Ágora: Estudos em Teoria Psicanalítica,* Rio de Janeiro, n. 21, pp. 406-415, 2018c.

[11] STRZYKALSKI, S. ADOLESCENTE? EU SOU SUJEITO HOMEM! Reflexões sobre uma experiência de escuta na socioeducação com jovens envolvidos com o tráfico de drogas. 2019. Dissertação (Mestrado) – Clínica e Cultura, Instituto de Psicologia, Universidade Federal do Rio Grande do Sul, Porto Alegre, 2019.

[12] DUNKER, C. *The constitution of the psychoanalytic clinical.* A History of its Structure and Power. Great Britain: Karnac Books, 2011.

de Jacques Lacan em *Psicanálise e suas relações com a realidade*,[13] quando o psicanalista francês afirma que a clínica antecede a psicanálise, assinala que a denominação clínica é passível de confusão, pois, além da clínica como tratamento, a psicanálise subverteu os elementos da clínica – que a antecedia – e reinventou a estrutura "clínica", bem como seus dispositivos.

Em seu período inicial no Brasil, a produção científica em psicanálise formulou algumas estratégias, principalmente através da construção de investigações que buscavam cumprir exigências científicas e acadêmicas que nem sempre iam ao encontro das premissas da psicanálise. Na tese de Camila Fonteles,[14] encontramos alguns dados esclarecedores sobre a produção científica no campo da pesquisa psicanalítica. A autora examinou o perfil da produção no Brasil através de levantamento no Banco de Teses da CAPES. A coleta inclui trabalhos acadêmicos produzidos entre 1987[15] e 2012, totalizando 25 anos de produção. De modo geral, foram encontradas 1.075 teses que acompanham o crescimento da pós-graduação no país.

Alguns achados merecem destaque para nossa discussão. A maior parte das teses citam Freud e Lacan, seguidos de Winnicott, Klein, Bion e Ferenczi, entre outros autores da psicanálise. Nas teses dos PPGs específicos de psicanálise, há também o predomínio de Freud e Lacan como referência. Em relação ao tipo de pesquisa, poucos resumos explicitam o método psicanalítico de pesquisa. Alguns falam em pesquisa teórica, teórico-conceitual, teórico-clínica ou estudo de caso. Em relação ao procedimento de análise, foram predominantemente utilizados: análise do discurso, teoria dos campos e análise de conteúdo.

---

[13] LACAN, J. "Da psicanálise em suas relações com a realidade". In: *Outros Escritos*. Rio de Janeiro: Zahar, [1967] 2003 apud DUNKER, C. *The constitution of the psychoanalytic clinical*. A History of its Structure and Power. Great Britain: Karnac Books, 2011.

[14] FONTELES, C. S. L. *Psicanálise e universidade*: uma análise da produção acadêmica no Brasil. 201 f. Tese (doutorado) – Universidade Federal da Bahia, Instituto de Psicologia, Salvador, cotutela com a *Université Paris Diderot-Paris*, 2015.

[15] Em 1987 iniciam as coletas CAPES, o sistema de avaliação dos Programas de Pós-graduação no Brasil.

Fonteles[16] problematizou a dificuldade de os analistas falarem em nome próprio e a necessidade da autorização, seja da academia, seja das instituições psicanalíticas. A autora também destaca a perspectiva de Beividas[17] e seu argumento de que a pesquisa em psicanálise sofre um *excesso de transferência*, provocando uma espécie de subordinação a Freud e Lacan, o que produz uma aceitação tácita da teoria com decorrente confirmação do pensamento dos pioneiros. Tal movimento, na ausência de interrogações, leva à reprodução teórica que, no limite, pode se tornar totalizante.

Observamos ainda que o perfil das teses em psicanálise apresentado por Fonteles[18] suscita interrogações sobre como se constituem os pesquisadores em psicanálise. Será que o campo da pesquisa psicanalítica acaba por produzir apenas epistemólogos que se debruçam sobre constructos teóricos? Ou são pesquisadores que se originam da clínica e então, através da pesquisa, buscam uma postura de objetividade empírica? Afinal, o que é a pesquisa em psicanálise? Será que estamos condenados a repetir os textos de Freud e Lacan? Ou a própria sobrevivência da psicanálise reside na tarefa do psicanalista-pesquisador não abdicar do impossível de testemunhar sua experiência do inconsciente? Ou seja, não se trata de assimilação de uma teoria, mas sim de um testemunho de uma experiência, na qual teoria e prática são indissociáveis.

Pretendemos, portanto, neste escrito, defender a legitimidade da pesquisa psicanalítica na universidade sem a perda do objeto que a caracteriza desde seu nascimento, as produções do inconsciente. Partindo

---

[16] FONTELES, C. S. L. *Psicanálise e universidade*: uma análise da produção acadêmica no Brasil. 201 f. Tese (doutorado) – Universidade Federal da Bahia, Instituto de Psicologia, Salvador, cotutela com a *Université Paris Diderot-Paris*, 2015, p. 128.

[17] BEIVIDAS, W. "O excesso de transferência na pesquisa em psicanálise". *Psicologia Reflexão e Crítica*, vol. 12, n. 3, 1999 apud FONTELES, C. S. L. *Psicanálise e universidade*: uma análise da produção acadêmica no Brasil. 201 f. Tese (doutorado) – Universidade Federal da Bahia, Instituto de Psicologia, Salvador, cotutela com a *Université Paris Diderot-Paris*, 2015.

[18] FONTELES, C. S. L. *Psicanálise e universidade*: uma análise da produção acadêmica no Brasil. 201 f. Tese (doutorado) – Universidade Federal da Bahia, Instituto de Psicologia, Salvador, cotutela com a *Université Paris Diderot-Paris*, 2015.

da noção do rigor científico, porém sem atentar ao modelo cartesiano e universal de pesquisa, propomos a relação da psicanálise com outros campos na pesquisa acadêmica a fim de dar conta justamente do método em espaços fora da clínica tradicional.

A *flânerie* como posição de investigação: a pré-história de um método

Podemos dizer que tanto Benjamin como Freud estabeleceram novos procedimentos metodológicos no modo de olhar para o sujeito e para o laço social. Os dois, de alguma forma, incluíram o fragmento, o resto e o traço como elementos fundamentais das marcas do sujeito moderno. Benjamin, pela via das montagens e da apresentação do pensamento, importou as imagens surrealistas como método, enquanto Freud acompanhou os rastros da *outra cena*[19] que aparecem na apresentação do sujeito marcado pela aceleração. Em comum, ainda carregam o fato de evocarem continuamente o desvio como modo de análise de seus trabalhos, desvios provocados por uma narrativa singular.

Freud e Benjamin compartilharam em seu tempo social o surgimento do fenômeno das massas. As grandes cidades, o desenvolvimento da tecnologia que produziu o cinema, mas também armas com capacidade letal, nunca vistas até então, a publicidade, o embaralhamento do real e do imaginário, o insignificante, os choques, as novas patologias como o trauma dos soldados que voltavam da guerra, o estranhamento do novo mundo das imagens entre outros acontecimentos e fenômenos.

Um dos conceitos mais discutidos da obra de Benjamin,[20] no Brasil, foi o de experiência (*Erfahrung*). Esse conceito, nodal no trabalho do

---

[19] A noção de *outra cena*, seja em imagens, cenas narradas ou até mesmo em um sonho, no qual pouco importa se são fantasias ou lembranças, é composta por imagens que marcam e perturbam, atraem e repulsam o sujeito. As cenas apresentadas ao analista pelo sintoma ou pelo sonho são sempre relativas ao que não se pode ver, ou seja, o inconsciente e suas manifestações, a *outra cena*.

[20] BENJAMIN, W. "Experiência e pobreza". In: _____. *Magia e técnica, arte e política*: ensaios sobre literatura e histórias da cultura. Obras Escolhidas I. São Paulo: Brasiliense,

filósofo alemão, desenvolveu-se a partir de uma *recepção* datada historicamente e tornou-se uma via melancólica e um *caminho impossível* a partir de determinado entendimento acerca do fim da experiência.

Nas últimas obras de Benjamin, principalmente nos aspectos teóricos e epistemológicos do livro das *Passagens*,[21] vemos a proximidade entre o pensamento dos dois autores. Na apropriação que Benjamin realiza da psicanálise e de algumas de suas categorias, principalmente nos *Konvoluts*[22] fica clara a sustentação de uma metodologia para pensar o século XX e suas condições.

Entendemos que tanto Freud como Benjamin legaram concepções de sujeito muito produtivas para pensar as condições no laço social contemporâneo. Benjamin propôs a nomeação de outra temporalidade o *Jetztzeit*, o tempo do Agora. Ao determinar o tempo do Agora, a experiência em Benjamin dirige-se à possibilidade de interrupção súbita da narrativa de uma vida ou da cadeia do político/histórico, abrindo a possibilidade para uma nova dimensão da experiência, uma nova narrativa. O *Jetztzeit* é o que acontece no instante e gera uma ação. Uma das imagens que Benjamin utilizou para problematizar o modo como o sujeito moderno vivia os acontecimentos e as experiências foi sugerindo que o tempo do Agora seria como um trem em alta velocidade que só conseguimos parar acionando o alarme de emergência.

Há um saber do passado, um saber não consciente que se torna acessível somente no *Jetztzeit*, no momento do despertar, em um breve lampejo. O passado não é idêntico a si mesmo, não existe algo como um ponto fixo que sustenta a ideia de progresso. É preciso recolher os fragmentos, o esquecido sob a forma do intempestivo, do inapropriável,

---

[1933] 2012. BENJAMIN, W. "O narrador". In: _____. *Magia e técnica, arte e política:* ensaios sobre literatura e histórias da cultura. Obras Escolhidas I. São Paulo: Brasiliense, [1936] 2012.

[21] BENJAMIN, W. *Passagens*. Trad. Irene Aron. Belo Horizonte: Editora da UFMG, 2006.

[22] Konvoluts significa "pastas" em alemão. Consagrou-se a expressão como modo de chamar o livro das Passagens, visto que Benjamin guardou os diferentes temas e anotações deste em pastas.

do que provoca deslocamento. Importa destacar que Benjamin considerava o caráter político dos conceitos como a demanda de uma ação que depende da captura do presente no tempo do Agora.

Sublinhamos ainda que a chegada do pensamento de Walter Benjamin no Brasil é um dado que precisa ser historicizado. A leitura de Benjamin intensificou-se durante o processo de democratização do país. O contexto de crescimento do pensamento benjaminiano no Brasil produziu interrogações que precisam ser consideradas ao nos debruçarmos sobre as relações entre o seu pensamento e o de Freud.

As ciências humanas representaram uma vanguarda que buscou formular o que não podia ser pensado durante o regime militar. O campo da educação foi possivelmente o que mais sustentou um projeto utópico e moderno com a finalidade de traçar questões não articuladas no que se refere ao processo democrático, criativo e transformador da sociedade brasileira.

Também a educação foi intensamente demandada nos encontros sobre questões de pesquisa, de produção de conhecimento e de intervenções no campo social. Diante do processo de redemocratização do país, como a educação poderia pensar novos sujeitos, minorias excluídas, novas práticas pedagógicas democráticas que trabalhassem a favor da justiça social? Nesse sentido, Walter Benjamin foi um autor importante, junto com a psicanálise, para pensar certo paradigma de *educação democrática e crítica*, passível de levar o país a refletir sobre suas pautas educativas a partir de categorias históricas e sociais. Ambos, a psicanálise e os escritos de Benjamin, tiveram uma função fundamental para pensar a tradição desde seu caráter inovador, provocando interrupções e estranhamentos que ficavam à altura das problematizações que se apresentavam à sociedade brasileira.

Pois é justamente um trabalho realizado a partir do campo da educação que este escrito apresenta. A já referida tese de Gurski,[23]

---

[23] A tese teve a orientação da Profa. Dra. Rosa Maria Bueno Fisher (PPGEDU/UFRGS), pesquisadora foucaultiana com estudos expressivos no campo da análise da cultura contemporânea.

defendida no PPG em Educação (UFRGS) e publicada, posteriormente, pela Editora Escuta, sob o título *Três Ensaios sobre juventude e violência*, em 2012, tinha como pergunta central, além de problematizações transversais, as condições postas pelo laço social da época aos jovens de classe média e alta.

O *flâneur*, a escuta-*flânerie* e o campo da socioeducação: a construção de novos caminhos

O *flâneur*, associado a um modo e tempo de olhar, foi definido por Benjamin[24] como aquele que tem seu ritmo próprio, desencadeando uma certa indiferenciação entre o mundo interior e privado do burguês. A velocidade extrema da vida moderna e a mudança na paisagem das cidades tornou o *flâneur* um estranho.

Relacionando a posição do *flâneur* com a do psicanalista, encontramos o catador de restos que, a partir do que seria descartado ou negado, oferece, em seu movimento e a contrapelo do ritmo acelerado das grandes cidades, um espaço para o tropeço, o impensável e o detalhe – de onde podem vir a se produzir novas formulações acerca das mesmas coisas.[25]

Feitas essas ressalvas, registramos que outra noção fundamental para a construção da escuta-*flânerie* é a ideia de constelação[26] de Benjamin. O

---

[24] BENJAMIN, Walter. *Charles Baudelaire um lírico no auge do capitalismo*. Obras Escolhidas III. São Paulo: Brasiliense, 1989.

[25] GURSKI, R; STRZYKALSKI, S. "A 'Invencionática' na pesquisa em psicanálise com adolescentes em contextos de violência e vulnerabilidade: narrando uma trajetória de pesquisa". In: TAROUQUELLA, K.; CONTE, S.; DRIEU, D. (orgs.). *Proteção à infância e à adolescência*: intervenções clínicas, educativas e socioculturais. Brasília: Cátedra Unesco de Juventude, Educação e Sociedade, 2018; GURSKI, R; STRZYKALSKI, S. "A pesquisa em psicanálise e o "catador de restos": enlaces metodológicos". *Revista Ágora: Estudos em Teoria Psicanalítica*, Rio de Janeiro, n. 21, pp. 406-415, 2018.

[26] BENJAMIN, W. "Prefácio epistemológico crítico". In: _____. *Origem do drama trágico alemão*. Autêntica: Belo Horizonte, 2013, p. 28. É aí que o filósofo alemão, em meio a reflexões bastante abstratas, recorre a imagens de estrelas: "As ideias se relacionam com as coisas como as constelações com as estrelas". Cabe esclarecer que, na língua

pensamento em constelação permite a liberdade de estabelecer ligações entre partes dispersas, a produção de uma imagem conceito a partir dos múltiplos caminhos do *flâneur*.

Não se trata da linearidade da consciência, mas seus elementos novos tomam forma pelas interrupções, pelos desvios e rastros, pela repetição dos mesmos fenômenos em contextos diversos, os vários estratos da significação que asseguram o recomeço perpétuo e alteram a constelação diante da experiência do sujeito coletivo. Podemos resumir tal movimentação dizendo que é como se o desvio operasse enquanto um método[27]. Pois é justamente o caráter de montagem e de constelação que determina a construção da *flânerie* como metodologia, da qual decorre o ensaio-*flânerie* e, mais tarde, a escuta-*flânerie*.

Partindo, então, dessas construções e imbuídos de princípios ético-políticos em nossas investigações, iniciamos as pesquisas no campo da socioeducação em uma instituição socioeducativa do Estado que é responsável pela execução das medidas de restrição e privação de liberdade. Nesse contexto, oferecemos *rodas de circulação da palavra* a adolescentes internos da instituição, um espaço de fala e escuta fortemente inspirado na associação livre freudiana. No decorrer do trabalho, tal dispositivo foi, por demanda dos próprios meninos, desdobrado nas atuais *Rodas de R.A.P.*[28]

---

alemã, não se trataria apenas de um conjunto, mas de uma imagem, o que significa, em primeiro lugar, que a relação entre seus componentes, as estrelas, não seja apenas motivada pela proximidade entre elas, mas também pela possibilidade de significado que lhes pode ser atribuída.

[27] "[...] o método é caminho indireto, é desvio". BENJAMIN, W. *A origem do drama barroco alemão*. São Paulo: Brasiliense, p. 50, 1984.

[28] Para outros detalhes acerca do tema, ver GURSKI, R. "A escuta de jovens 'infratores', o RAP e o poetar: deslizamentos da vida nua à 1vida loka1". *Revista Subjetividades*, n. 17, pp. 45-56, 2017; GURSKI, R; STRZYKALSKI, S. A escuta psicanalítica de adolescentes em conflito com a lei – que ética pode sustentar esta intervenção? *Revista Tempo Psicanalítico*, n. 50, pp. 72-98, 2018a; GURSKI, R; STRZYKALSKI, S. "A 'Invencionática' na pesquisa em psicanálise com adolescentes em contextos de violência e vulnerabilidade: narrando uma trajetória de pesquisa". *In:* TAROUQUELLA, K.; CONTE, S.; DRIEU, D. (orgs.). *Proteção à infância e à adolescência*: intervenções clínicas, educativas e socioculturais. Brasília: Cátedra Unesco de Juventude, Educação e Sociedade, 2018.

Esse trabalho de pesquisa-intervenção com os adolescentes pela via da escuta foi impondo seu trajeto e chegamos em outro tensionamento da violência que se impôs aos pesquisadores: o sofrimento dos socioeducadores. Tal sofrimento fica bem evidente nas estatísticas de pedidos de afastamento por motivos de saúde ou pessoais, assim como nas ausências psíquicas observadas mesmo com aqueles que estão presentes no dia a dia. Como nomear esse mal-estar? Como trabalhar com os *restos* da sociedade, com aqueles que ninguém quer ouvir? Tal movimento implicou um adensamento na articulação da escuta psicanalítica a fim de traçarmos um caminho de diálogo com o mal-estar na socioeducação.

Após um período de trabalho com algumas questões que emergiram no campo, passamos a oferecer um espaço de escuta também para os trabalhadores. Inicialmente, apostamos na configuração de uma escuta sem um espaço físico delimitado, uma espécie de um pronto-atendimento que pudesse dar ao pesquisador-psicanalista a chance de vivenciar, junto com os trabalhadores, as dificuldades de seu fazer diário, no calor dos conflitos e acontecimentos.[29] Esse novo tempo da pesquisa na instituição foi desenvolvido em meio a uma dissertação de mestrado, sob a orientação de Gurski[30] que, em seu transcurso, foi adensando as proximidades da posição do *flâneur* com a do psicanalista. Nestas aproximações, destacamos a valorização dos restos e fragmentos enquanto um método que se dá a contrapelo do ritmo acelerado e considera um espaço para o tropeço, para o impensável e para o detalhe – de onde podem vir a se produzir novas formulações acerca das mesmas coisas.[31]

---

[29] Para mais informações sobre o conceito de clínica do trabalho-*flânerie*, ver: GURSKI, R; PERRONE, C. M. "Clínica do trabalho flânerie". *In:* COELHO, R. (Org.). Psicanálise e Trabalho: aspectos subjetivos, sócio-históricos e políticos. Porto Alegre: Memorial da Justiça do Trabalho no Rio Grande do Sul, pp. 69-80, 2020.

[30] PIRES, L. "A construção da escuta-*flânerie*: uma pesquisa psicanalítica com agentes socioeducadores que atendem adolescentes em conflito com a lei. 2018". Dissertação (Mestrado) – Programa de Pós-Graduação em Psicanálise: Clínica e Cultura, Instituto de Psicologia, Universidade Federal do Rio Grande do Sul, Porto Alegre, 2018.

[31] GURSKI, R. "Três tópicos para pensar (a contrapelo) o mal na educação". *In:* VOLTOLINI, R. (org.). *Retratos do mal-estar na educação contemporânea.* São Paulo: Escuta/FEUSP, 2014. GURSKI, R;

Considerações finais

A oferta da escuta em outros espaços que não a clínica tradicional abre a possibilidade não só que a palavra circule entre iguais, mas que um outro tipo de saber se construa, o saber da experiência, aquilo que está referido à dimensão do sujeito. Partimos da noção de que todos os participantes da pesquisa estão sujeitos à experiência, ao tempo, aos restos e aos resíduos. Como afirmou Benjamin, não se trata de inventariar esses fragmentos, mas dar a eles um espaço.

Nos atuais tempos sombrios, talvez uma das produções mais importantes da articulação psicanálise, educação e pesquisa seja justamente garantir o lugar do sujeito dividido do inconsciente diante do Eu racional, submetido a operações universalistas e abertos a *preceitos morais*.

É em meio a este cenário que temos refletido sobre a importância em escutar o sujeito instituído, que cumpre medida na instituição socioeducativa, como um sujeito coletivo, com direito ao uso da palavra. Tal escolha afasta o Eu entendido como uma unidade fora das condições sociais, históricas e contingentes nas quais está inserido. A possibilidade de fazer uma narrativa de si, que pode surgir a partir da escuta-*flânerie*, abre um trajeto na direção de uma trama histórica em que o sentido do narrar-se é vinculado à ideia de responsabilizar-se, de implicar-se com as possibilidades de discursividade.

Nesse sentido, destacamos que o elemento importante e ainda desafiador é a discussão sobre a transferência nas intervenções como foram propostas. É preciso garantir o suposto saber que não pressupõe uma unidade e coerência ao discurso, ou seja, trata-se de uma *flânerie*. Nesse sentido, "a *flânerie* é – assim como pode ser o momento da escuta de um paciente ou da leitura de um texto teórico – uma experiência única, singular e inusitada".[32]

Entendemos que o pesquisador em psicanálise, ao ser convocado a ocupar o lugar de Um na transferência, daquele que detém o saber que

---

[32] STRZYKALSKI, S. "ADOLESCENTE? EU SOU SUJEITO HOMEM! Reflexões sobre uma experiência de escuta na socioeducação com jovens envolvidos com o tráfico de drogas". Dissertação (Mestrado) – Clínica e Cultura, Instituto de Psicologia, Universidade Federal do Rio Grande do Sul, Porto Alegre, p. 7, 2019.

falta no sujeito, deve responder desde uma posição que aponte para a inexistência da totalidade. Tal operação é semelhante ao que Lacan[33] coloca no texto *A direção do tratamento e os princípios de seu poder*. Nele, o psicanalista lembra que, ao escutar o particular do sujeito, o desejo de analista opera produzindo o avesso do discurso do mestre, criando condições para que o sujeito não faça Um do Outro, ou seja, não alimente a ilusão de que a completude imaginária seria possível. A partir da metáfora do *bridge*, Lacan aproxima a posição do analista com o morto do jogo: seria como dar condições, enquanto morto para o analisante produzir seus lances, inovando suas jogadas, isto é, produzindo suas verdades, sem depender de um mestre que lhe empreste sentidos.[34] Em outras palavras, a psicanálise surge justamente como um "ato profanatório que busca outras formas de responder ao poder e à política do Um".[35]

O encontro psicanálise, educação e pesquisa, no âmbito da socioeducação, trata também de realizar um furo no "excesso de saber" sobre os adolescentes em conflito com a lei. A narratividade de um sujeito também guarda um resto não linguístico que escapa a regimes de coerência. Uma vida pela qual não se deve chorar, lamentar, e que estava no campo do irreconhecível, joga com a possibilidade de reconhecimento desses meninos; também a crítica ao modo como se constrói conhecimento é uma tarefa ética, da ética psicanalítica e não função de protocolos. Delimitar pesquisa em psicanálise é um efeito contínuo de delimitar sobre *o que é pesquisa em psicanálise*, guardando, acima de tudo, a necessária dimensão ético-política e inventiva de uma investigação.

---

[33] LACAN, J. "Função e campo da fala e da linguagem". *In: Escritos*. Rio de Janeiro: Zahar, [1953] 1998.

[34] GURSKI, R. "A escuta-flânerie como efeito do encontro entre psicanálise e socioeducação". *In*: GURSKI, R.; PEREIRA, M. R. (orgs.). *Quando a psicanálise escuta a socioeducação*. Belo Horizonte: Fino Traço, 2019a; GURSKI, R. "A escuta-flânerie como efeito ético-metodológico do encontro entre Psicanálise e socioeducação". Tempo Psicanalítico, vol. 51, n. 2, pp. 166-194, 2019b.

[35] GURSKI, R.; BARROS, J.; STRZYKALSKI, S. "O enlace entre psicanálise, educação, cinema e a experiência adolescente". *Revista Educação e Realidade*, vol. 44, pp. 1-17, 2019, p. 13.

Os impasses que se apresentam e se problematizam no cenário da clínica, nos trabalhos de pesquisa-extensão e no laço social, de modo amplo, exigem, cada vez mais, de pesquisadores e psicanalistas, atos e ações com valor de lampejos plenos de resistência criativa para que se possa tanto renovar os sentidos de nossos fundamentos, como encaminhar pontos de abertura para o que problematiza na atualidade.[36] Como disse Maud Mannoni,[37] em uma carta endereçada a Lacan nos tempos sombrios em que viveram as instituições psicanalíticas francesas nas décadas de 1950 e 1960, a psicanálise não pode se transformar em um Museu de Grévin, o museu de cera de Paris. Além da crítica aos *puros e duros*, a psicanalista destacava a importância em não ficarmos surdos às demandas que se apresentam na atualidade. É nesse sentido que este trabalho propõe a busca por caminhos metodológicos passíveis de serem sustentados a partir da escuta psicanalítica em outros espaços; simultaneamente, também buscamos enriquecer o campo da pesquisa em psicanálise e educação na Universidade através de construções que incluem o caráter ético-político de nossas ações.

REFERÊNCIAS BIBLIOGRÁFICAS

BENJAMIN, W. "Prefácio epistemológico crítico". In: _____. *Origem do drama trágico alemão*. Autêntica: Belo Horizonte, 2013.

_____. "As teses sobre a história". In: _____. *Magia e técnica, arte e política*: ensaios sobre literatura e histórias da cultura. Obras Escolhidas I. São Paulo: Brasiliense, [1974] 2012.

_____. "Experiência e pobreza". In: _____. *Magia e técnica, arte e política*: ensaios sobre literatura e histórias da cultura. Obras Escolhidas I. São Paulo: Brasiliense, [1933] 2012.

_____. "O narrador". In: _____. *Magia e técnica, arte e política*: ensaios sobre literatura e histórias da cultura. Obras Escolhidas I. São Paulo: Brasiliense, [1936] 2012.

---

[36] GURSKI, R. A construção da Rede de Psicanálise e Política e o lampejo: ato e resistência. [conferência]. *In: Evento preparatório para o I Congresso da REDIPPOL – Rede Interamericana de Psicanálise e Política*. Universidade de São Paulo – USP, 2018.

[37] MANNONI, M. *O que falta à verdade para ser dita*. São Paulo: Papirus, 1990.

_____. *Passagens*. Trad. Irene Aron. Belo Horizonte: Editora da UFMG, 2006.

_____. *Charles Baudelaire um lírico no auge do capitalismo. Obras Escolhidas III*. São Paulo: Brasiliense, 1989.

_____. *A origem do drama barroco alemão*. São Paulo: Brasiliense, 1984.

DUNKER, C. *The constitution of the psychoanalytic clinical*. A History of its Structure and Power. Great Britain: Karnac Books, 2011.

ELIA, L. "Psicanálise: clínica e pesquisa". *In:* ALBERTI, S.; ELIA, L. (orgs.). *Clínica e pesquisa em psicanálise*. Rio de Janeiro: Marca d'Água, 2000.

FONTELES, C. S. L. *Psicanálise e universidade*: uma análise da produção acadêmica no Brasil. 201 f. Tese (doutorado) – Universidade Federal da Bahia, Instituto de Psicologia, Salvador, cotutela com a *Université Paris Diderot-Paris*, 2015.

FONTELES, C.; COUTINHO, D.; HOFFMANN, C. "A pesquisa psicanalítica e suas relações com a Universidade". *Revista Ágora,* vol. 21, n. 1, pp. 138-148, 2018.

FREUD, S. "Dois verbetes de enciclopédia". *In:* _____. *Edição standard brasileira das obras psicológicas completas,* v. XVIII. Rio de Janeiro: Imago, [1923] 1996.

GRECO, P. et al. "Estresse no trabalho em agentes dos centros de atendimento socioeducativo do Rio Grande do Sul". *Rev. Gaúcha Enfermagem*, vol. 34, n. 1, pp. 94-103, 2013.

GURSKI, R. _____. *Juventude e paixão pelo real*: problematizações sobre experiência e transmissão no laço social atual. 219 f. Tese (doutorado) – Programa de Pós-graduação em Educação, Faculdade de Educação, Universidade Federal do Rio Grande do Sul, Porto Alegre, 2008.

_____. *Psicopatologia da adolescência contemporânea*: a experiência, o tempo e os impasses da inscrição do adolescente na atualidade. Projeto de Pesquisa. UFRGS, 2010.

_____. "Três tópicos para pensar (a contrapelo) o mal na educação". *In:* VOLTOLINI, R. (org.). *Retratos do mal-estar na educação contemporânea*. São Paulo: Escuta/FEUSP, 2014.

_____. "A escuta de jovens 'infratores', o RAP e o poetar: deslizamentos da vida nua à 'vida loka'". *Revista Subjetividades*, n. 17, pp. 45-56, 2017.

_____. "A construção da Rede de Psicanálise e Política e o lampejo: ato e resistência". [conferência]. *In: Evento preparatório para o I Congresso da REDIPPOL – Rede Interamericana de Psicanálise e Política*. Universidade de São Paulo – USP, 2018.

_____. "A escuta-flânerie como efeito do encontro entre psicanálise e socioeducação". *In:* GURSKI, R.; PEREIRA, M. R. (orgs.). *Quando a psicanálise escuta a socioeducação*. Belo Horizonte: Fino Traço, 2019.

_____. "A escuta-flânerie como efeito ético-metodológico do encontro entre Psicanálise e socioeducação". Tempo Psicanalítico, vol. 51, n. 2, pp. 166-194, 2019.

GURSKI, R.; BARROS, J.; STRZYKALSKI, S. "O enlace entre psicanálise, educação, cinema e a experiência adolescente". *Revista Educação e Realidade*, vol. 44, pp. 1-17, 2019.

GURSKI, R; PERRONE, C. M. "Clínica do trabalho flânerie". *In:* COELHO, R. (Org.). Psicanálise e Trabalho: aspectos subjetivos, sócio-históricos e políticos. Porto Alegre: Memorial da Justiça do Trabalho no Rio Grande do Sul, p. 69-80, 2020.

GURSKI, R.; STRZYKALSKI, S. "A escuta psicanalítica de adolescentes em conflito com a lei – que ética pode sustentar esta intervenção?". *Revista Tempo Psicanalítico,* n. 50, pp. 72-98, 2018.

_____. "A 'Invencionática' na pesquisa em psicanálise com adolescentes em contextos de violência e vulnerabilidade: narrando uma trajetória de pesquisa". *In:* TAROUQUELLA, K.; CONTE, S.; DRIEU, D. (orgs.). *Proteção à infância e à adolescência*: intervenções clínicas, educativas e socioculturais. Brasília: Cátedra Unesco de Juventude, Educação e Sociedade, 2018.

_____. "A pesquisa em psicanálise e o 'catador de restos': enlaces metodológicos". *Revista Ágora: Estudos em Teoria Psicanalítica,* Rio de Janeiro, n. 21, pp. 406-415, 2018.

LACAN, J. "Televisão". *In:* LACAN, J. *Outros escritos*. Rio de Janeiro: Jorge Zahar, [1974] 2003.

_____. "Função e campo da fala e da linguagem". *In: Escritos*. Rio de Janeiro: Zahar, [1953] 1998.

MANNONI, M. *O que falta à verdade para ser dita*. São Paulo: Papirus, 1990.

PIRES, L. "A construção da escuta-*flânerie*: uma pesquisa psicanalítica com agentes socioeducadores que atendem adolescentes em conflito com a lei". Dissertação (Mestrado) – Programa de Pós-Graduação em Psicanálise: Clínica e Cultura, Instituto de Psicologia, Universidade Federal do Rio Grande do Sul, Porto Alegre, 2018.

PIRES, L.; GURSKI, R. "A construção da escuta-flânerie: uma pesquisa psicanalítica com socioeducador". *Psicologia USP*, vol. 31, p. e180128, 8 abr. 2020.

ROSA, M. D. *A clínica psicanalítica em face da dimensão sociopolítica do sofrimento.* São Paulo: Escuta/Fapesp, 2016.

STRZYKALSKI, S. "ADOLESCENTE? EU SOU SUJEITO HOMEM! Reflexões sobre uma experiência de escuta na socioeducação com jovens envolvidos com o tráfico de drogas". Dissertação (Mestrado) – Clínica e Cultura, Instituto de Psicologia, Universidade Federal do Rio Grande do Sul, Porto Alegre, 2019.

A PSICANÁLISE NA PESQUISA SOBRE A FORMAÇÃO DE PROFESSORES: SUJEITO E SABER

RINALDO VOLTOLINI

Enquanto psicanalistas, temos algo a dizer sobre a formação de professores?

Mesmo que a legitimidade da psicanálise nesse campo pareça justificada pelo reconhecimento dos *fatores psíquicos* presentes na formação docente, essa questão merece ser colocada, até porque, para o próprio psicanalista, essa justificativa, ampla e genérica, é problemática e insuficiente.

Em primeiro lugar, porque o psicanalista fareja por trás dessa concepção conhecida como *fatorialista*, a recuperação da ideia gestáltica, do *homem como um todo*, formado por seus fatores psicológicos, sociológicos, econômicos, biológicos etc. Somados esses fatores, encontraríamos o homem total, indivisível. Em segundo lugar, porque a categoria *fatores psíquicos* historicamente serviu para consolidar o campo da psicologia, ciência, ou pseudociência, segundo os termos de Canguilhem, que soube tão bem defini-la como "[...] uma filosofia sem rigor, uma ética sem exigência e uma medicina sem controle [...]"[1]. A

---

[1] CANGUILHEM, G. *Ètudes d' histoire et de philosophie des sciences*. Paris: [s.n.], 1994. p. 367.

psicanálise, em toda a sua evolução, encontrou sua identidade teórica fora do campo da psicologia, fato totalmente negligenciado pela organização do plano científico-universitário que a engloba como um capítulo ou uma abordagem da psicologia.

Embora a psicanálise se aproxime da psicologia pelo interesse comum em estudar os fatores psíquicos – nível do conteúdo –, afasta-se dela pelo modo como o faz – nível do método. Mesmo no nível do conteúdo, se Freud se aproxima da psicologia, é para conceber um campo novo que não podia ser restringido à biologia, campo inicial de seu conhecimento e sua prática de médico. Bastaria, para compreender essa diferença, a alusão ao termo metapsicologia, com o qual Freud marca a particular posição da psicanálise em relação à psicologia: *além da* psicologia; *além*, bem entendido, não no sentido de superior, mas de fora, de para além.

Em terceiro lugar, porque todo psicanalista estará advertido contra a tendência contemporânea de *mais-de-saber*, que assolou ao modo capitalista o conhecimento científico. Nela, a produção científica aparece condicionada por uma perspectiva colaboracionista e "rentabilista" em relação às práticas sociais: trata-se de fazer os saberes científicos renderem em termos práticos para que a ciência confirme seu valor social e de fazer tais saberes trabalharem juntos – quer dizer, homogeneamente – dentro dessas práticas. A noção de dispositivo, cunhada por Foucault[2] e aprofundada por Agambem,[3] traduz perfeitamente essa tendência: um dispositivo, para isolar sinteticamente seus termos, é uma *formação em rede* de valor essencialmente *estratégico*, de composição *heterogênea*, que engloba *elementos distintos*, tais como discursos, instituições, organizações arquitetônicas, enunciados científicos, morais, com a finalidade de, aliando saber e poder, responder a *urgências sociais*.

Para além dessa articulação de saberes e poderes num dispositivo a produzir práticas disciplinadoras dos corpos, a psicanálise está em condição de apontar um outro ponto do mais-de-saber, contra o qual

---

[2] FOUCAULT, M. *Ditos e escritos*. Rio de Janeiro: Forense Universitária, 1977.
[3] AGAMBEM, G. *O amigo & o que é um dispositivo?* Chapecó: Argos, 2014.

cumpre guardar reserva. A célebre anedota filosófica em que a centopeia não consegue mais andar depois que lhe perguntam – em face das suas múltiplas pernas – como ela sabe com qual perna dará o próximo passo basta para aludir a este fato que qualquer psicanalista sabe em sua prática e teorização: *às vezes, mais conhecimento gera paralisia e não poder*.

Por outro lado, e pesando esses riscos contra os quais deve-se estar sempre advertido, é possível estabelecer uma ligação de interesse entre a psicanálise e aquilo que se joga no campo da formação de professores. Longe da aproximação genérica dos fatores psíquicos em jogo, encontramos em Freud[4] uma indicação mais específica, a do estabelecimento de um campo que reúne a psicanálise, a educação e o governo em um mesmo terreno. A fórmula, bastante conhecida e célebre, propõe que esses três ofícios compartilham um ponto em comum: o impossível.

O sentido e o alcance dessa fórmula serão explorados ao longo deste texto, cabendo-nos por ora apenas indicar sua pregnância e assentar nela a justificativa de um otimismo inicial em relação às possibilidades de a psicanálise ter algo a dizer sobre a formação de professores. Em todo caso, a pergunta sobre a pertinência da psicanálise comparecer no campo da formação de professores, signo de uma cautela necessária pelos motivos que apresentamos acima, não é a única pergunta relevante a ser posta. Será necessário também perguntar o que ela tem a oferecer ao profissional da educação, que *tem que fazer algo* com esse impossível constituinte de sua prática e que sente sua formação não corresponder aos seus anseios, nem lhe dar sustentação às dificuldades de sua prática.

Trata-se de um professor – para situá-lo sucintamente nas vicissitudes de seu tempo – que vive uma *heteronomia formativa*[5] e vê sua formação planejada e executada por outros: não professores, políticos administradores que desenham as políticas públicas em função dos interesses governamentais; e cientistas da educação – psicólogos, sociólogos,

---

[4] FREUD, S. "Mal-estar na civilização". In: _____. *Obras psicológicas completas de Sigmund Freud*. Rio de Janeiro: Imago, [1930] 1996.

[5] TARDIF, M. *Saberes docentes e formação profissional*. Petrópolis: Vozes, 2014.

historiadores etc. –, estes, em geral, seus professores na universidade e que aportam os conhecimentos historicamente julgados como pertinentes; trata-se ainda de um professor que vive um hiper-reformismo institucional reinante, que bascula a direção de seu trabalho a cada novo governo que assume o poder; um professor que enfrenta também a posição paradoxal em que a sociedade o colocou: sobrevalorizado como agente de transformação social e subvalorizado na remuneração que lhe é atribuída; um professor que vê seu papel esgarçado pelos discursos pedagógicos contemporâneos, os quais, por força de situar o aluno como agente do conhecimento, acabam gerando um efeito colateral – em princípio, não previsto em seus objetivos –, o de colaborar para a desvalorização do papel desse profissional; um professor, por fim, que viu o capital cultural escapar de suas mãos – se a escola, a seu tempo, roubou o capital cultural da igreja, a internet, recentemente, roubou-o da escola.

Neste capítulo pretendemos explorar o alcance e os limites dessa possibilidade não de modo especulativo e teórico, mas a partir de um exercício de pesquisa no campo da formação de professores. Com isso, pensamos ser possível esboçar e desenvolver algumas respostas a perguntas importantes sobre psicanálise e formação docente, mas também sobre psicanálise e pesquisa acadêmica.

A posição da psicanálise no campo da formação de professores: a Weltanschauung[6] pedagógica

Como ponto de partida, seria interessante observarmos o lugar atualmente ocupado pela psicanálise no vasto campo da pesquisa sobre a formação docente. Fazê-lo, entretanto, não é uma tarefa fácil se

---

[6] *Weltanschauung* é um termo alemão utilizado por Freud com difícil tradução para outras línguas. Tem sido traduzido em português como "cosmovisão". Para Freud, serve para falar de "... uma construção intelectual que soluciona todos os problemas de nossa existência, uniformemente, com base em uma hipótese superior dominante, a qual, por conseguinte, não deixa nenhuma pergunta sem resposta e na qual tudo que nos interessa encontra seu lugar fixo". FREUD, S. "Mal-estar na civilização". *In*: _____. *Obras psicológicas completas de Sigmund Freud*. Rio de Janeiro: Imago, [1930] 1996. vol. XXI, p. 155.

considerarmos que essa participação não aparece destacada como tal, discernida no escopo geral do conhecimento produzido nesse campo.

Podemos, contudo, percebê-la exatamente no ponto em que há uma referência bastante particular aos fatores psíquicos em jogo na formação: *a presença do determinismo inconsciente*. Essa referência não surge desde o início nas pesquisas de formação docente. Será necessário esperar que entre em jogo nesse campo a *démarche* do professor reflexivo e, com ela, uma valorização de uma psicologia do professor, fruto da crítica aos modos pragmáticos e excessivamente tecnicistas presentes na formação docente como modelo dominante.

Essa nova postura de pensar o trabalho docente descende claramente da extensão, para o campo da formação dos professores, da postura pedagógica conhecida como *escola ativa*, que pensa o aluno como agente de seu conhecimento. Para um aluno agente do conhecimento, um professor agente do conhecimento. A capacidade de refletir ganha, então, a dignidade maior e assume a posição de principal valor da formação docente.

Como assinalamos em trabalho anterior,[7] será na constatação do *limite da capacidade reflexiva* na formação docente que o fator inconsciente – e consequentemente a psicanálise – será reconhecido como tal.

No bojo de uma teorização que levou em conta fatores sociológicos, históricos e tecnológicos determinantes na formação docente,[8] surgiram dois modelos propostos para essa formação: para um deles, nomeado *evidence based practices*,[9] interessa chegar, através da

---

[7] VOLTOLINI, R. *Psicanálise e formação de professores*: antiformação docente. São Paulo: Zagodoni, 2018.

[8] Para compreensão do campo, nos valemos do estudo aprofundado de autores como Philippe Perrenoud, Antônio Nóvoa, Bernard Charlot e Maurice Tardif. Ainda que se possa pensar em outros autores com contribuição importante, cremos ser possível encontrar nos citados a construção de uma visão de campo da pesquisa e o debate que se compõe nesse campo. Algumas referências diretas a esses autores serão expostas ao longo do texto, em termos de citação direta, mas, para nós, fica difícil estimar o grau de impacto indireto que o estudo desses autores tem em nosso trabalho. Em todo caso, deixamos registrado aqui nossa imensa dívida ao trabalho inestimável desses autores.

[9] GAULTHIER, C.; BISSONETTE, S.; RICHARD, M. «L'enseignment explicite». *In:* DUPRIEZ, V.; CHAPELLE, G. (dir.). *Enseigner*. Paris: PUF, 2007.

pesquisa, a procedimentos que se mostraram eficazes segundo experimentos controlados, para, em seguida, propô-los como ideais aos professores em suas práticas; o segundo, chamado de *reflexive practices*,[10] é baseado na ideia de que a natureza contextual do trabalho docente, que se dá sempre em uma situação de grau enorme de imprevisibilidade e variação, exige desse profissional uma capacidade de refletir como forma de lidar *in loco* com as exigências presentes na situação de ensino. Enquanto a situação de ensino é concebida, para o primeiro modelo, como *certeza e técnica*, para o segundo, é sempre *urgência e improviso*.

A distinção entre os dois modelos é de peso e com consequências consistentes em relação às práticas de formação docente. No primeiro, a reflexão do professor se dá essencialmente *a priori*, no planejamento de seu trabalho, enquanto, no segundo, ela se dá fundamentalmente *in loco* e *a posteriori*, no pós-trabalho.

Para o primeiro modelo, dada as condições de sua composição, a questão de um limite da capacidade reflexiva não tem necessidade nem razão de ser colocada. Nesse caso, os limites da capacidade reflexiva só poderiam ser encontrados conjunturalmente, ou seja, seriam limites desse ou daquele sujeito que reflete, mas jamais da capacidade reflexiva como função em si mesma. Como se trata de limites conjunturais e não estruturais, sua superação pode perfeitamente ser realizada no aperfeiçoamento da capacidade reflexiva.

Foi no aprofundamento do segundo modelo que a questão do limite da capacidade reflexiva pôde ser colocada. Com efeito, quando se leva em consideração o trabalho do professor no momento de seu ato e não somente no de seu planejamento, não se pode deixar de perceber que há algo nesse ato que ultrapassa o plano da consciência.

Se entre o professor e o papel – aquele no qual ele concretiza seu planejamento – não há ato, entre o professor e sua sala de aula há algo que implica ato. Se no primeiro modelo a aula é entendida como um campo de *aplicação*, no segundo é de *implicação*. E implicação

---

[10] SCHON, D. *The reflexive practitioner*. New York: Basic Books, 1983.

supõe a presença de um sujeito, sujeito sempre ultrapassado em seu planejamento.

Evidentemente que os adeptos das práticas baseadas em evidências sabem que o momento da aula não obedece perfeitamente ao planejado. Essa diferença entre o planejado e o encontrado normalmente é tematizada nesse modelo com o nome de *variáveis*. Busca-se controlar variáveis, único esteio da prática eficaz, e aquelas que não foram controladas, contabilizando um prejuízo para o trabalho, devem ser estudadas e controladas nos próximos estudos.

Mas temos o direito de perguntar se o termo *variáveis* não atesta mesmo o modo como esse modelo reconhece em seu campo a presença do incontrolável, daquilo que ultrapassa sempre, assintoticamente, a capacidade de planejamento e controle do real. Como há sempre variáveis novas que demandam ser estudadas e controladas no futuro, como nunca se totaliza o controle dessas variáveis, por que pensar que o não controle delas deve ser atribuído a uma *impotência momentânea*, potencialmente superável, e não a uma *impossibilidade estrutural*?

A tensão e as diferenças entre esses dois modelos podem ainda ser mais bem entendidas na fórmula proposta por Perrenoud, na qual ele opõe, de um lado, a perspectiva racionalista, chamada pelo autor de "utopia racionalista", e, de outro, a que ele propõe com o nome de "sociologia realista das práticas" (tradução nossa).[11]

Trata-se aqui de opor um modelo racionalista, cuja utopia estaria no fato mesmo de acreditar no predomínio da racionalidade como operador da ação, a outro que considera de maneira não simplista a racionalidade subjetiva do ser humano.

> As reformas desembocam ainda em uma imagem *simplificadora* da prática e da racionalidade subjetiva, bem como de suas determinações inconscientes, quer sejam elas de ordem cultural ou psicanalítica. A formação de professores não escapa a esse excesso de racionalismo

---

[11] PERRENOUD, P. *La formation des enseignants*: entre théorie et pratique. Paris: L'Harmattan, 1994, p. 10.

abstrato e de censura dos elementos que advém da antropologia, da psicossociologia ou da psicanálise, muito mais do que da didática ou da pedagogia experimental (grifo do autor, tradução nossa).[12]

O que Perrenoud opõe, e o acompanhamos nisso, é a perspectiva simplificadora àquela que resgata a complexidade que compõe a situação de ensino. A simplificação é um processo mistificador do real. Curioso paradoxo, a perspectiva dita mais científica das práticas baseadas em evidência, disposta, como toda a ciência, ao *controle das ilusões*, desemboca em uma *ilusão de controle*.

Com isso, ele aborda não só uma diferença de modelos de formação docente, mas também duas perspectivas do que se considera ciência: um racionalismo, que pode levar à utopia, contra outro, que pode conduzir a um manejo do real.

Contra a ideia de *evidência* – termo tributário das luzes, do esclarecimento –, o autor propõe que a ciência da formação docente gire em torno da *caixa preta* da sala de aula, em uma explícita alusão àquilo que não se enxerga, que não é evidente.

Para nós, sem o saber – ou ainda atribuindo outro nome à sua descoberta –, é aqui que Perrenoud *tromba* com o inconsciente. Dizemos *tromba* porque, para nós, sua produção teórica, imensamente importante, como, aliás, a de outros autores que caminham globalmente na mesma direção, não está em busca dos fatores inconscientes e sequer está em boas condições para encontrá-los.

Se até aqui mostramos as diferenças entre os dois modelos, a tensão estabelecida entre eles, resta mostrar o ponto que os unem. Como sabemos, desde Freud,[13] com seu conceito de *narcisismo das pequenas diferenças*, uma oposição entre dois lados nunca se dá sem um profundo ponto em comum entre eles. Se judeus e nazistas, por exemplo, puderam

---

[12] PERRENOUD, P. *La formation des enseignants*: entre théorie et pratique. Paris: L'Harmattan, 1994, p. 10.
[13] FREUD, S. "Mal-estar na civilização". In: _____. *Obras psicológicas completas de Sigmund Freud*. Rio de Janeiro: Imago, [1930] 1996.

se opor tanto e tão fortemente é, segundo a interpretação freudiana, porque ambos acreditavam serem a raça eleita por Deus.

No caso específico de nossos dois modelos de formação docente, o ponto em comum que estabelece o campo de tensão e a oposição entre ambos está na crença comum que possuem em relação à ideia de razão. Para ambos, razão é, no melhor estilo cartesiano, *razão metódica*. Isto é, a virtude maior da razão, na verdade sua definição mais essencial, é sua capacidade de estabelecer um método no qual a dúvida é o pivô, capaz de levar, pelo concurso das faculdades racionais, à verdade, enquanto verdade científica.

Descartes[14] separava a dúvida metódica da dúvida cética. A primeira é aquela construída pelos ardis da razão e cujo enfrentamento é possível segundo os mesmos ardis, com possibilidades de sucesso, ou não, no estabelecimento da verdade; a segunda é aquela construída na fraqueza de uma posição de insegurança, na fragilidade da capacidade de refletir, não digna de ser considerada como dúvida, não pelo menos se o que se busca é o conhecimento verdadeiro.

Perrenoud compreende que o que se passa na sala de aula – a caixa preta – possui algo que se compõe de uma pletora de variáveis, em princípio incontroláveis, com as quais se deve saber conviver e manejar. O objetivo é *controlar-se* em relação a essas variáveis, mas não as controlar. Sem correr o risco de superposição, não podemos deixar de apontar aqui a mais profunda equivalência de identidade da posição do professor na sala de aula com a do analista na sessão analítica. Evidentemente que os propósitos de ambos, e consequentemente suas direções de trabalho, são absolutamente distintos, mas podemos encontrar nesse ponto uma *condição* comum. O que os une num mesmo campo não é a natureza de seus atos nem de suas finalidades, mas a condição – precária por definição – que vivem em seu ofício.

Também como o professor, o analista não sabe *a priori* o que vai acontecer na sessão; mesmo que acompanhe seu paciente há muito tempo, sabe que deve ser previdente com relação às apostas na reprodução do

---

[14] DESCARTES, R. *Discurso do método*. São Paulo: Martins Fontes, 2001.

comportamento deste. O analista também só pode controlar-se, sem jamais sonhar com o controle do que vai se passar na sessão. Trata-se, em ambos os casos, de práticas do *acontecimento* e não da previsão.

Práticas, portanto, que lidam diretamente com *o real*, razão fundamental que levou Freud a situá-las – junto com o governar – ao lado do impossível. Lembremos que o impossível é, no ensino de Lacan, um dos nomes do real.

Queremos sugerir que é aqui que a psicanálise encontra seu lugar ótimo para dizer algo sobre a formação de professores: *o real da formação docente*. Normalmente se espera sua participação, como dissemos acima, *ao lado* de outras contribuições teóricas sobre os fatores psíquicos que estão em jogo na formação de professores, mas, se ela aparece aí, será como ideologia psicanalítica e não como psicanálise.

Essa diferença é crucial fazer quando nos damos conta que foi sob a forma de ideologia psicanalítica – incorporada após a pasteurização de seus conceitos à ideologia psicológica mais geral – que a pedagogia englobou o saber psicanalítico em seu campo.

Esse modo de incorporação não deixa de estar presente, em certa medida, na leitura que os autores da formação docente fazem dela, levando-os a encorpar, com o concurso da psicanálise, uma *weltanschauung* pedagógica. Há uma cosmovisão pedagógica que inunda o campo das ciências da educação, fazendo com que muitas vezes as contribuições dessas ciências sejam neutralizadas naquilo que mostram para serem retomadas num plano mais geral, alimentando uma suposta educação ideal, ou seja, idealizada. Como não é nosso propósito aprofundar aqui a questão específica da cosmovisão pedagógica, remetemos o leitor ao interessante debate realizado sobre esse ponto no livro de Bernard Charlot.[15]

Com isso, a psicanálise é convocada a participar do campo de estudos da formação docente como aquela capaz de explicar uma parte

---

[15] CHARLOT, B. *A mistificação pedagógica*: realidades sociais e processos ideológicos na teoria da educação. São Paulo: Ed. Cortez, 2013.

dos determinismos – os inconscientes no caso dela – que constituem as variáveis da *situação de ensino*, para empreender um termo cunhado por Charlot.[16]

Considerando todas as advertências de Freud com relação às cosmovisões e, sobretudo, sobre a participação da psicanálise no fomento de uma delas, cremos ser necessário aprofundar esse ponto com o intuito de desenvolver melhor as questões centrais deste capítulo.

Contra a *weltanschauung* pedagógica, a caixa preta da sala de aula: o real da formação docente

Redigido no bojo das chamadas novas conferências introdutórias da psicanálise, o texto que dá nome à XXXV conferência, "A Questão da *Weltanschauung*", parece em princípio destinado a abordar o problema da cientificidade da psicanálise. Como nas demais conferências, trata-se, para Freud, de explicar os fundamentos de suas pesquisas, os conceitos cunhados através delas e a apresentação de seus resultados e hipóteses de trabalho.

Durante todo o percurso do texto, Freud explicita e defende o projeto e o método científico contra outras formas de saber – em particular a religião, forma principal, segundo ele, da *weltanschauung* – e situa convictamente a psicanálise como atividade científica. Esse duplo movimento pode ser claramente percebido no parágrafo que conclui o texto:

> Em minha opinião, a psicanálise é incapaz de criar uma *Weltanschauung* por si mesma. A psicanálise não precisa de uma *Weltanschauung*, faz parte da ciência e pode aderir à *Weltanschauung* científica. Esta, porém, dificilmente merece um nome tão grandiloquente, pois não é capaz de abranger tudo, é muito incompleta e não pretende ser auto-suficiente e construir sistemas. O pensamento científico ainda é muito novo entre os seres humanos;

---

[16] CHARLOT, B. *A mistificação pedagógica*: realidades sociais e processos ideológicos na teoria da educação. São Paulo: Ed. Cortez, 2013.

ainda são muitos os grandes problemas que até agora não conseguiu solucionar. Uma *Weltanschauung* erigida sobre a ciência possui, excetuando a sua ênfase no mundo externo real, principalmente traços negativos tais como a submissão à verdade e a rejeição às ilusões. Todo semelhante nosso que está insatisfeito com essa situação, que exige mais do que isso para seu consolo momentâneo, haverá de procurá-lo onde o possa encontrar. Não o levaremos a mal, não podemos ajudá-lo, mas nem podemos, por causa disso, pensar de modo diferente.[17]

Vemos Freud implicado em mostrar a posição da psicanálise dentro do campo científico, mas também empenhado em mostrar que os limites intrínsecos desse saber podem ser tomados como insuficientes pelo homem em geral, cujos apetites excedem o que a ciência tem a lhe oferecer.

Para nós, o objeto primordial desse texto não estaria tanto na definição da posição da psicanálise no campo da ciência, mas, antes, na atratividade das *weltanschauungs* para o homem. O consolo aos sofrimentos e dúvidas que uma cosmovisão – que anuncia, portanto, uma fórmula geral, chave paradigmática de leitura de todos os problemas existentes – pode trazer ao ser humano é infinitamente maior que o poder trazido pelas verdades da ciência. Mesmo que o ser humano aprecie bem gozar dos benefícios práticos que essas verdades portam, não deixará de render seus tributos muito mais à verdade absoluta que a cosmovisão lhe confere do que ao ideal de provisoriedade da verdade, típico da ciência. Lacan soube indicar isso numa direção contrária à de Freud: para o último, a ciência acabaria por triunfar sobre a religião, e, para o primeiro, o triunfo seria da religião.[18]

Esse poder de consolar é tão forte que mesmo os cientistas não estão inteiramente ao abrigo dele. Referindo-se particularmente aos

---

[17] FREUD, S. "A questão de uma *weltanschauung*". In: *Obras psicológicas completas de Sigmund Freud*. Rio de Janeiro: Imago, [1933] 1996. vol. 12, p. 177.

[18] LACAN, J. *O triunfo da religião, precedido de discurso aos católicos*. Rio de Janeiro: JZE, [1974] 2005.

sistemas filosóficos, também tendentes a criar cosmovisões, Freud sublinha e contesta a presença dessa ilusão consoladora no cerne da atividade da razão. Tratando do que ele chamou de um "equivalente do anarquismo político",[19] diz:

> Eles partem da ciência, é um fato, mas se empenham a forçá-la à sua autoanulação, ao suicídio; propõem-lhe a tarefa de ela própria abandonar o seu caminho refutando, ela própria, suas reivindicações. [...] Uma vez eliminada a ciência, o espaço vago pode ser preenchido por algum tipo de misticismo, ou de algum modo pela *Weltanschauung* religiosa (grifos do autor).[20]

Mais do que a relação da *ciência com o real* – real que, para Freud, aparece formulado nesse texto como "[...] aquilo que existe fora de nós e independente de nós [...]",[21] – é do *real da ciência*, a verdade que anuncia sua posição em face do desejo do sujeito, que esse texto parece tratar. Se, de um lado, é do saber científico que se trata – universalidade e provisoriedade da verdade; uniformidade de formalização; observação crítica e racional dos fatos etc. –, de outro, mais fundamentalmente, é o saber do cientista – tendente ao misticismo próprio, o mesmo que configura toda a constituição psíquica – que, no fim das contas, importará.

Cremos poder encontrar nesse ponto uma especificidade da pesquisa psicanalítica: se, por um lado, ela pode ser tomada como parte da ciência – uma "especialidade" dela,[22] – por outro, não se trata de qualquer parte, mas justamente daquela que constitui como seu campo o sujeito mesmo da ciência. "Não há ciência do homem, porque o homem

---

[19] FREUD, S. "A questão de uma *weltanschauung*". In: *Obras psicológicas completas de Sigmund Freud*. Rio de Janeiro: Imago, [1933] 1996, vol. 12, p. 171.
[20] FREUD, S. "A questão de uma *weltanschauung*". In: *Obras psicológicas completas de Sigmund Freud*. Rio de Janeiro: Imago, [1933] 1996, vol. 12, p. 171.
[21] FREUD, S. "A questão de uma *weltanschauung*". In: *Obras psicológicas completas de Sigmund Freud*. Rio de Janeiro: Imago, [1933] 1996, vol. 12, p. 166.
[22] FREUD, S. "A questão de uma *weltanschauung*". In: *Obras psicológicas completas de Sigmund Freud*. Rio de Janeiro: Imago, [1933] 1996, vol. 12. p. 155.

da ciência não existe, mas apenas seu sujeito", diria Lacan,[23] em completa consonância com o movimento desse texto de Freud.

Não é possível à ciência desembaraçar-se do sujeito que a constitui. Por mais que o pensamento científico vise, como dizia o próprio Freud, a um *independente* de nós, *fora* de nós, não pode jamais chegar a um *sem* nós. Por mais que o pensamento científico triunfe em relação à cosmovisão, nunca poderá se ver livre totalmente dela; ela retorna, como o real que sempre retorna não do mesmo jeito, mas sempre ao mesmo lugar. A cosmovisão seria, portanto, o Outro da ciência; aquele, inclusive, do qual ela tenta se separar.

A caixa preta da sala de aula é esse real da formação docente que volta sempre ao mesmo lugar. Nenhum saber, por mais ilustrado que seja, pode eliminar a escuridão que sempre retorna e retorna, porque é próprio à verdade de só poder ser semidita: nenhum saber esgota a verdade. Constatemos uma diferença importante: enquanto, para a ciência, a verdade é provisória, para a psicanálise, ela é não-toda; a ideia de provisoriedade situa a imperfeição numa linha do tempo, mesmo que convicta da inexistência de um horizonte futuro de verdade absoluta, enquanto a de não-toda situa a precariedade da verdade não como uma imperfeição, mas como um impossível lógico: nenhum saber pode esgotar a verdade. Enquanto *a ciência tenta chegar à verdade pela via do saber, a psicanálise visa chegar ao saber pela via da verdade.*

Podemos ainda levar um pouco mais longe a ideia de caixa preta enquanto metáfora potente para tratar desse real da formação docente. Para a aviação, a caixa preta tem um valor muito preciso, ela é feita de um material indestrutível, resistente, pelo menos, à eventual queda do avião, o que serviria bem para mostrar essa indestrutibilidade do real inconsciente. Assim como com o inconsciente, ela porta também uma mensagem, referente a uma *outra cena* – aquela vivida num tempo que antecede a queda –, que só poderá ser ouvida em seu conteúdo revelador – de verdade, portanto – num depois.

---

[23] LACAN, J. "A ciência e a verdade". *In:* _____. *Escritos*. Rio de Janeiro: JZE, [1966] 1998, p. 873.

A PSICANÁLISE NA PESQUISA SOBRE A FORMAÇÃO...

Se a caixa preta é o limite inultrapassável de todo saber e aquela que coloca em jogo algo da verdade inconsciente, ela é também, por outro lado, o lugar onde se articulam as respostas – míticas por definição – que o sujeito dá às perguntas que ele tem e para as quais as luzes da ciência não respondem. É por essa razão que, no trabalho com a formação de professores realizado no quadro de nossa pesquisa, damos séria importância às *dúvidas céticas* que aparecem aos professores. Se elas não revelam o método que o professor usa para refletir – típico das dúvidas metódicas –, dão certamente indícios de uma intensa atividade imaginativa que acompanha a reflexão, a condiciona e a subsome. Com frequência, na pedagogia, tudo o que escapa à lógica da razão metódica não encontra lugar na teorização, nem, portanto, na prática. Entretanto, quem negaria a presença maciça da atividade imaginativa e desiderativa do professor no momento mesmo do exercício de seu ofício?

As dúvidas céticas nos interessam porque se desenham desde a *outra cena* em relação à qual o professor equaciona sua posição na situação de ensino. Nas dúvidas céticas, encontramos, portanto, um elemento transferencial entre o professor e o aluno, algo que se desenrola no que temos proposto chamar de *romance educativo*. O que se define como situação de ensino nas teorias pedagógicas e, consequentemente, nas de formação docente, é pensado em bases contratuais, ou seja, como algo que se realiza entre dois indivíduos em plena consciência dispostos em princípio a realizar uma tarefa em comum – a aprendizagem. Que algo no meio do trajeto dessa tarefa possa desandar esse compromisso inicial é uma possibilidade que está sempre presente, mas que é pensada de modo contingente à tarefa, ou seja, um acidente de sua história.

Com a noção de romance educativo, pretendemos apontar para a fragilidade do caráter contratual dessa relação, quer dizer, para aquilo que excede ao contrato concebido e admitido reciprocamente pelas partes, para aquilo que foge a toda e qualquer reciprocidade volitiva, porque é constituído no campo da relação do sujeito com o Outro. Como numa análise, o contratado inicial, que prevê o esforço comum do analista e analisante na tarefa de ajudar este último a superar seus conflitos patológicos, acaba sempre por desandar, não tanto por falta de observância ou de compromisso das partes, mas porque uma lógica amorosa, chamada de transferência, invade a cena, podendo comprometer o andamento do trabalho. Professor e aluno também, dado que vão caminhar juntos, numa tarefa comum e por algum tempo significativo, hão de se ver certamente tomados nessa lógica amorosa que os ultrapassa e que pode tanto acelerar, como estancar a consecução dos objetivos propostos.

A velha reclamação dos professores quanto à formação recebida na universidade, a saber, por ser ela excessivamente teórica e sem valor prático, pode ganhar outra explicação aqui. Normalmente o professor imagina que, com uma teoria forte – quer dizer, com fórmulas práticas, o que explica a eventual sedução que as *evidence based pratices* desempenham exatamente por oferecerem fórmula práticas –, ele poderia fazer frente ao aluno que encontra na sala de aula. O (des)encontro com o aluno, entretanto, é de outra ordem, ele tem a ver com a lógica constituinte da situação de ensino; lógica que inscreve uma temporalidade que nada tem a ver com aquela da relação da teoria com a prática. Não é o caso de se pensar que a teoria é falsa quando não se aplica à prática; ao contrário, se ela se aplicasse à prática com adequação é que ela seria falsa. A teoria só pode ser no máximo uma bússola, jamais um *Google Maps*. O (des)encontro aluno-professor provém do real que marca a cena, real sempre contingente, aberto ao acontecimento, enquanto a teoria é o lugar da ordem, do já constituído. A teoria é por definição letra morta por oposição ao (des)encontro, que é o lugar do vivo; a teoria só não é morta quando é recuperada nesse vivo de modo implicado, jamais aplicado.

O aluno imaginado, seja pela descrição teórica, seja pela ação da própria imaginação do professor, nunca é o encontrado. Isso não depende do acidente eventual no interior de uma situação contratada, mas, antes, da própria lógica estrutural do (des)encontro aluno-professor. A reclamação dos professores quanto à formação nesse ponto não faria senão alimentar um velho desejo de adequação entre o simbólico – a teoria nesse caso – e o real – a sala de aula ou o aluno. O real a que aqui fazemos referência é exatamente aquilo que se revela nessa desadaptação estrutural na qual todos nós, os seres falantes, estamos constituídos.

Seguindo o mesmo vício contido nessas reclamações dos professores, a formação docente, pelo menos em sua teorização, parece permanecer indiferente ou mal posicionada com relação a esse real, sucumbindo a uma psicologia do professor que busca ajudá-lo a ser mais reflexivo ou mesmo mais eficaz. Que a formação docente fique indiferente ao real do romance educativo não impede que ele exista assim mesmo, relembrando a célebre fórmula atribuída a Charcot: isso não impede que exista.

Na fórmula presente no termo *situação pedagógica*, aprovamos dois pontos: (1) aquele que indica que se trata aí de posições — situar-se —; (2) aquele que indica que se trata de um acontecimento na ordem da temporalidade — situação no tempo —, distinto daquele tempo congelado da teoria. Mas, por outro lado, propomos contestar o que nesse termo alude a uma assepsia da cena de ensino. Cena que todo aquele que já se viu imerso nela — e todos os que passaram pela escola já viveram isso — sabe que não deixa nada de fora a um romance coma estatura de um outro qualquer. Talvez possamos atribuir a isso o fato de Freud, num de seus poucos textos relativos à educação,[24] ter tratado do impacto do professor no aluno; uma obra, sem dúvida, dedicada ao romance educativo.

Uma pesquisa, uma intervenção

Colocar o romance educativo em foco foi o objetivo principal de nossa pesquisa[25] com professores em formação dita continuada. Para tanto, propusemos um dispositivo de trabalho: grupo de escuta de professores, que buscava favorecer a fala livre acerca dos impasses no trabalho docente.

---

[24] FREUD, S. "Algumas reflexões sobre a psicologia do escolar". In: _____. *Obras psicológicas completas de Sigmund Freud*. Rio de Janeiro: Imago, [1914] 1996.

[25] Pesquisa com o título de *Formação de professores em tempos de educação inclusiva*, realizada com o apoio financeiro da FAPESP, durante os anos de 2015 a 2017, e que gerou, entre outros resultados, o livro: VOLTOLINI, R. *Psicanálise e formação de professores:* antiformação docente. São Paulo: Zagodoni, 2018. Trata-se de pesquisa construída com base em uma intervenção chamada grupo de escuta de professores, na qual os professores que responderam ao convite para participar de um grupo de discussão de casos concretos vividos no trabalho na escola podiam *falar livremente* de seus impasses. A partir dessa fala, algumas estratégias de trabalho foram postas em curso, visando exatamente o vivo do (des)encontro professor-aluno com vistas a uma teorização, não aquela construída sobre um aluno abstrato, mas em relação com o aluno vivo no discurso do professor.

Com isso, visávamos, essencialmente, evitar o estilo universitário típico nas formações docentes, pautado num modelo conceitual-instrumental do saber. Na operação que define o discurso universitário,[26] o saber se encontra em posição de agente e visa o outro como objeto, sem perceber sua alienação ao significante mestre que o condiciona, resultando, assim, na produção de um sujeito alienado. Lacan propôs chamar esse sujeito de *as-tudante*,[27] ou seja, aspirado pelo saber e não aspirando-o, nem inspirando-se nele.

No discurso universitário, o saber posto em curso não nasce das questões do sujeito, mas de um programa julgado pertinente e definido *a priori* e das teias do saber acumulado, em geral um saber científico. Daí a ideia de as-tudado, engolido pelo *verdadeiro* da ciência sem articulação com a *verdade* do sujeito. O resultado dessa empreitada normalmente costuma ser o mesmo: um saber alienado, quer dizer, que responde a outras necessidades – a palavra alienado vem de *alien*, outro, significando, portanto, uma ligação fusional ao outro – que não aquelas do sujeito implicado no saber.

Propormos como ponto de partida a fala dos professores presentes no grupo não tinha, portanto, uma intenção muito precisa que cabe discernir de modo preciso. Engana-se aquele que toma essa posição como uma posição que visa o posicionamento democrático do saber. Ainda que não estejamos nem um pouco às voltas com nenhuma posição antidemocrática, ou autoritária, não é de *simetria posicional na pólis* que estamos tratando. Ao contrário, é de uma *dessimetria lógica constitutiva* na cena educativa que estamos tratando. Dar a palavra ao professor é ver como aparece o aluno em seu discurso, sem que nada da palavra desse aluno entre em jogo. No grupo não estava previsto um espaço para a réplica do último. A forma como o aluno aparece no discurso do professor revela algo da verdade dessa relação – a *verdade do dois*, para fazer eco, não sem algumas reservas, à ideia de dois, ao

---

[26] LACAN, J. *O Seminário*, livro 7: O avesso da psicanálise. Rio de Janeiro: JZE, [1969-1970] 1992.

[27] LACAN, J. *O Seminário*, livro 7: O avesso da psicanálise. Rio de Janeiro: JZE, [1969-1970] 1992, p. 98.

termo proposto por Badiou[28] em seu livro chamado, não por acaso, de *Elogio do amor*.

Lembremos, é com a verdade levando ao saber que lidamos, mais que com o saber levando à verdade. O que pretendíamos, portanto, não é *compreender* o professor em seu sofrimento psíquico no trabalho, dando-lhe um espaço para realizar sem julgamentos suas queixas. Nesse dispositivo, parte-se da queixa – ela é mesmo inextinguível do humano, nem mesmo seria desejável que fosse extinta, e revela sua relação desejante com a realidade – sem reduzir-se a ela, tomando-a como ponto de partida na elaboração de um enigma; um enigma é uma formulação na qual o sujeito se acha implicado em resolver podendo retirar desse percurso algo da ordem de um saber. Um enigma não é uma dúvida metódica, embora às vezes o sujeito possa se valer de alguma razão metódica para tentar decifrá-lo; ele é, antes, uma questão com valor existencial, na qual o sujeito, como dizíamos, se acha implicado. O enigma da esfinge na história de Édipo constitui um excelente exemplo do valor do enigma: não se tratava para Édipo da resposta a uma questão intelectual, mas, sim, de uma questão vital, em relação à qual toda sua existência se encontrava em jogo.

A construção de um enigma é, para nós, o ponto decisivo desse dispositivo, aquele que decidirá se cariemos do lado de um grupo de apoio – como exemplo, poderíamos citar o dos alcóolicos anônimos – ou se cairemos do lado de um grupo com valor formativo: se o fizermos do lado da queixa, grupo de apoio, se chegamos ao enigma, grupo de formação. Construído o enigma – o que nem sempre ocorre, dado os movimentos de resistência presentes em toda história amorosa, como vimos acima –, podemos manejar o dispositivo de modo a caminhar na elaboração de um saber. Saber que é mesmo da ordem da elaboração – *laborans* –, fruto do trabalho de *ralar* com a questão, sem ceder à tentação de uma resposta do mestre que viria dar o conforto, o mesmo que vimos acima, dado pela cosmovisão.

A posição de quem coordena o grupo não é, portanto, a de funcionar como o garante da verdade almejada e vislumbrada por trás

---

[28] BADIOU, A.; TRUONG, N. *Éloge de l'amour*. Paris: Flammarion, 2009.

do enigma – a do mestre, portanto –, mas a de testemunhar com seu empenho, igualmente laboral, na tarefa o resultado desse trabalho. Nesse sentido, a função do coordenador se aproxima daquela formulada por Lacan como a do mais-um no cartel. A semelhança não é aleatória, pois o cartel também foi uma solução encontrada para pensar um processo de formação e que deu, não por acaso, num dispositivo grupal.

Se dizemos que não é casual essa reflexão sobre a formação desembocar num dispositivo grupal é porque esse dispositivo tem o mérito de situar aquele que está buscando formação de modo horizontal entre seus pares e sob a implicação deles. Estes são os únicos que podem ajudar a autorizar sua formação, ou dito de modo mais lacaniano, ajudá-lo a se autorizar de sua própria formação. Mas o dispositivo grupal serve se trabalha em torno de uma condição *comum*, sem correr o risco de confundir essa condição comum como uma condição *geral*. O comum é aquilo que todos têm, mas cada um a seu modo, enquanto o geral é aquilo que todo mundo tem sempre do mesmo modo: o que temos em comum é sempre a *falta* e não as respostas a ela. No grupo não estimulamos jamais que um dado caminho encontrado num caso sirva para responder às dificuldades de outro. Se isso ocorre, e pode eventualmente acontecer, é mais da ordem da inspiração do que da aplicação.

Quando aceita o desafio de falar de seu aluno, o professor aceita falar de suas *besteiras*, besteiras que, lembremos também com Lacan[29], são as que podem levar mais longe em termos de saber. Esse fato ficou historicamente demonstrado pela psicanálise que propõe ao paciente, através do dispositivo da associação livre, que fale de suas besteiras; efetivamente, se se começa a falar livremente, não se pode nunca evitar de chegar às besteiras. Mas são elas que colocam em cena um saber em jogo.

Em geral, os dispositivos clássicos de formação profissional são estruturados em torno de um *saber faltante*, aquele que é reputado faltar ao profissional e que seria decisivo em sua prática de trabalho. Em nosso dispositivo, ao invertermos a lógica do saber em jogo, partindo das

---

[29] LACAN, J. *O Seminário, livro 20:* Mais ainda. Rio de Janeiro: JZE, [1972-1973] 1985, p. 21.

besteiras do professor, colocamos o saber inconsciente do professor em jogo; o saber inconsciente nunca é faltante, mas faltoso. A ideia de um saber faltante situa o sujeito em relação a um saber que poderia virtualmente ser completo. A ideia de um saber faltoso, o contrário, uma vez que é aquele que se constrói no espaço lógico da relação do sujeito com o Outro, por definição, incompleta, não-toda, que não permite jamais a concepção de um saber completo, mesmo que de modo virtual. Além disso, no saber faltoso, temos um saber em foco e não uma ignorância, como ocorre no caso do saber faltante.

Como vemos, é fundamentalmente de uma concepção diferente de saber e de sua posição num processo de formação que se distinguem modelos de trabalho. Pudemos, assim, situar o modelo universitário, no qual conseguimos incluir, de um lado, a despeito de suas diferenças particulares, que merecem ser levadas em conta, tanto o modelo das *evidence based practices* como as *reflexive practices*, e, de outro, um modelo que poderíamos chamar de modelo histérico, relembrando também a construção lacaniana. No modelo histérico, é de um questionamento ao saber preposto e prescrito que se parte, à medida que ele não responde a falta, a qual só pode ser experimentada de modo particular. O que o discurso da histérica escreve fundamentalmente é que a falta só pode ser vivida de modo particular, assim como as respostas a ela também só podem ser cunhadas de modo particular, e que toda resposta geral é falha e sucumbirá em seus sonhos de eficácia.

A histérica acossa o mestre, não porque ele não sabe, mas porque ele pretende saber demais, porque se toma como sabido, como sabendo ou podendo saber de tudo. O que ela contesta não é a fragilidade ou uma suposta inutilidade de seu saber, saber que por vezes ela aprecia e mesmo dele se beneficia. O que ela contesta é a crença em um saber que não deixaria espaço para a imperfeição, imperfeição que ela se empenha, com seu sofrimento próprio, em escancarar aos olhos desse mesmo mestre.

Não cremos exagerar quando aproximamos a reivindicação aflita dos professores por mais formação, por uma formação que responda mais às suas necessidades e pela sustentabilidade de seu trabalho, da posição do discurso da histérica. É em seu sofrimento que vemos se definir o essencial de sua posição, é com ele que o professor fala que toda a parafernália criada para lidar com sua atividade não esconde a imperfeição, imperfeição que não deve ser atribuída a ele individualmente, mas ao próprio saber e o sistema que o sustenta.

Confundir seus apelos aflitos por formação com o sinal de um despreparo de sua formação – despreparo que pode mesmo existir em vários casos – é tomar um caminho equivocado de resolução. Normalmente a resposta da mestria a esse apelo é administrativa: mais formação. Assim sendo, a formação despendida oscilará entre uma certa eficácia – com efeito, aprende-se alguma coisa em cursos – e uma renovação do apelo por conta de mais sofrimento – pois, claro, nenhum saber a mais pode colmatar a falta que movimenta a reivindicação.

Essa posição de pesquisa e intervenção a que nos propusemos foge ao que está escrito na perspectiva da mestria – basicamente, os interesses administrativos – ou na perspectiva universitária – essencialmente, de promessa da supressão da dúvida pela via do mais saber. Ela segue um preceito colocado por Develay[30] para todas a ciências humanas: uma pesquisa nessa grande área não pode preocupar-se apenas com a dimensão da verdade, mas também com a dimensão do justo. Entre a verdade e o justo se inscreve exatamente o sujeito, aquele que nem está cem por cento do lado da verdade, nem do lado do justo; sujeito que permanece seguindo, a escapar a todo determinismo, sobretudo àqueles que a lógica formal da ciência tenta traçar.

REFERÊNCIAS BIBLIOGRÁFICAS

AGAMBEM, G. *O amigo & o que é um dispositivo?* Chapecó: Argos, 2014.

BADIOU, A.; TRUONG, N. *Éloge de l'amour.* Paris: Flammarion, 2009.

CANGUILHEM, G. *Ètudes d' histoire et de philosophie des sciences.* Paris: [s.n.], 1994.

CHARLOT, B. *A mistificação pedagógica*: realidades sociais e processos ideológicos na teoria da educação. São Paulo: Ed. Cortez, 2013.

---

[30] DEVELAY, M. *Propos sur les sciences de l'éducation reflexions épistémologiques.* Issy-les-Molineaux: ESF Éditeur, 2004.

DESCARTES, R. *Discurso do método*. São Paulo: Martins Fontes, 2001.

DEVELAY, M. *Propos sur les sciences de l'éducation reflexions épistémologiques*. Issy-les-Molineaux: ESF Éditeur, 2004.

FOUCAULT, M. *Ditos e escritos*. Rio de Janeiro: Forense Universitária, 1977.

FREUD, S. "Análise terminável e interminável". In: *Obras psicológicas completas de Sigmund Freud*. Rio de Janeiro: Imago, [1937] 1996. v. XIII.

_____. "Algumas reflexões sobre a psicologia do escolar". In: *Obras psicológicas completas de Sigmund Freud*. Rio de Janeiro: Imago, [1914] 1996. v. XIII.

_____. "A questão de uma *weltanschauung*". In: *Obras psicológicas completas de Sigmund Freud*. Rio de Janeiro: Imago, [1933] 1996. v. XII.

_____. "Mal-estar na civilização". In: _____. *Obras psicológicas completas de Sigmund Freud*. Rio de Janeiro: Imago, [1930] 1996. v. XXI.

GAULTHIER, C.; BISSONETTE, S.; RICHARD, M. « L'enseignment explicite ». In: DUPRIEZ, V.; CHAPELLE, G. (dir.). *Enseigner*. Paris: PUF, 2007.

LACAN, J. *O triunfo da religião, precedido de discurso aos católicos*. Rio de Janeiro: JZE, [1974] 2005.

_____. "A ciência e a verdade". In: _____. *Escritos*. Rio de Janeiro: JZE, [1966] 1998.

_____. *O Seminário*, livro 7: o avesso da psicanálise. Rio de Janeiro: JZE, [1969-1970] 1992.

_____. *O Seminário*, livro 20: mais ainda. Rio de Janeiro: JZE, [1972-1973] 1985.

PERRENOUD, P. *La formation des enseignants*: entre théorie et pratique. Paris: L'Harmattan, 1994.

SCHON, D. *The reflexive practitioner*. New York: Basic Books, 1983.

TARDIF, M. *Saberes docentes e formação profissional*. Petrópolis: Vozes, 2014.

VOLTOLINI, R. *Psicanálise e formação de professores*: antiformação docente. São Paulo: Zagodoni, 2018.

Parte III
A PESQUISA PSICANALÍTICA NO CAMPO DA EDUCAÇÃO: A FORMAÇÃO DE PROFESSORES EM QUESTÃO

LIÇÕES DE PEDRA NO SERTÃO DA LINGUAGEM: A CONTAGEM NA FORMAÇÃO CONTINUADA DE PROFESSORES

CLÁUDIA BECHARA FRÖLICH
SIMONE ZANON MOSCHEN

> *Uma educação pela pedra: por lições;*
> *para aprender da pedra, frequentá-la;*
> *captar sua voz inenfática, impessoal*
> *(pela de dicção ela começa as aulas).*
> *a lição de moral, sua resistência fria*
> *ao que flui e a fluir, a ser maleada;*
> *a de economia, seu adensar-se compacta:*
> *lições de pedra (de fora para dentro,*
> *cartilha muda), para quem soletrá-la.*[1]

Peso e leveza: dobras da experiência

Pedro tinha preferência pelas pedras. Na educação infantil, encantou-se com elas no pátio. Para o menino, aquele era um universo

---

[1] MELO NETO, J. C. de. *A educação pela pedra e outros poemas*. Rio de Janeiro: Objetiva, 2008, p. 21.

diferente do que vivia em sua casa, zona rural, onde a terra, árvores e animais eram os parceiros de seu brincar. No pátio da escola, Pedro não tinha jeito de fazer laço com as outras crianças, e eram as pedras que lhe faziam companhia ao sentar-se entre elas no recreio. Havia entre Pedro e as pedras uma silenciosa ligação, talvez só compreendida pelos poetas. Achávamos que pedras, Pedros e seus (des)encontros encantariam Manoel de Barros. Certa vez, Pedro cansou de ver privilégio sem ser pedra e quis ter relação também com as pessoas. E foi assim que os arremessos de pedras nos colegas iniciaram. Acrescentando peso e gravidade à situação, ouviu-se da escola: "Tirou sangue de um menino esses dias", "tá sempre no mundo da lua". Pedro desconhecia o tamanho de sua força e o peso dos pedregulhos; a gravidade do mundo da lua era mesmo outra, e, na leveza de sua descoberta, percebeu que, com uma pedra-ponte, poderia tocar o outro. Gravidade que não se mede com balança, uma vez que a importância das coisas há que ser medida pelo encantamento que a coisa produz em nós. "Ficar dentro da sala me dá sufoco! Gosto da grama". E enquanto sentavam-se do lado de fora da sala do Ateliê de Criação, Pedro perguntou à psicóloga, "Qual é a cor da grama?". Assim ficaram os dois, em estado de grama por um bom tempo. *Essa foi a primeira vez.*

A narrativa acima faz parte da "contagem" de nosso trabalho, modo de transmitir a experiência vivida após o tempo de imersão no lugar onde constituiu-se o chão vivo de uma pesquisa psicanalítica junto a professores alfabetizadores em escolas de Ensino Fundamental de um município do interior do Rio Grande do Sul. Muitas das histórias contadas a partir do vivido naquela época – originalmente apenas registros como apoio de memória – ganharam, distantes no tempo, um tratamento de escrita que tangencia a ficção, modo de narrar que se tece num ponto entre leveza e peso. Qual seria a dosagem dessa medida?

Kundera refere Calvino[2] ao escrever sobre a insustentável leveza do ser. Tratava, na verdade, sobre o inelutável peso do viver, modo de dar contorno literário a uma condição humana comum e difícil a todos nós. Admitir a coexistência desses polos, aparentemente excludentes, permite reunir peso e leveza como dois lados de uma mesma gravidade, não como

---

[2] CALVINO, I. *Seis propostas para o próximo milênio*. São Paulo: Companhia das Letras, 2010.

estratégia de recusa da realidade, pelo contrário, como um jeito de enfrentá-la com delicadeza. Na transmissão de nossa pesquisa, o "como" narrar sobre o que (nos) aconteceu, naquele tempo-espaço, não apenas incluiu o paradoxo proposto por Calvino, como nele encontramos inspiração para armar uma trama de linguagem capaz de imprimir leveza e deslocamentos na gravidade dos casos que acompanhávamos. A literatura nos indicou um modo de contar oblíquo, indireto, emprestando o tom discursivo que o trabalho tomou em sua implementação nessa cidade que, pequena, tinha poucos recursos direcionados a estratégias de inclusão de alunos como Pedro e para as pedras que professores encontravam pelo caminho.

Este artigo pretende apresentar os desdobramentos de um trabalho junto às escolas de uma rede municipal de ensino ao erguer e fazer ingressar, nos espaços de acompanhamento às situações de impasse na escolarização de crianças e jovens, a "contação" de histórias. Retorna a essa experiência para dela fazer decantar elementos que nos parecem cruciais de serem levados em conta quando atravessamos o desafio da pesquisa em psicanálise no campo da educação.

Pedro, as pedras e seu trânsito (irregular) pelo lado de fora da sala de aula foram o motor da elaboração do Ateliê de Criação, espaço que acolheu questões sobre a grama, pedra e outros "poucos" relacionados à aprendizagem formal. Mais adiante, como uma dobra do trabalho desenvolvido no Ateliê, outra invenção se estabeleceu na rede: o Laboratório de Aprendizagem, espaço formativo para professores que foi tecido com os mesmos fios narrativos do anterior; a literatura como campo de jogo e a palavra como tecnologia qualificada.

Nessa dobra da experiência, do Ateliê ao Laboratório, esteve em jogo a constituição de um modo de acolhimento de docentes que visava à construção de um espaço formativo que pudesse operar efeitos na direção da formação de um professor-pesquisador, na contramão de modalidades formativas como palestras e capacitações.

Ateliê de Criação: dobra I

Pedro chegou e não gostou de ver outras crianças na sala da psicóloga. Seguiu porta afora. Ela foi atrás. O menino se precipitava na rua onde carros passavam. Ela segurou firme em seu braço. Sentaram-se na grama para o nervoso passar. Traído e confuso, Pedro confessou: "Não venho mais aqui. É como lá na escola, só tem atividade, achei que era pra brincar!". O silêncio, terrível e sereno, também se sentou ao lado deles. O estrago tinha sido feito: Era atividade! Pedro ali não mais voltou. E a sala nunca mais foi a mesma. *Essa foi a segunda vez.*

    O Ateliê de Criação surgiu desses desencontros. Configurou-se como um dispositivo, fora do espaço escolar, que, em seu fazer, não incluía uma proposta clínica, nem pedagógica *stricto sensu*, embora pudesse pendular por entre esses dois campos. Estabeleceu-se como oficinas, disparadas pelo seguinte convite "vamos fazer arte?". Brincar, transgredir, construir e descontruir – tendo, como matéria-prima, sucata, restos do cotidiano de uma casa, ou a palavra, jogos polissêmicos e malabarismos com a linguagem – eram as artes incentivadas nesse espaço de compartilhamento dirigido a alunos com dificuldades diversas em sua travessia rumo ao mundo letrado. Nos grupos formados, de aproximadamente cinco crianças, estávamos atentos a como cada um contava sua escola, o modo como se narravam no contexto escolar. Alguns livros de literatura infantil emprestaram o tom às narrativas e funcionavam como iscas, fisgando as crianças pelo anzol das palavras, palavras-ponte que ajudavam os participantes do Ateliê a contar suas histórias nos meandros da ficção, numa circularidade de saber, articulando a tensão entre o individual, o compartilhado e os elementos tomados do literário.

Laboratório de aprendizagem: dobra II

    Antes mesmo que se pudesse colher e sistematizar os efeitos do Ateliê de Criação, após dois anos de funcionamento, ele teve seus trabalhos encerrados. Mas não somente o Ateliê. Concomitante a isso, outros profissionais da rede de educação, que também desenvolviam trabalhos no local, precisaram reorientar seus rumos. Foi nesse ponto que uma equipe de trabalho realmente constituiu-se: talvez antes fossem profissionais com ideias parecidas, mas trabalhando em separado. Latência de um tempo em que era preciso delinear, de modo compartilhado, uma forma de transmissão desse trabalho para professoras que iriam iniciar um projeto de laboratórios de aprendizagem nas escolas da rede pública. A aposta era de que o projeto de Laboratório pudesse operar numa dupla função: um trabalho diferenciado dirigido para os alunos com dificuldades com o mundo letrado, mas, fundamentalmente, que inaugurasse outra modalidade de formação continuada para seus professores.

A cada semana, as psicólogas, professoras e fonoaudióloga passaram a se reunir, e qual não foi a surpresa de se descobrirem tendo conversado tão pouco sobre o trabalho que faziam tão junto, tão separado. Como efeito dessa descoberta se colocaram a lembrar das histórias ali passadas e a contá-las. Entre o luto e o desamparo de uma equipe, algo, naquele momento, foi se delineando, mesmo que não se soubesse o quê, nem como. Talvez fosse a solidificação dos laços de um grupo de trabalho. Não se falava muito dos laboratórios ainda porvir, mas daquilo que se havia percorrido e das hipóteses sobre o que poderia ter "fisgado" os gestores para a aposta no novo formato.

Foi num desses encontros que uma professora da equipe disse algo que interrompeu uma sequência de dias iguais. Falávamos da importância de "como" transmitir às professoras de laboratório algo do nosso fazer. Alguém perguntou a ela: "Como aprendeste isto?". Ela disse: "Foi aqui, com vocês". "Mas como?", insistimos. E ela disse: "Foi o tempo!" Esse "foi o tempo" inverteu a direção da seta para outro rumo e operou na equipe como frase propulsora de uma passagem para outro momento: uma outra contagem de tempo nessa equipe e em nosso fazer. Desse modo, encontramos o caminho para armar a formação continuada de laboratório para as professoras recém-chegadas: iniciamos pela "contação" de histórias sobre encontros e desencontros que a equipe já havia vivido na rede. As histórias pareciam preciosas naquele espaço. Passamos, assim, a incentivar que, nos novos laboratórios de aprendizagem das escolas da rede, as histórias circulassem — esse era o nosso "como".

A aposta de que as palavras, no jogo com o outro, constroem, inscrevem uma nova posição foi tecida pela equipe que se estabeleceu como assessoria para as professoras dos novos laboratórios. Essa nova posição de escuta se iniciou por registrar a maneira como cada educadora operava sua própria passagem no campo da palavra e da linguagem para banhar-se nesse trabalho tão novo para elas. Cada qual a seu tempo, foram endereçando à equipe os impasses vividos em suas escolas para a implantação de um projeto que não oferecia quase nenhum *a priori* sobre como sustentá-lo. Era preciso embarcar na aventura de construir esse espaço que se tecia na palavra, entre as histórias, e circulava nas reuniões e na transferência de trabalho que ali se desdobrava na confiança de que efeitos de formação se produziriam.

A partir dessa outra posição – de testemunho do trabalho de passagem dessas educadoras –, passamos a perceber uma mudança na posição de "leitura" e de "escrita" de professoras em relação a alunos apontados pela escola como com dificuldades na "alfabetização"; cenas colhidas das reuniões, quando o tempo para esse trabalho tomou outra forma de contagem; espaço compartilhado em que a ideia de "perder tempo" que pairava no imaginário da escola – tempo contabilizado – ganhou o estatuto de tempo a ser desfrutado; em que a experiência de se contar inaugurou um novo lugar.

Mapa topológico do chão da experiência: dobra III

Se há um mapa em que podemos nos ancorar para traçar o chão da experiência de nosso estudo, ele não se apresenta por uma cartografia estática. Numa hipotética tentativa de traçarmos coordenadas geográficas para localizarmos esse terreno, poderíamos ter na latitude o Ateliê e na longitude as reuniões formativas do Laboratório, muito embora, se formos direto a esse ponto de cruzamento, não encontraremos o campo mencionado. Esse não é um terreno que se dá a ver de uma só vez. Ele se configurou como um conjunto de superfícies, mas essas – diremos – são espaços discursivos em plena ondulação, difíceis de capturar pelo olhar direto do pesquisador. São superfícies que se mostram apenas pelo exercício de escuta sensível, rememoração e escrita. Trata-se de um campo de pesquisa que se constrói ao passo que seu desdobramento inclui as camadas do tempo que o compuseram.

Freud[3] nos convida a aproximar nossa vida psíquica das ruínas, aos vestígios daquilo que teria sido a cidade de Romano passado. Se

---

[3] FREUD, S. *O mal-estar na cultura*. Porto Alegre: L&PM, [1930]2010.

procedermos a uma escavação arqueológica, nem mesmo todo o conhecimento topográfico poderá dar conta de tornar visível aquilo que outrora esteve ali, isso porque "o mesmo espaço não comporta ser preenchido duas vezes"[4]. Logo, pensar a vida psíquica por meio de uma metáfora visual, como o passado de uma cidade, cai sempre como um fracasso. Nossa memória está composta de camadas do tempo, vestígios, nos quais as primeiras lembranças não desaparecem, mas são "resgatadas" – nunca tal e qual aconteceram – por um trabalho de construção do passado no presente. Trama de "topografia" discursiva em que a memória é tecida no instante mesmo em que é narrada. Diremos que se trata mesmo é de uma topologia discursiva, ou seja, que inclui um conjunto de malhas discursivas que se tramam em uma peculiar nodulação entre tempo e espaço; topologia como a matemática que não se pode geometrizar,[5] retomada por Lacan, em que as figuras importam na medida em que sejam passíveis de serem transformada sem outras, num movimento que permite, por exemplo, a convivência de paradoxos e sua visibilidade numa lógica não cartesiana.

Foi nesse tempo-espaço que a contagem se estabeleceu como metodologia de uma proposição formativa, gradativamente. Sem que muitos de nós soubéssemos disso, para transmitir o que ali se passou, no cruzamento discursivo das dobras da experiência, fizemos das crianças e dos professores com os quais nos encontramos personagens de uma trama. Ao darmos voz a esses personagens, carregando consigo a simplicidade da linguagem com que a oralidade opera, os batizamos com nomes fictícios e os colocamos em evidência, como desbravadores de todo o trabalho desenvolvido. Ali mesmo, nas dobras de nossa contagem sobre a experiência, está todo nosso esforço de tornar maleável a rigidez com que, comumente, se apresenta a narrativa sobre os impasses escolares, fazendo recair sobre sua cristalização a dimensão polissêmica da linguagem. Sabemos que tal empreitada só se torna possível se soubermos, ajudados por Calvino,[6]

---

[4] FREUD, S. *O mal-estar na cultura*. Porto Alegre: L&PM, [1930]2010, p. 53.
[5] PORGE, E. *Transmitir a clínica psicanalítica*: Freud, Lacan, hoje. Campinas: Ed. Unicamp, 2009.
[6] CALVINO, I. *Seis propostas para o próximo milênio*. São Paulo: Companhia das Letras, 2010.

a admirar a beleza do peso que nos toma e atravessa nossas práticas, tensionando-o à leveza do novo que pode espreitar a cada passo.

Ficção: pedra angular da transmissão

Pensamos em Freud como um autor a quem se lê, mas o que teria lido Freud? Que leituras o teriam inspirado, na Viena do século XIX, a inventara psicanálise e um modo peculiar de formular essa transmissão? Com o que contou Freud para contar sua clínica?

Um dos gêneros literários que marcou o século XIX foi a literatura fantástica. Nela, leem-se as experiências de um personagem que se pauta pelas leis naturais, mas que, com elas, não consegue construir explicações lógicas para os acontecimentos extraordinários por que passa.[7] A temática desse gênero refere-se àquilo que escapa ao poder da razão, da consciência e que os métodos conhecidos não conseguiam explicar: a loucura, o duplo, o onírico, a imagem polissêmica, a ilusão, a surpresa, o excesso, o jogo de olhares, o insólito. O fantástico, no dizer de Todorov,[8] está no modo de escrita que tem como efeito uma vacilação do leitor diante dos acontecimentos surpreendentes. Trata-se de uma hesitação que o coloca diante de uma encruzilhada e o força a optar por uma de duas soluções: ou tudo se trata de uma ilusão e, nesse caso, as leis do mundo seguem como elas são; ou o acontecimento é tomado como parte integrante da realidade e as leis são desconhecidas. O fantástico seria uma história ficcional que ocupa o tempo dessa incerteza, a qual produz a tensão entre explicações naturais e explicações sobrenaturais. Trata-se de uma escrita cujo personagem – e o próprio modo como é tramada – convida o leitor a uma hesitação entre o natural e o sobrenatural, de maneira a desacomodá-lo.

Os contos de Edgar Allan Poe e E.T.A. Hoffman foram os precursores do fantástico e referências para Freud e outros escritores de seu tempo. A literatura fantástica enunciava a consciência intranquila do

---

[7] TODOROV, T. *Introdução a literatura fantástica*. São Paulo: Perspectiva, 2008.

[8] TODOROV, T. *Introdução a literatura fantástica*. São Paulo: Perspectiva, 2008.

século XIX[9], surgida no limiar de uma nova visão epistêmica que permitiu emergir uma nova ideia de homem.[10] Em suas linhas, vemos se desenhar um sujeito atormentado por aquilo que lhe escapa, um sujeito que alenta, ambiguamente, o desejo de poder manter-se num mundo regido e explicado pela racionalidade, ao mesmo tempo em que não pode mais negar a presença de algo inevitável, fantástico – justo o que a psicanálise irá denominar de inconsciente.

Freud tramou com o fantástico o enredo de um personagem num roteiro muito diferente do positivismo, incluindo a ambiguidade do sujeito em seu modo de conduzir a vida. Nos meandros da ficção, ele apoiou-se na literatura para tramar o *corpus* da psicanálise, e ela não aparece em seus artigos como uma mera ilustração para sustentar suas ideias, mas está em cada texto colocada como polo investigador de perguntas importantes acerca da subjetividade e do sujeito de sua época.[11]

O paralelo entre o método de produção de um texto criativo, literário e o modo de construção do método psicanalítico foi referido por Freud em um breve escrito de 1920.[12] Nele, Freud reconhece que suas leituras de juventude, que haviam ficado sob efeito de recalque, possivelmente tinham relação com a construção de seu método psicanalítico. O reconhecimento de sua dívida para com a literatura chega para Freud por intermédio de Ferenczi. Este, ao mostrar a Freud um texto de Börne, *A arte de tornar-se um escritor original em três dias*, redigido em 1823, faz-lhe perceber, nessa leitura, alguns elementos muito próximos de sua regra fundamental da associação livre. Freud lera Börne aos quatorze anos de idade e anos depois reconheceu, entre as linhas do escritor, não só algo do método psicanalítico, mas muito de seus

---

[9] TODOROV, T. *Introdução a literatura fantástica*. São Paulo: Perspectiva, 2008.

[10] KON, N. M. "De Poe a Freud – o gato preto". *In:* BARTUCCI, G. (org.). *Psicanálise, literatura e estéticas da subjetivação*. Rio de Janeiro: Imago, 2001.

[11] PEREIRA, L. S. *Um narrador incerto*: entre o estranho e o familiar: a ficção machadiana na psicanálise. Rio de Janeiro: Companhia de Freud, 2004.

[12] FREUD, S. "Uma nota sobre a pré-história da técnica da análise". *In:*_____. *Edição Standart brasileira das obras psicológicas completas de Sigmund Freud*. Rio de Janeiro: Imago, 1976.

pensamentos.[13] Nessa aproximação entre literatura e psicanálise, esteve em jogo não somente aquilo que Freud acabara de inventar, mas também um modo de contar, transmitir uma forma de tratamento no qual a palavra constituía todo o suporte da clínica.

Na transmissão da clínica psicanalítica, no dizer de Porge,[14] é preciso ter em consideração o que se transmite – o fato clínico, o conteúdo – e com o meio de transmiti-lo. Conta-se, assim, com ambas as camadas na instauração de um endereçamento. O meio de transmitir faz parte do que é transmitido, e, às vezes, é difícil distinguir um do outro: forma e conteúdo. "Ele – o meio – atua sobre o leitor, chegando mesmo ao caso em que o meio de transmissão, o suporte da mensagem, é a própria mensagem",[15] O meio de transmitir determina as condições de leitura e do que é transmitido.

Muito da obra de Freud é tecida em relato clínico, escolha que privilegia a verdade sobre a exatidão. "A análise é uma experiência de fala, descontínua, com efeitos ligados ao tempo, à antecipação, ao "só-depois", com afastamentos entre o enunciado e a enunciação, com intervenções do analista".[16] Como fazer o registro disto? Como narrá-lo com seriedade científica? Contrariando a lógica médica de seu tempo, Freud percebeu que a verdade do sujeito não podia se encontrar na exatidão de tomadas de notas. Pelo contrário, a exatidão do registro entrava em linha de tensão à veracidade das histórias escutadas. Do mesmo modo que existem os desvios na fala do analisante, necessários para que a verdade abra para si um caminho, é preciso incluir o desvio para que essa mesma verdade possa ser transmitida. Esse desvio se chama: forma de relatar. Freud se permite fazer uma triagem do material, reordenar

---

[13] FREUD, S. "Uma nota sobre a pré-história da técnica da análise". In:_____. *Edição Standart brasileira das obras psicológicas completas de Sigmund Freud*. Rio de Janeiro: Imago, 1976.

[14] PORGE, E. *Transmitir a clínica psicanalítica*: Freud, Lacan, hoje. Campinas: Ed. Unicamp, 2009.

[15] PORGE, E. *Transmitir a clínica psicanalítica*: Freud, Lacan, hoje. Campinas: Ed. Unicamp, 2009, p. 14.

[16] PORGE, E. *Transmitir a clínica psicanalítica*: Freud, Lacan, hoje. Campinas: Ed. Unicamp, 2009, p. 19.

sua disposição e cronologia, ou seja, proceder às deformações que restituem a temporalidade do desvelamento da verdade.[17] A verdade do sujeito, acentuaria Lacan[18] tempos depois, somente vem à superfície no universo da ficção; esta lhe confere credibilidade e seriedade no campo da ciência. Essa convicção de Freud, dita por Lacan de outro modo, levou-o a tecer seus relatos de casos numa trama em que, muitas vezes, fez-se romancista.

Os relatos de casos feitos por Freud, com ares de trama romanesca, eram histórias que testemunhavam o modo como o objeto da psicanálise, o inconsciente, foi se construindo. Ele reunia, nos relatos, evidências não somente da existência do inconsciente, mas buscava, no ato mesmo de contar, um modo de conduzir seu trabalho na justa medida de aliviar os sintomas das histéricas de sua época. Nessas narrativas, o inusitado estava na inclusão do modo como o analista havia escutado, intervindo. Aliás, o curso dos pensamentos do psicanalista pode ser facilmente encontrado nos relatos, incluindo-se nas histórias que conta. Ali são relatados também os encontros com teorias de outros campos, com amigos da comunidade científica, com as reações afetivas das pacientes a essas intervenções, assim como as reações do próprio psicanalista. Todos esses desvios são bem-vindos, digressões próprias do romance e contrações de tempo encontradas nos contos literários.

No estilo de contar que Freud inaugura, é como se diferentes camadas discursivas, de diferentes tempos e lugares e da história do encontro analista-paciente, estivessem ali depositadas na trama como herança, bússola ética para os jovens analistas e pesquisadores que viriam depois dele. Estilo, refere Certeau,[19] que permite uma pluralidade de níveis enunciativos: sujeito do enunciado, da enunciação, autor, narrador, personagem. No trabalho de construção que ergue a partir de seus casos

---

[17] PORGE, E. *Transmitir a clínica psicanalítica*: Freud, Lacan, hoje. Campinas: Ed. Unicamp, 2009, p. 20.
[18] LACAN, J. *O Seminário*, livro 7: A ética da psicanálise. Rio de Janeiro: Jorge Zahar, 1997.
[19] CERTEAU, M. de. *História e psicanálise*: entre ciência e ficção. 2ª ed. Belo Horizonte, MG: Autêntica, 2012.

clínicos, Freud é aquele que conta e conta a si mesmo. E é sempre importante lembrar, com Porge,[20] que não há fato clínico bruto, os dados precisam ser construídos, e a própria construção faz parte da transmissão.

Freud, ao adotar um estilo próprio de transmissão, abandonou o modo de "apresentação de casos", tal como praticado por Charcot.[21] Nesta, a coleta de dados respondia à observação como cópia fiel à realidade e assim permitia a montagem de "quadros" coerentes, compostos de modelos sincrônicos de uma doença. Em Freud, o romance clínico era tecido entre os sintomas de uma doença e a história de sofrimento do paciente, incluindo uma série de acontecimentos relacionais que surpreendiam e alteravam o modelo estrutural. O romance resulta dessa trama: ali onde o relato esbarra em certo limite, a ficção o transpõe. De outro modo, "o déficit da teoria define o acontecimento da narração".[22] O curioso é que, em Freud, o "romance" pode caracterizar, ao mesmo tempo, as afirmações de um paciente, uma obra literária e o próprio discurso psicanalítico.

Observa-se que, em Freud, o termo "história" pode se aproximar, de acordo com a ocasião, de "teoria". É como se uma coisa se mesclasse à outra, não havendo, assim, separação entre teoria e prática – não se trata de psicanálise aplicada à literatura. Por outro lado, também não é literatura aplicada à psicanálise. Trata-se de uma trama que entrelaça de forma radical a psicanálise com a literatura.[23] No dizer de Certeau,[24] o antigo processo de divórcio entre história e literatura, que dividiu o espaço discursivo científico entre as "letras" e a ciência", ou entre o imaginário e o objetivo, passa a ser questionado quando Freud introduz

---

[20] PORGE, E. Transmitir a clínica psicanalítica: Freud, Lacan, hoje. Campinas: Ed. Unicamp, 2009.

[21] CERTEAU, M. de. *História e psicanálise*: entre ciência e ficção. 2ª ed. Belo Horizonte, MG: Autêntica, 2012.

[22] CERTEAU, M. de. *História e psicanálise*: entre ciência e ficção. 2ª ed. Belo Horizonte, MG: Autêntica, 2012, p. 96.

[23] PORGE, E. Transmitir a clínica psicanalítica: Freud, Lacan, hoje. Campinas: Ed. Unicamp, 2009.

[24] CERTEAU, M. de. *História e psicanálise*: entre ciência e ficção. 2ª ed. Belo Horizonte, MG: Autêntica, 2012.

um modo de narrar sua clínica que inclui aspectos do romance fantástico. Quando o positivismo estabeleceu o campo da ciência como o do "objetivo" e o campo do "imaginário" como o "resto", coube à literatura a segunda categoria na partilha. A partir de Freud, esse problema de fronteira é revisitado: novas possibilidades de intercâmbio são criadas, a redistribuição do espaço epistemológico é questionada, e a ficção é reintroduzida no campo da ciência. É desse modo, afirma Certeau,[25] que a literatura seria o próprio discurso teórico dos processos históricos. Nesse sentido, o discurso freudiano seria a ficção que retorna à seriedade científica, não somente como objeto de análise, mas também como sua forma: o "modo" do romance é uma escolha que torna a escrita teórica uma "ficção teórica".

O campo da ficção é um terreno arenoso que produz um distúrbio no discurso da realidade e instaura uma desestabilização entre as palavras e as coisas supostas por ela. Por isso, a ficção, diz Certeau,[26] é fortemente acusada de não ser um discurso unívoco, que apresenta uma "limpeza científica". De fato, a ficção configura-se em uma linguagem cuja leitura permite efeitos de sentido que não podem ser circunscritos, nem controlados *a priori*. Movimenta-se a partir do campo do outro e, nessas circunstâncias, o saber não encontra porto seguro; em seu lugar, há uma tentativa, a todo instante, de tornar os elementos estáveis e combináveis. Desse modo, "a ficção é a feiticeira que o saber se empenha em fixar e classificar, ao exorcizá-la em seus laboratórios";[27] não é mais marcada pelo campo do irreal, do falso, do desvalido, mas designa uma deriva semântica. Ela é um discurso que dá forma à realidade, sem pretensão de representá-la ou de ser credenciado por ela, discurso que assume uma dimensão de perda diante da impossibilidade de totalização de apreensão dessa mesma realidade que ele constitui. Nesse sentido, Certeau afirma que, para se constituir, uma ciência deve fazer seu luto em relação tanto

---

[25] CERTEAU, M. de. *História e psicanálise*: entre ciência e ficção. 2ª ed. Belo Horizonte, MG: Autêntica, 2012, p. 92.

[26] CERTEAU, M. de. *História e psicanálise*: entre ciência e ficção. 2ª ed. Belo Horizonte, MG: Autêntica, 2012.

[27] CERTEAU, M. de. *História e psicanálise*: entre ciência e ficção. 2ª ed. Belo Horizonte, MG: Autêntica, 2012, p. 48.

à totalidade quanto a realidade. Mais do que isto, "ao pretender relatar o real, ela o fabrica. Ela é performática".[28]

Lacan, na mesma esteira de Freud, é enfático em tomar a verdade em psicanálise como tendo estrutura de ficção, propondo uma clínica do não-todo, que se transmite por um semidizer.[29] De acordo com observação de Lacan, Freud seria um dos únicos autores contemporâneos que havia sido capaz de criar mitos, ou seja, romances com função teórica.[30] Lacan liga a verdade ao mito,[31] construção ficcional em que um ponto de impossível, *real*, força a verdade a inventar-se, produzir-se nas bordas de algo para sempre perdido, dando-lhe contorno, teia discursiva que lhe faz suporte. O mito em Lacan é o que confere uma fórmula discursiva a qualquer coisa que não pode ser transmitida na definição de verdade. Nessa direção, em Lacan, a ficção segue sendo ponto-de-ligação-ao-que-falta, ponto importantíssimo como maneira de transmissão, mas se afasta da forma literária do romance para se aproximar da poesia. Aí Lacan centra seus estudos no estilo, em como cada um narra uma história nas malhas do semidizer, de um dizer oblíquo, acrescentando algo de si.[32]

Ajudados por Todorov e pela psicanálise freudo-lacaniana, pensamos que a "contagem" – ao mesmo tempo, método de transmissão de uma pesquisa e forma de narrativa de professores nas reuniões formativas de laboratório–, situa-se justamente nessa tentativa da linguagem de dar forma à realidade, de fazer borda ao real, suportando a perda de uma totalidade com o respaldo da ficção. O cuidado ético

---

[28] CERTEAU, M. de. *História e psicanálise*: entre ciência e ficção. 2ª ed. Belo Horizonte, MG: Autêntica, 2012, p. 53.

[29] PORGE, E. Transmitir a clínica psicanalítica: Freud, Lacan, hoje. Campinas: Ed. Unicamp, 2009.

[30] CERTEAU, M. de. *História e psicanálise*: entre ciência e ficção. 2ª ed. Belo Horizonte, MG: Autêntica, 2012.

[31] PORGE, E. Transmitir a clínica psicanalítica: Freud, Lacan, hoje. Campinas: Ed. Unicamp, 2009.

[32] LACAN, J. "Abertura desta coletânea". In: _____. *Escritos*. Rio de Janeiro: Jorge Zahar, 1998.

em preparar uma forma de apresentação da trama que inclui um pensamento sobre os limites que o endereçamento, fruto de sua escrita, lhe impõe, faz as vias de borda dessa transmissão. "Borda" é utilizado aqui, no dizer de Porge, no sentido de que, na transmissão, habitam o intransmissível e o fracasso, e é ao circunscrevê-los que a transmissão se efetua.[33] É como se o intransmissível "estivesse no coração do desejo de transmitir, não como inefável perdido nas areias de um deserto, mas como soleira para a invenção".[34]

Da estátua à pedra: uma perda no caminho

Na dobra do horizonte do trabalho no Ateliê estavam as reuniões formativas dos Laboratórios. Pedro se fazia presente na contagem de sua professora de Laboratório, Helena. Ela tinha esse gosto inusitado pelos alunos difíceis da escola, achando que letras e pedras podiam andar juntas. Mas soube disso só depois, quando, inusitadamente, tomou a pedra como elemento pedagógico. Esse estranho gosto pelos alunos que não aprendiam levou Helena a tornar-se professora de Laboratório. Mesmo que esses alunos estivessem às pencas a seu redor, ficou perplexa diante de Pedro: "Não tenho a menor ideia do que fazer com ele no Laboratório". Iniciar o trabalho deixando o não saber em evidência e suspendendo a pressa em apresentar caminhos possíveis para Pedro nos pareceu um bom começo – era tempo para se demorar, de tomar as reuniões formativas como espaço de investigação, de laboratório mesmo.

Nesse tempo inicial, Pedro pareceu a Helena um menino inteligente, curioso, um conversador. Mesmo tão expressivo, não se deixava ver em que momento da leitura e da escrita encontrava-se: "Quando me dava conta, o tempo já tinha terminado e tudo o que havíamos feito era conversar". A professora de turma do ano anterior contou que Pedro ainda não lia nem escrevia, mas havia avançado muito no laço com o

---

[33] PORGE, E. Transmitir a clínica psicanalítica: Freud, Lacan, hoje. Campinas: Ed. Unicamp, 2009, p.259.
[34] PORGE, E. Transmitir a clínica psicanalítica: Freud, Lacan, hoje. Campinas: Ed. Unicamp, 2009, p. 15.

outro e que havia feito progressos incríveis na oralidade. Helena, já um tanto angustiada, seguia sem saber o que fazer com aquela informação.

Num salto sem equivalências, lembramo-nos aqui da reflexão de Saramago[35] sobre seu processo de escrita. Conta-nos sobre um tempo que atinge a muitos escritores, o tempo em que predomina um "deserto" da escrita, em que nada ocorre escrever; trata-se de um tempo que pode acontecer no período entre um livro e outro, quando se fica sem saber o que fazer, o que pode durar meses, anos: tempo em que reina um estado de espera. É como uma espécie de

> linha que se interrompe em cada livro e que logo fica em suspenso no aguardo do que há de vir, não se trata de uma linha que me limite a seguir porque tudo estaria contido nela, pressentido [...], não é uma linha cuja ponta esteja na minha mão.[36]

O que a sabedoria de Saramago parece indicar sobre esse momento do trabalho de Helena é que, no sertão da linguagem, não há que forçar a chuva – saber esperar era a aprendizagem por se realizar. No jogo com Pedro, o lance possível era justamente dar-lhe tempo, estender uma linha, "dar corda" e esperar para ver se ele era fisgado do outro lado.

Helena, cuidadosa, não oferecia muito material de apoio nessa sua empreitada investigativa, mas seguiu sua intuição quando Pedro lhe propôs caminhar pela escola, sair da sala de Laboratório. Queria mostrar o pátio, as pedras, ver o movimento que a sala não tinha. Helena conhecia sua história pregressa com as pedras, e, apesar de receosa, foi com ele pela escola. Na semana seguinte, foi ela quem fez um convite para irem à biblioteca. Lá Pedro descobriu que o mundo das histórias, da fantasia, era ainda maior do que aquele que conhecia. Além das pedras, também castelos, cercas e animais foram incluídos no rol de elementos que para ele eram como joias preciosas a serem cultivadas. Na biblioteca, a

---

[35] SARAMAGO, J. *Da estátua à pedra e discursos de Estocolmo*. Belém: Ed. Ufpa; Lisboa: Fundação José Saramago, 2013.

[36] SARAMAGO, J. *Da estátua à pedra e discursos de Estocolmo*. Belém: Ed. Ufpa; Lisboa: Fundação José Saramago, 2013, 40.

descoberta de Helena foi a de que Pedro lia, embora ainda sem pontuação, e escrevia, mesmo que sem o espaçamento entre as palavras.

Helena lembrava, volta e meia, Dupin, personagem de Poe em *A carta roubada*. Diferentemente do chefe de polícia da trama de Poe e dos demais professores da escola, ela lia Pedro noutro lugar. Com o olhar dos "loucos e poetas", no dizer de Poe,[37] Helena traçava a trajetória de Pedro e fazia dessa história algo a se escutar repetidamente, até algo surgir como diferente – mesmo que a diferença fosse introduzida por ela mesma, acrescentando algo de si para dar seguimento à narrativa. Essa outra forma de ler permitiu a ela inserir incertezas, habitar o tempo das hesitações e a suspender certas lógicas binárias. Para ela, Pedro podia estar num tempo outro, urdido por uma lógica ternária, em que se era/estava letrado e não letrado, e isso ao mesmo tempo. A seu modo, Helena contou numa reunião:

> Às vezes sabe o que leu, outras vezes não. Pedro sabe e não sabe ler. Conhece e não conhece as regras da escola. Tem dias que fica tão brabo que é preciso retomar o passeio pela escola, conversar sobre as histórias que ele conta caminhando mesmo. E tem outros dias que é surpreendente como inventa coisas diferentes para fazer. Nem sempre faz sentido para ele trabalhar os materiais que temos na sala, parece que temos que ir catá-los fora (*sic*).

Lembremos mais uma vez Saramago e a sabedoria dos poetas que, como propunha Freud,[38] muitas vezes nos antecede. Em uma conferência proferida em Turim, no ano de 1998, debruçando-se sobre sua própria trajetória literária, Saramago falou de um deslocamento que passou a perceber em seus escritos. Tratava-se de mudança como nova etapa, mas que não estava planejada *a priori*; fora algo que percebera somente anos depois. Até um pouco antes de *Ensaio sobre a cegueira*, era como se o que

---

[37] SARAMAGO, J. *Da estátua à pedra e discursos de Estocolmo*. Belém: Ed. Ufpa; Lisboa: Fundação José Saramago, 2013.
[38] FREUD, S. "Delírios e sonhos na Gradiva de Jensen". In:_____. *Edição Standart brasileira das obras psicológicas completas de Sigmund Freud*. Rio de Janeiro: Imago, 2006.

escrevesse fizesse parte de um tempo que chamou de estátua. A partir dessa obra, seus escritos entraram em outra etapa, o da pedra, em que seus livros foram, aos poucos, despindo-se da superfície imaginária da estátua para penetrar no "bruto âmago do ser", na materialidade da palavra. "A estátua é a superfície da pedra, o resultado de retirar pedra de pedra";[39] descrevê-la – o rosto, o gesto, as roupagens, a figura – é descrever o exterior da pedra, uma imagem que se vê a olho nu, de fora. É um outro mundo que se abre para Saramago quando percebe que abandonou uma escrita que descrevia a partir da superfície da pedra, para, então, passar a indagar seu interior.

Saramago propõe uma inversão de caminho. Em vez de esculpir a pedra no intuito de fazer a estátua, refere que o amadurecimento do escritor, o modo como ele conta as histórias, tem relação com uma travessia que parte da estátua em direção à pedra, um movimento que passa a encontrar a pedra, seu interior, e busca nela mesma uma forma de trabalho. Trata-se de um caminho percorrido que parte de uma relação com a linguagem como elemento capaz de esculpir uma forma para encontrar a linguagem mesma, seus meandros e características, como objeto de trabalho. É como se, da geografia que define uma paisagem, Saramago passasse à geologia que investiga o solo.[40]

Nessa travessia, o autor refere uma perda fundamental: é preciso deixar para trás a paisagem, as belas formas do caminho para apreciar a beleza do solo, daquilo que pouco se vê, que pouco se fala. Nesse sentido, aproximamos esse deslocamento descrito por Saramago, que vai da estátua à pedra, do caminho de formação dos professores que viemos acompanhando nas reuniões de Laboratório, caminho em que formar não era sinônimo de informar; pelo contrário, apostávamos numa travessia em que a formação sofria a perda do excesso dos dados informativos para

---

[39] SARAMAGO, J. *Da estátua à pedra e discursos de Estocolmo*. Belém: Ed. Ufpa; Lisboa: Fundação José Saramago, 2013, p. 42.
[40] VASQUES, C.; MOSCHEN, S.; FRÖHLICH, C. "Psicanálise, educação especial e formação de professores: construções em rasuras". *In:* VASQUES, C.; MOSCHEN, S. *Psicanálise, educação especial e formação de professores*: construções em rasuras. Porto Alegre: Evangraf, 2015.

dar lugar à dimensão da pedra, ao chão do trabalho na escola. Desse modo, nas reuniões, aconteciam travessias que muitas vezes iam na contramão do que comumente se espera de uma proposição de formação de docentes, em que erguer estátuas é o que coloca em marcha o fazer. Nesse espaço, de modo compartilhado, fazia parte do caminho aprender a perder de vista a paisagem, os pontos de partida conhecidos, seguros, como os blocos lógicos, a cópia, as decodificações, as classificações, os diagnósticos, o cronológico, os limites do espaço, a organização da folha; esse é um conjunto de desconstruções que trouxe um punhado de incertezas ao trabalho e, com elas, o estabelecimento também do não saber; desconstruções das linhas bem traçadas de tempos-lugares que oferecem a ilusão de capturarmos um aluno e de o colocarmos nos trilhos, certos de sua travessia rumo ao mundo letrado.

É também nesse tempo depois que percebemos que o deslocamento literário enunciado por Saramago guardava semelhanças com a travessia que apostávamos nas reuniões de Laboratórios, deslocamento que aponta para o reposicionamento dos pontos de partida. Para isso, há algo a aprender no olhar das crianças, olhar que vê potencial de jogo nos objetos do cotidiano, nos restos, na sucata, na língua, na grama, na pedra. É outro modo de relacionar-se com o mundo, de surpreender-se, a cada vez, como se fosse a primeira; modo de ver que permite lermos a palavra PERDA dentro da palavra PEDRA, num jogo com a língua cuja visibilidade a leitura à moda de estátua não permite. Pedro e sua poética do olhar encontraram a pedra muito antes de Saramago e ensinou a todos ali a perder as formas seguras da estátua. Transmitiu, a seu modo, um convite para que a escola reposicionasse o olhar. Pedro, pedra, perda: elementos em jogo para distrair o olhar das antigas e gastas formas de ver e pensar estratégias de letramento. Perder de vista seu ponto de partida, a estátua, e reiniciar seus caminhos pelo inverso, um caminho que tem, como ponto de partida, a pedra.

Há uma segunda espécie de espanto, diz Didier-Weill,[41] aquele trazido pelo artista, como se uma espécie de "desamparo da inteligência"

---

[41] DIDIER-WEILL, A. *Os três tempos da lei*: o mandamento siderante, a injunção do supereu, a invocação musical. Rio de Janeiro: Jorge Zahar, 1997.

nos tomasse conta ao contemplar um quadro, escutar uma música, ler um livro. É um ponto em que nossos pensamentos são atravessados por algo de outra qualidade, que nos afeta, nos atinge, em outro lugar. Se alguma obra do campo das artes nos surpreende é que, tendo o poder de nos "tocar", ela nos dá o sentimento de poder tocar o que chamamos de "a vida", no momento em que não estamos diretamente pensando nela. Assim, alguns poemas e contos literários participaram das reuniões formativas dos laboratórios como modo de armar condições para o espanto, convite para um momento compartilhado de "exercício de parar de pensar", no dizer de Kehl,[42] correlato aos de Narizinho e Pedrinho em *O sítio do pica pau amarelo*. O literário nas reuniões produziu – ao mesmo tempo que sustentou – certo desamparo da racionalidade. Contos, como *A menina sem palavra*, de Mia Couto,[43] fizeram sua entrada nas reuniões como um convite ao exercício de sensibilidade ao significante. Não se sabia de antemão em qual palavra cada participante iria esbarrar, ser afetado, e em que medida as palavras poderiam emprestar diferentes modos de contar e se contar no mundo; modo de aprender a palavrear, palavreando, como se jogássemos algumas pedras para o alto e pudéssemos acompanhar por onde elas faziam sua queda, em quem elas produziriam enigma. A literatura entrava no laboratório como suporte mesmo para que os professores fizessem, através de seu exercício de contar seus encontros com os alunos, um aprendizado ficcional.

A literatura "é mina", teria dito Freud em algum momento,[44] como se pedras preciosas alojadas num texto servissem de suporte para um jogo. É um espaço textual lúdico, no dizer de Barthes,[45] e de algum modo teórico, no dizer de Certeau,[46] em que as formalidades das estratégias sociais podem explicitar-se em um terreno protegido contra as urgências

---

[42] KEHL, M. R. *O tempo e o cão*: a atualidade das depressões. São Paulo: Boitempo, 2009.
[43] COUTO, M. *Contos do nascer da terra*. São Paulo: Companhia das Letras, 2014.
[44] CERTEAU, M. de. *História e psicanálise*: entre ciência e ficção. 2ª ed. Belo Horizonte, MG: Autêntica, 2012.
[45] BARTHES, R. *O rumor da língua*. 2ª ed. São Paulo: Martins Fontes, 2004.
[46] CERTEAU, M. de. *História e psicanálise*: entre ciência e ficção. 2ª ed. Belo Horizonte, MG: Autêntica, 2012.

da ação e contra as complexidades das lutas cotidianas. O texto literário estaria, assim, entre o jogo e o teórico, "protegido à maneira de um laboratório em que se formulam, se distinguem, se combinam e se experimentam as práticas astuciosas da relação com outrem.[47]

A literatura nos pareceu potente ao introduzir um modo de narrar desvencilhado de um saber. Não fez mais que convidar professores para tecer seu saber – por meio da ficção – nos interstícios da ciência,[48] no jogo da alteridade que o literário promove. Muitas vezes, um conto introduziu agitação entre os membros do grupo, surpresos com os efeitos que produzia para cada um. Mas também produziu zonas de silêncio como preciosidades temporais. Na dobra do horizonte das reuniões, o silêncio chegou, de mansinho, sendo encorajado, autorizando a todos habitar um tempo em que nos deixamos afetar pelas palavras do literário, pela história narrada pelo colega. O clima literário que muitas vezes se armou esteve como condição de possibilidade para a construção de narrativas sobre os (des)encontros entre um professor e seu aluno, num modo "romanceado" de alinhavar os furos no saber abertos pelas surpresas da leitura do cotidiano de trabalho.

A contagem na formação docente: lições de pedra

Depois de uns dois anos, Pedro retornou ao Ateliê de Criação, pouco antes de ele encerrar seus trabalhos na cidade. Não entrou na sala, talvez nem a reconhecesse mais. Da sala de espera ouviu-se falar – em tom professoral – aos pais que ali estavam: "Agora vamos fazer a contagem! Todos juntos: um, dois, três, quatro etc." "Contagem? Como é isso?" perguntou a psicóloga, sem esperar que ele desse muita atenção à pergunta. Mas ele a reconheceu. "Lembra quando eu era pequeno e vinha aqui? Eu não sabia a cor da grama e a gente ia pra rua!". "Lembro bem", ela disse, "foi uma história e tanto. Agora estás grande e já entendes de contagens". *Essa foi a terceira vez.*

---

[47] CERTEAU, M. de. *História e psicanálise*: entre ciência e ficção. 2ª ed. Belo Horizonte, MG: Autêntica, 2012.

[48] BARTHES, R. *O rumor da língua*. 2ª ed. São Paulo: Martins Fontes, 2004.

Pedro estava numa outra posição na linguagem, referindo-se a si mesmo, num momento anterior, como pequeno, tempo em que era menos sabido. Tinha recursos nesse outro tempo para contar sua história, contando-se nela. Não era somente contado pelos seus professores. Sua expressão "contagem" e um jogo com essa palavra, jogo rapidamente acolhido por ele, foram a inspiração para a nomeação que, neste texto, designa um modo de contar, de transmitir, muito peculiar. Lacan,[49] no seminário de 1964, a respeito do inconsciente freudiano, põe-nos a pensar a partir de uma "dificuldade de contagem" inerente à divisão do sujeito. Quando alguém enuncia "tenho três irmãos, Paulo, Ernesto e eu", surge um "eu" duas vezes contado na operação, o eu que conta e o eu que é contado. Nesses tempos diferenciados da contagem, é num depois que o contador irá retirar-se da contagem, contando-se. "[...] antes de qualquer formação do sujeito, de um sujeito que pensa, que se situa aí – isso conta, é contado, e no contado já está o contador. Só depois é que o sujeito tem que se reconhecer ali, reconhecer-se como contador".[50] Assim, a contagem, no dizer de Lacan, refere-se a uma travessia na linguagem em que, da posição de quem é contado numa história, passa-se a contar uma narrativa, contando-se.

É uma contagem que se refere a uma nova posição diante da experiência – essa que se conta sobre o vivido –, não designando a ideia de contagem como numeral, como tempo contabilizado. Percebemos, depois do trabalho nessa rede de ensino, o tempo a inscrever, tatuar histórias. São marcas tatuadas que também inscrevem e denunciam a passagem para outra posição, não sem perdas no caminho, ganhando, assim e adiante, outro lugar de enunciação. Com o tempo, percebemos que a perda era necessária, uma vez que permitia condições de passagem para a contagem, equação estranha à escola, acostumada a ver suas práticas pelas lentes das ciências duras. É provável que a equipe que sustentou as reuniões emprestou óculos de ver para uma proposição formativa em que a literatura

---

[49] LACAN, J. *O Seminário, livro 11*: Os quatro conceitos fundamentais da psicanálise. Rio de Janeiro: Jorge Zahar, 1988.

[50] LACAN, J. *O Seminário, livro 11*: Os quatro conceitos fundamentais da psicanálise. Rio de Janeiro: Jorge Zahar, 1988, p. 26.

ocupou o lugar de uma matemática, porém, às avessas, convidando a outra lógica. No dizer de Certeau,[51] conviria reconhecer a literatura como algo de análogo ao que a matemática foi, durante muito tempo, para as ciências exatas: uma linguagem que propicia a história, a ficção que a torna possível.

Numa oficina de literatura e matemática, as seguintes perguntas inquietaram os educadores: "Na escola só existem letras e números? O que mais existe?". Mesmo que o silêncio fizesse sua marca no grupo, era como se escutássemos Helena dizer: "Existem pedras!" Somos levados a concluir isso porque, no jogo do tempo, ela acolheu muito bem os elementos que Pedro podia colocar em cena para fazer sua travessia ao mundo letrado, mesmo que em seu início fossem as pedras a guiar o caminho. Pedra, grama e outros elementos da natureza foram as letras iniciais de Pedro, matéria-prima de trabalho, pedras preciosas lapidadas com o instrumento do tempo, não exatamente com o dado do tempo, mas com o tempo dado, doado pelo outro. A palavra em seu estado bruto, como potência para a criação, foi, para Pedro e Helena, pedra angular do letramento. É com elementos inusitados como esses, mas sempre singulares a cada caso, que podemos interrogar a linguagem, fazer os significantes deslizarem numa cadeia que permite surgir múltiplos significados, armando uma malha ficcional, numa deriva semântica que deixa abertura suficiente para leituras diferentes sobre o mesmo fenômeno.

As pedras foram-se acumulando na sala do Laboratório coordenado por Helena, mas agora de forma a montar, junto com a sucata, uma maquete. Pedro, em sua miniatura do mundo que ali reproduzia, fez uma horta, e muitas cercas para demarcar a circulação dos animais, das pessoas e assim tentou estabelecer o trânsito e as fronteiras. Forma de juntar algumas palavras e de separar outras. Como forma de ampliar seu trabalho, Helena incentivou-o a fazer uma horta, dessa vez de verdade, num canto da escola, Pedro, quando terminou, no dia seguinte, encontrou sua horta destruída. Triste e chateado, construiu com Helena suas primeiras letras endereçadas aos colegas,

---

[51] CERTEAU, M. de. *História e psicanálise*: entre ciência e ficção. 2ª ed. Belo Horizonte, MG: Autêntica, 2012.

plantou uma placa na terra na qual escreveu: é proibido jogar pedras! Onde a perda é condição para a contagem, lições de pedra podem surgir a qualquer momento no sertão da linguagem.

> *Outra educação pela pedra: no Sertão*
> *(de dentro para fora, e pré-didática).*
> *No Sertão a pedra não sabe lecionar,*
> *e se lecionasse não ensinaria nada;*
> *lá não se aprende a pedra: lá a pedra,*
> *uma pedra de nascença, entranha a alma.*[52]

REFERÊNCIAS BIBLIOGRÁFICAS

BARTHES, R. *O rumor da língua*. 2ª ed. São Paulo: Martins Fontes, 2004.

CALVINO, I. *Seis propostas para o próximo milênio*. São Paulo: Companhia das Letras, 2010.

CERTEAU, M. de. *História e psicanálise*: entre ciência e ficção. 2ª ed. Belo Horizonte, MG: Autêntica, 2012.

COUTO, M. *Contos do nascer da terra*. São Paulo: Companhia das Letras, 2014.

DIDIER-WEILL, A. *Os três tempos da lei*: o mandamento siderante, a injunção do supereu, a invocação musical. Rio de Janeiro: Jorge Zahar, 1997.

FREUD, S. *O mal-estar na cultura*. Porto Alegre: L&PM, [1930]2010.

_____."Delírios e sonhos na Gradiva de Jensen". In:_____. *Edição Standart brasileira das obras psicológicas completas de Sigmund Freud*. Rio de Janeiro: Imago, 2006.

_____."Uma nota sobre a pré-história da técnica da análise". In:_____. *Edição Standart brasileira das obras psicológicas completas de Sigmund Freud*. Rio de Janeiro: Imago, 1976. v. XVIII.

KEHL, M. R. *O tempo e o cão*: a atualidade das depressões. São Paulo: Boitempo, 2009.

KON, N. M. "De Poe a Freud – o gato preto". In: BARTUCCI, G. (org.). *Psicanálise, literatura e estéticas da subjetivação*. Rio de Janeiro: Imago, 2001.

---

[52] MELO NETO, J. C. de. *A educação pela pedra e outros poemas*. Rio de Janeiro: Objetiva, 2008, p. 107.

LACAN, J. "Abertura desta coletânea". *In:* _____. *Escritos*. Rio de Janeiro: Jorge Zahar, 1998.

_____. *O Seminário, livro 7*: A ética da psicanálise. Rio de Janeiro: Jorge Zahar, 1997.

_____. *O Seminário, livro 11*: Os quatro conceitos fundamentais da psicanálise. Rio de Janeiro: Jorge Zahar, 1988.

MELO NETO, J. C. de. *A educação pela pedra e outros poemas*. Rio de Janeiro: Objetiva, 2008.

PEREIRA, L. S. *Um narrador incerto*: entre o estranho e o familiar: a ficção machadiana na psicanálise. Rio de Janeiro: Companhia de Freud, 2004.

POE, E. A. *Os assassinatos na rua Morgue; A carta roubada*. Rio de Janeiro: Paz e Terra, 1996.

PORGE, E. *Transmitir a clínica psicanalítica*: Freud, Lacan, hoje. Campinas: Ed. Unicamp, 2009.

TODOROV, T. *Introdução a literatura fantástica*. São Paulo: Perspectiva, 2008.

SARAMAGO, J. *Da estátua à pedra e discursos de Estocolmo*. Belém: Ed. Ufpa; Lisboa: Fundação José Saramago, 2013.

VASQUES, C.; MOSCHEN, S.; FRÖHLICH, C. "Psicanálise, educação especial e formação de professores: construções em rasuras". *In:* VASQUES, C.; MOSCHEN, S.*Psicanálise, educação especial e formação de professores*: construções em rasuras. Porto Alegre: Evangraf, 2015.

MAL-ESTAR NA ESCOLA E A APOSTA DOCENTE: ENCONTROS E DESENCONTROS

LARISSA COSTA BEBER SCHERER
CRISTIANA CARNEIRO

> *Como é que eu faço com esse aluno?*
> *Como tratar um problema que você não sabe de que se trata?*
> *Do que é? O que está favorecendo?*
> *Será que ele não sabe escrever?*
> Professor do Instituto Estadual Professor Ismael Coutinho - IEPIC (21/05/2018).[1]

A presença na escola de alunos que destoam dos demais e acabam por desestabilizar ou imobilizar muitas vezes a ação docente é, frequentemente, produtora de mal-estar no ambiente escolar. Ao escutarmos professores, é comum percebermos a angústia produzida diante do encontro com esses alunos. Nessas situações, questionamentos a respeito das possibilidades de trabalho com sujeitos que não correspondem ao esperado se colocam para o professor.

---

[1] Fala de um professor do Instituto de Educação Professor Ismael Coutinho (IEPIC). Nessa instituição ocorreram as oficinas com professores, as quais serão trabalhadas ao longo do texto.

Diante dessas ocasiões, o laço necessário que estabelece a relação professor e aluno pode não se constituir, ou, às vezes, ser frágil. Os efeitos das interrupções, vazios de sentido revelados pelos alunos e pelo contexto escolar podem dificultar ou até impedir a ação docente. Por estarem distantes do esperado, muitas vezes certas crianças, adolescentes ou grupos de alunos impõem-se como obstáculo para o professor, um limite. Diante disso, como construir um caminho, uma direção de trabalho? Quais caminhos/posições podem dificultar ou favorecer a ação docente?

No trabalho realizado com professores é comum ouvirmos depoimentos que revelam a impotência docente diante de situações disruptivas. Em outros momentos, encontramos educadores que, mesmo diante de situações inesperadas em sala de aula, conseguem percorrer caminhos alternativos, apostando em práticas que permitem a constituição do trabalho educativo. Nesse caso, são docentes que conseguem perceber possibilidades, mesmo quando as perspectivas parecem restritas. Apostam no trabalho, aceitando a incerteza da empreitada.

Neste texto, interessa analisar a posição do professor por ocasião da produção do mal-estar diante do trabalho pedagógico, bem como compreender, à luz da psicanálise, o que possibilita a certos educadores encontrar caminhos alternativos, os quais, por sua vez, permitem a reafirmação da aposta educativa e a construção de práticas pedagógicas singulares.

A fim de refletir acerca das distintas posições assumidas pelos professores diante de situações de ensino adversas, consideraremos alguns depoimentos de educadores realizados em oficinas propostas pelo grupo de pesquisa-extensão *Formação de professores: infância, adolescência e mal-estar na escolarização*. Todos os encontros foram gravados e posteriormente transcritos pelos membros do grupo. Nesse sentido, este trabalho decorre de algumas discussões realizadas durante os encontros do grupo, que articula psicanálise e educação, encontros ocorridos na UFRJ, ao longo dos anos de 2017-2018. Nesses momentos, discutimos e analisamos parte do material produzido pelos professores participantes da pesquisa, realizada em uma escola da rede pública do estado do Rio de Janeiro. O material analisado resultou de encontros mensais, em grupo, propostos aos educadores da escola e tendo como tema norteador das conversas, coordenadas pelos pesquisadores, o mal-estar docente.

As ações com professores situam-se dentro de um modelo de pesquisa-intervenção, no qual se pretende ao mesmo tempo investigar e viabilizar a construção de um espaço de fala e intercâmbio entre eles e os pesquisadores. Esse modelo tem inspiração teórica, primeiramente, nas metodologias participativas e na pesquisa-ação oriundas das ciências sociais, as quais, na sua origem, têm a proposta de desestabilização do mito da objetividade, posto que o objeto estudado é modificado pelo campo de pesquisa. Da mesma forma, também busca como inspiração teórica uma abordagem clínica sustentada pelos pressupostos da psicanálise, utilizados fora de seu dispositivo de intervenção tradicional.[2] As oficinas têm, como público-alvo, professores da educação básica e, como objetivo, promover um espaço de fala em que o mal-estar cotidiano produzido no trabalho com crianças e adolescentes possa encontrar interlocução. Tal ação visa promover possibilidades elaborativas para o mal-estar, contribuindo para uma redução da tensão e da transformação do mal-estar em patologia.

No ano de 2017 foram realizadas cinco oficinas e em 2018 mais quatro, no IEPIC. Nessa escola, as oficinas contaram em média com cinco professores cada e tiveram duração de cerca de duas horas, sendo a primeira hora para a preparação do espaço e assinatura dos termos. A participação é voluntária e as oficinas ocorrem no horário disponibilizado pela instituição.

O mal-estar docente

Freud denomina mal-estar na civilização o ingresso do sujeito no laço social, pois, para isso, é necessário abrir mão da satisfação das pulsões a fim de aceder ao código da cultura e, assim, conviver em sociedade. Desde o nascimento, o sujeito busca incessantemente a satisfação de suas

---

[2] CASTRO, L. R.; BESSET, V. L. *Pesquisa-intervenção na infância e juventude*. Rio de Janeiro: Nau, 2008.

demandas, sendo necessário se deparar com a interrupção desse processo para poder humanizar-se.

> [...] A civilização é construída sobre a renúncia ao instinto, o quanto ela pressupõe exatamente a não satisfação (pela opressão, repressão, ou algum outro meio?) de instintos poderosos. Essa frustração cultural domina o grande campo dos relacionamentos sociais entre os seres humanos [...]. Não é fácil entender como pode ser possível privar de satisfação um instinto. Não se faz isso impunemente. Se a perda não for economicamente compensada, pode-se ficar certo de que sérios distúrbios decorrerão disso.[3]

Se o ser humano abre mão da satisfação de impulsos individuais pela vida em comunidade, lida todo o tempo com a tensão advinda desse impasse. Freud afirma que esse mal-estar é inerente à condição humana. Se transpusermos essa análise para o campo da educação, poderíamos pensar que essa tensão, tão visível na escola, não é bem-vinda na maioria das vezes. A educação, frequentemente, busca apaziguar esse insuportável, não o deixa aparecer. Em relação à(ao) professora(or), percebe-se uma evitação desse confronto. Mas a negação do mal-estar não se dá sem consequências[4]. Poderá produzir impotência, gerando imobilidade e desistência, decorrentes de insatisfações e queixas relativas às limitações encontradas no processo.

Na escola, o mal-estar emerge quando algo se interpõe diante da aposta do professor, ou seja, quando a falha no processo educativo é iminente. Alunos que não correspondem ao esperado, turmas desinteressadas, condições de trabalho que não favorecem e dificuldades de aprendizagem dos alunos são alguns relatos relativos ao mal-estar docente. Como podemos ler abaixo, na fala do professor, "dar conta de tudo isso" gera angústia:

---

[3] FREUD, S. "O mal-estar na civilização". *In:* _____. *Edição standard brasileira das obras psicológicas completas de Sigmund Freud.* Rio de Janeiro: Imago, [1930] 1987, vol. 21, p. 118.

[4] DINIZ, M. "De que sofrem as mulheres-professoras?". *In:* LOPES, E.M.T. (org.). *A psicanálise escuta a educação.* Belo Horizonte: Autêntica, 1998.

> [...] Tem alunos de 17 anos que eles não sabem, por exemplo, colocar cinco palavras em ordem alfabética, eles copiam do quadro [...] esse aluno não sabia nem o que era alfabeto, isso com 17 anos e é um conteúdo muito atrasado pra eu poder dar conta de tudo isso, né? [...] O atraso era tão grande que eu não dava conta do atraso dele [...]. Pra assimilar é difícil, é difícil [...] (IEPIC, 21/05/2018).

Relacionando às proposições freudianas, podemos dizer que o educador, diante de sua prática, necessita abrir mão da satisfação plena de suas apostas diante do aluno, aceitando a "desordem" da pulsão.

> [...] Dizer do conflito, da confusão, da incerteza, da diferença é anunciar uma falta constitutiva, uma não completude que marca a ação do educador em toda sua prática. O insucesso é portador também de uma outra ordem que não é só a da certeza da ordem esta que é denominada por Freud de pulsional. A pulsão (que nos remete à desordem do particular) parece ser negligenciada pela educação, ainda que esteja no coração de seu campo.[5]

A educação baseia-se em um ideal a ser alcançado ao pressupor uma aposta; implica objetivos a serem atingidos, sejam conscientes ou inconscientes. O professor, ao assumir sua função, revive o processo de construção narcísica ocorrido em sua história, pois projeta para o aluno e para si uma imagem norteadora. Para a psicanálise, o processo de idealização é constituído durante a formação do eu, como decorrência das relações primordiais, permanecendo no adulto com acréscimos e transformações. Inicialmente, a idealização é efeito do discurso dos pais, o qual produz uma imagem desprovida de qualquer consciência crítica. Na relação com o filho (estendida também ao aluno), renasce a forma idealizada (narcísica) de vínculo com o objeto, que foi abandonado por exigência da realidade no processo de estruturação do

---

[5] PEREIRA, M. R. "O relacional e seu avesso na ação do bom professor". *In:* LOPES, E.M.T. (org.). *A psicanálise escuta a educação.* Belo Horizonte: Autêntica, 1998, pp. 171-172.

sujeito.[6] Tanto pais como professores esperam dos filhos e alunos a realização daquilo que não conseguiram atingir, atualizando uma posição já abandonada.

Freud relaciona o narcisismo e o eu ideal na vida adulta às relações familiares. A atitude dos pais para com os filhos é uma reprodução do retorno do narcisismo abandonado. A supervalorização do objeto nas relações estabelecidas pelo sujeito é uma característica da subjetividade. Com isso, é atribuída ao filho toda imagem da perfeição, ocultando-se suas limitações. Satisfações e privilégios abandonados são retomados pelo sujeito, projetados na relação entre pais e filhos. Assim, os últimos adquirem preferências e vantagens das quais os primeiros não usufruíram, isentando-se da renúncia ao prazer. Freud[7] utiliza a expressão "Sua majestade, o bebê" para designar tal fenômeno, quando incide sobre o filho a aposta de realização dos sonhos não realizados dos pais. A criança é também o que fazem dela os pais na medida em que aí projetam um ideal. Podemos estender tal proposição ao contexto educativo, pois sabemos que a relação professor-aluno é a herdeira daquelas estabelecidas entre pais e filhos.[8]

Educar pressupõe a transmissão de um saber, o qual é decorrente de um (certo) fracasso no processo de idealização. Projeta-se nos filhos (e alunos) justamente um resto daquilo que não foi possível atingir narcisicamente nas relações primordiais. No momento em que esse resto é relançado na aposta educativa, o fracasso inevitavelmente será revivido e tanto poderá ser produtor de mal-estar, levando à paralisia, quanto poderá ser justamente o motor da aposta docente.

Buscando contextualizar a presença dos impasses na educação relativos à referência aos ideais, lembramos Freud[9] ao abordar a

---

[6] GARCIA-ROZA, L. A. *Introdução à metapsicologia freudiana* 3: artigos de metapsicologia. Narcisismos, pulsão, recalque, inconsciente (1914-1917). Rio de Janeiro: Zahar, 1995.

[7] FREUD, S. "Sobre o narcisismo: uma introdução". In: _____. *Edição standard brasileira das obras psicológicas completas de Sigmund Freud*. Rio de Janeiro: Imago, [1914a] 1987.

[8] FREUD, S. "Algumas reflexões sobre a psicologia do escolar". In: _____. *Ediçãc standard brasileira das obras psicológicas completas de Sigmund Freud*. Rio de Janeiro: Imago, [1914b] 1987.

[9] FREUD, S. "Prefácio a Juventude desorientada, de Aichhorn". In: _____. *Edição*

impossibilidade inerente ao ato de educar. Tal aspecto se refere ao fracasso constantemente evidenciado quando se lança a aposta educativa. A educação, assim como o governar e o psicanalisar, são ofícios impossíveis, impossíveis no sentido de inalcançáveis em sua totalidade, e não inexequíveis.[10] Não se trata de uma afirmação que impeça tais profissões de existirem, ou que indique a sua desvalorização, mas sim que aponta para uma falta inerente ao seu fazer e à sua aposta. Ao serem enunciados seus objetivos, é necessário contar com certa parcialidade na tentativa de alcançá-los. Isso acontecerá porque os ideais lançados apenas serão atingidos em parte: sempre permanecerá algo em aberto.

Deslocar-se da posição de idealização, transpondo-a em direção à parcialidade. Ao considerarmos o ideal que é próprio da relação entre professor e aluno, assinalamos a importância de o docente apostar no ato educativo da forma que for possível e aceitar a condição de parcialidade, para que a impotência não impeça a construção do trabalho escolar.

Para além do mal-estar: criar a partir do vazio

> [...] No começo tem que insistir, se você deixar por livre e espontânea vontade ninguém vai, aí você pede de novo, carinho, aí eles vão, aí um parágrafo lê cada um, aí você já vai trabalhado a ideia de parágrafo (IEPIC, 21/05/2018).

A convivência com o inesperado em sala de aula não só é produtora do mal-estar imobilizante. Ocorrem situações em que o docente encontra alternativas de trabalho, muitas vezes permitindo-se inventar práticas pedagógicas singulares, ao recorrer a diferentes estratégias delineadas nos desafios cotidianos. A professora de português, por exemplo, encontra uma saída para a não disponibilidade dos adolescentes em relação às atividades a serem realizadas na escola, buscando um caminho que possibilite certas práticas docentes.

---

standard brasileira das obras psicológicas completas de Sigmund Freud. Rio de Janeiro: Imago, [1925] 1987.
[10] VOLTOLINI, R. *Educação e psicanálise.* Rio de Janeiro: Jorge Zahar, 2011.

Na reflexão acerca da posição de educadores que apostam em perspectivas de trabalho mesmo diante da perturbação vivenciada na sala de aula, a delimitação de alguns contornos mostra-se potente. Nessa direção, lembramos a metáfora do oleiro proposta por Jacques Lacan,[11] quando a relaciona à inscrição simbólica na estruturação psíquica. Referindo-se aos significantes que servem de suporte à constituição do sujeito, Lacan os compara com um artesão hábil em modelar contornos em torno do vazio revelado pelo centro do vaso. O oleiro, percebido como aquele que molda as bordas da argila a partir do espaço central, constrói o vaso sem preenchê-lo. Utiliza o barro, algo ainda sem forma, um material bruto, como matéria-prima de sua obra, para transformá-lo.

> Se vocês considerarem o vaso, na perspectiva que inicialmente promovi, como um objeto feito para representar a existência do vazio no centro do real que se chama a Coisa, esse vazio, tal como ele se apresenta na representação, apresenta-se, efetivamente, como um *nihil*, como nada. E é por isso que o oleiro, assim como vocês para quem eu falo, cria o vaso em torno desse vazio com sua mão, o cria assim como o criador mítico, *exnihilo*, a partir do furo.[12]

Lacan aponta para o vazio mantido em um lugar central, demarcado pelas bordas traçadas e que permite a construção de simbolizações: o vaso introduzindo e criando o vazio, significante modelando o sujeito do inconsciente. No centro, no furo, permanece o real, a hiância, possibilitando a construção do objeto. Dessa forma, o sujeito humano vai modelando o significante, sendo o artesão de seus suportes, como diz Lacan. A princípio, o vaso é vazio; a linguagem se constituirá a partir dessa abertura mantida. A modelagem do significante coincide com a introdução no real de um furo.

Apostamos na posição do professor que assume a função do artesão, molda seu trabalho a partir do vazio, contorna as bordas desse furo

---

[11] LACAN, J. *O Seminário, livro 7: a ética da psicanálise*. Rio de Janeiro: Jorge Zahar, ([1959-60], 2008).

[12] LACAN, J. *O Seminário, livro 7: a ética da psicanálise*. Rio de Janeiro: Jorge Zahar, ([1959-60], 2008).

demarcado pela emergência do inesperado em sua prática educativa, de modo a construir saberes singulares e apostar na criação. Lança-se como protagonista de trabalhos pedagógicos e garante que o espaço vazio sirva como o impulso para invenção.[13] Um fazer vai se constituindo na cena escolar, como podemos ler abaixo:

> Primeiro eu aconselho sempre a ler, leitura, né? Não de *Facebook*, *Whatsapp*... Para você criar uma intimidade com as palavras, com o vocabulário, com a construção das frases, a ponto de você conseguir construir seu pensamento, formular seu pensamento. Eu acho que a leitura é o primeiro passo... e os jovens de hoje, os adolescentes não são mais habituados a pegar um livro e ler. E hoje o que eu faço, no finalzinho das minhas aulas, eu dedico à ortografia, por exemplo, uma brincadeira, de corpo, nos dez minutinhos finais [...] (IEPIC, 21/05/2019).

Na escola, o docente poderá contornar os vazios encontrados no trabalho escolar, os quais inevitavelmente farão parte da ação educativa. São hiatos que podem impulsionar a construção de práticas singulares, não assumindo a condição de abismos produtores de impotência. O professor poderá realizar intervenções indiretas, seguindo um caminho distinto, para poder persistir em seu trabalho. Sua aposta será potencializada caso consiga tal desvio, sem tomar o aluno como objeto, considerando-o e mantendo-o no seio da cena escolar. Apesar de optar por um trajeto alternativo, sofrendo quedas e tropeços, mesmo assim poderá seguir adiante.

Interrogando a pesquisa em psicanálise e educação

A análise das narrativas dos educadores à luz da teoria e as discussões junto ao grupo de pesquisa permitiram a compreensão de alguns aspectos

---

[13] SCHERER, L. C. B. *Se um professor-leitor-viajante:* uma experiência em formação de professores no contexto da inclusão escolar. 2014. 150 f. Dissertação (Mestrado) – Faculdade de Educação, Universidade Federal do Rio Grande do Sul, Porto Alegre, 2014.

envolvidos na presença do mal-estar na escola ou na possibilidade de sua transposição por parte do professor, além de proporcionarem reflexões sobre o lugar do pesquisador em psicanálise e educação.

A partir do percurso realizado junto aos educadores, percebemos que o processo de pesquisa, nesse contexto, se dá de forma distinta do convencional. Estabelecer um método de pesquisa se impõe como um desafio para a psicanálise, considerando as particularidades desse campo conceitual. Na busca por estabelecer um eixo argumentativo, encontramos as palavras de Adorno,[14] em suas teorizações sobre a forma do ensaio. Tais proposições dizem muito do trajeto percorrido na presente pesquisa, lembrando de forma particular a trajetória do pesquisador em relação ao campo de estudo.[15]

A escrita ensaística, segundo Adorno, estabelece uma relação particular com a incompletude. A partir da psicanálise, sabemos que a totalidade será sempre inatingível, como já mencionado, um exercício de saber-fazer com limite, contornando as bordas do vazio. Na escola, busca-se atingir objetivos e metas predefinidas ao longo do ano letivo com todos os alunos. Assim como apostamos no professor enquanto figura a aceitar as brechas existentes na ação educativa, assumimos também, no percurso deste estudo, uma posição de abertura diante do encontro com o objeto, desdobrando-o em distintas direções de pensamento.

> O ensaio, porém, não quer procurar o eterno no transitório, nem destilá-lo a partir deste, mas sim eternizar o transitório. A sua fraqueza testemunha a própria não-identidade, que ele deve expressar; testemunha o excesso de intenção sobre a coisa e, com isso, aquela utopia bloqueada pela divisão do mundo entre o eterno e o transitório. No ensaio enfático, o pensamento se desembaraça da ideia tradicional de verdade.[16]

---

[14] ADORNO, T. W. *Notas de literatura I*. São Paulo: Duas Cidades/Ed. 34, 2003.

[15] SCHERER, L. C. B. *Se um professor-leitor-viajante:* uma experiência em formação de professores no contexto da inclusão escolar. 2014. 150 f. Dissertação (Mestrado) –Faculdade de Educação, Universidade Federal do Rio Grande do Sul, Porto Alegre, 2014.

[16] ADORNO, T. W. *Notas de literatura I*. São Paulo: Duas Cidades/Ed. 34, 2003, p. 27.

Este estudo implicou a interação de conceitos abordados no eixo psicanálise e educação. Desde a psicanálise, apontamos para a parcialidade inerente ao processo educativo e para a importância de se constituir caminhos singulares de trabalho. A educação, por sua vez, busca potencializar os processos de ensino-aprendizagem, apostando em um trabalho com todos os alunos. O entrelaçamento de conceitos desses campos permite a construção e reconstrução de saberes, relacionando-os e problematizando-os, sem perder a dimensão de avançar na pesquisa.

A ausência de prescrição própria da psicanálise e também presente na escrita ensaística acompanhou o trajeto eleito pelo presente estudo. É inerente à forma do ensaio a sua própria relativização, organizando-se como se pudesse ser interrompido a qualquer momento. Com isso, corremos riscos, pela permanência da abertura, rebelando-nos contra a intenção de nada deixar escapar. Buscamos atingir a realidade através de suas brechas, espaços vazios, sem a pretensão de costurá-la.

> Nos processos de pensamento, a dúvida quanto ao direito incondicional do método foi levantada quase tão somente pelo ensaio. Este leva em conta a consciência da não-identidade, mesmo sem expressá-la; é radical no não-radicalismo, ao se abster de qualquer redução a um princípio e ao acentuar, em seu caráter fragmentário, o parcial diante do total.[17]

Para o pesquisador que aposta no saber da psicanálise e opta por seguir as pegadas de Adorno, o desprendimento da ideia tradicional de verdade é uma particularidade que o acompanha ao longo do percurso de pesquisa. A ausência de prescrição pode ser atribuída tanto ao fazer docente quanto ao trajeto eleito pelo presente estudo. Na construção deste, assim como no ensaio, buscamos soluções transitórias. Transformamos o parcial em um traço, efeito transparecendo algo da totalidade, sem afirmar essa presença como tal. Assim como o ensaio se relaciona com os pontos cegos dos objetos, pretendemos desvendar o que costumeiramente fica fora da

---

[17] ADORNO, T. W. *Notas de literatura I*. São Paulo: Duas Cidades/Ed. 34, 2003, p. 25.

abrangência do trabalho do professor: os efeitos singulares nas práticas pedagógicas. Fizemos opções por considerar as narrativas dos educadores a partir de alguns efeitos do encontro com o mal-estar, deixando outras por serem realizadas. Trata-se, portanto, de uma proposta que engendra algo que não se totaliza, permitindo outras rotas, desvios e novos começos.

Sobre a aposta docente: algumas proposições

No trabalho com professores, percebe-se que o mal-estar muitas vezes toma conta da cena educativa, dificultando ou impedindo a continuidade do trabalho docente. Em outras situações, nos deparamos com a constituição de práticas educativas, apesar das dificuldades encontradas e limites impostos. O professor, poderá assumir a posição de velamento, na tentativa de ocultar o hiato percebido nos desencontros vivenciados em sala de aula. Tal posição implica o mascaramento da falta inerente ao processo educativo, situação potencializadora do mal-estar. Nesses casos, podemos perceber uma desistência do professor diante de uma tarefa impossível. Em um mundo de eficácia tão propalada e de um imaginário de eficiência absoluta, a falta pode se tornar impossibilidade. Como podemos ler na fala de desistência e desamparo do professor:

> As maiores dificuldades são [...] é a indisciplina dos alunos [...] isso traz problemas no aprendizado do aluno. O aluno vem com uma carga deficiente desde sempre [...] parte dos alunos meio que desiste da minha área, principalmente! São as exatas. Na verdade, a gente tem diversos problemas, o problema estrutural, por exemplo. Você vê, essa sala mesmo, nenhum dos ares-condicionados dela funcionam e nem os ventiladores (IEPIC, 8/10/2018).

O caminho que contorna o vazio nem sempre é encontrado naturalmente pelo professor. Muitas vezes, necessita ser construído um percurso singular de travessia na direção da constituição de um trabalho a partir do encontro com o aluno. Na escuta realizada na escola, foi possível perceber a necessidade de o professor aceitar a suspensão das certezas e saberes já definidos, permitindo-se à invenção de práticas.

Tal posição do professor precisa ser contemplada durante o percurso, sem economia de quedas durante a construção do trabalho. Tais desníveis, revelados pelo vazio, implicam um espaço que sustente a trajetória, oferecendo ao docente a oportunidade de demonstrar as posições assumidas, para que não corra o risco de cristalizar-se e paralisar-se diante do mal-estar produzido.

Consideramos que a permanência do vazio e sua inscrição na cena impulsionam a constituição do trabalho escolar. Ao encontrar seu aluno, a necessidade de atravessamento do encontro perturbador, aceitando a parcialidade e o limite inerente ao processo, o trabalho escolar mostra-se como caminho possível em direção à construção de práticas docentes. Ele é, nesse caso, impulsionado quando o professor considera o hiato revelado pelo encontro em sala de aula, lançando-se na construção de práticas capazes de criar e constituir um trabalho, reconhecendo a possibilidade do ensinar e do aprender. Como podemos ler no depoimento do professor:

> [...] Aí eu pego as frases, que a gente vê nas redes sociais, [...] aí tem o certo e o errado [...] ai formulo uma frase, escrito certo e escrito errado, aí faço uma brincadeira: levanta a mão quem acha que essa frase tá certa [...] aí a maioria acha que o que eles veem nas redes sociais tá certo, aí quando eu falo que o que está certo é o que eles achavam que estava errado, eles ficam surpresos [...] aí eu faço tudo de novo, para eles lerem um livro, pra linkar [...] pegar um livro que pareça bacana à primeira vista, pela capa, pelo título, pode ser fininho(IEPIC, 21/05/2018).

O caminho percorrido aqui nos levou até a ideia de vazio, aproximando-o do trajeto a ser percorrido pelo professor na constituição de um trabalho possível junto ao aluno, diante de situações disruptivas e desestabilizadoras. Como fala Carneiro,[18] poder trilhar uma trajetória em

---

[18] CARNEIRO, C. "Quem é o outro, o diferente? Reflexões sobre psicanálise e educação". *Revista Educação Especial,* vol. 29, n. 55, pp. 351-360, maio/ago. 2016. Disponível em:https://periodicos.ufsm.br/educacaoespecial/article/view/15286/pdf. Acesso em: 25 fev. 2019.

que o rompimento com o assujeitamento seja a tônica é também permitir que o estranhamento do vazio seja motor de uma nova escritura.

Se é a partir do mal-estar, do desencontro que haverá a possibilidade da interrogação sobre si e o outro, então temos uma chave para pensar que essa dissimetria encontrada entre o ideal e o real abre a possibilidade de construções criativas.

REFERÊNCIAS BIBLIOGRÁFICAS

ADORNO, T. W. *Notas de literatura I*. São Paulo: Duas Cidades/Ed. 34, 2003.

CARNEIRO, C. Quem é o outro, o diferente? Reflexões sobre psicanálise e educação. *Revista Educação Especial,* vol. 29, n. 55, p. 351-360, maio/ago. 2016. Disponível em:https://periodicos.ufsm.br/educacaoespecial/article/view/15286/pdf. Acesso em: 25 fev. 2019.

CASTRO, L. R.; BESSET, V. L. *Pesquisa-intervenção na infância e juventude*. Rio de Janeiro: Nau, 2008.

DINIZ, M. "De que sofrem as mulheres-professoras?". *In:* LOPES, E.M.T. (org.). *A psicanálise escuta a educação*. Belo Horizonte: Autêntica, 1998.

FREUD, S. "Sobre o narcisismo: uma introdução". *In:* _____. *Edição standard brasileira das obras psicológicas completas de Sigmund Freud*. Rio de Janeiro: Imago, [1914a] 1987.

_____. "Algumas reflexões sobre a psicologia do escolar". *In:* _____. *Edição standard brasileira das obras psicológicas completas de Sigmund Freud*. Rio de Janeiro: Imago, [1914b] 1987.

_____. "O mal-estar na civilização". *In:* _____. *Edição standard brasileira das obras psicológicas completas de Sigmund Freud*. Rio de Janeiro: Imago, [1930] 1987.

_____. "Prefácio a Juventude desorientada, de Aichhorn". *In:* _____. *Edição standard brasileira das obras psicológicas completas de Sigmund Freud*. Rio de Janeiro: Imago, [1925] 1987.

GARCIA-ROZA, L. A. *Introdução à metapsicologia freudiana*: artigos de metapsicologia. Narcisismos, pulsão, recalque, inconsciente (1914-1917). Rio de Janeiro: Zahar, 1995.

LACAN, J. *O Seminário, livro 7, A ética da psicanálise*. Rio de Janeiro: Zahar, 2008 (original de 1959-60).

PEREIRA, M. R. "O relacional e seu avesso na ação do bom professor". *In:* LOPES, E.M.T. (org.). *A psicanálise escuta a educação.* Belo Horizonte: Autêntica, 1998.

SCHERER, L. C. B. *Se um professor-leitor-viajante:* uma experiência em formação de professores no contexto da inclusão escolar. 2014. 150f. Dissertação (Mestrado) –Faculdade de Educação, Universidade Federal do Rio Grande do Sul, Porto Alegre, 2014.

VOLTOLINI, R. *Educação e psicanálise.* Rio de Janeiro: Jorge Zahar, 2011.

PSICANÁLISE APLICADA À EDUCAÇÃO E FORMAÇÃO DE PROFESSORES: A CONVERSAÇÃO COMO MÉTODO DE PESQUISA-INTERVENÇÃO

CÁSSIO EDUARDO SOARES MIRANDA

Instigado pela questão norteadora proposta pela coordenação do Grupo de Trabalho Psicanálise e Educação acerca da particularidade metodológica para a investigação psicanalítica, este artigo busca, ainda que de maneira ensaística, verificar qual a especificidade da pesquisa em psicanálise aplicada à educação em relação à pesquisa acadêmica convencional. Desse modo, tomamos como ponto de partida de nossa discussão os resultados parciais de uma pesquisa-intervenção realizada com professores dos anos iniciais do ensino fundamental de uma escola pública. A partir dos operadores lógicos de Impotência e Impossibilidade, investigamos os impasses provenientes da inclusão de alunos com necessidades especiais na escola regular tendo como referência investigativa a metodologia da Conversação. Trata-se de um dispositivo de pesquisa-intervenção realizado com professores que se nomeiam como "angustiados" frente ao não saber-fazer com crianças e adolescentes com necessidades educacionais especiais incluídas na escola.[1]

---

[1] De acordo com o Censo Escolar brasileiro, nos últimos vinte anos houve um

Como se sabe, a psicanálise tem sido, há muitas décadas, uma referência para uma série de iniciativas institucionais no âmbito da saúde, da educação e da assistência. Qualificações diversas podem ser invocadas nesse percurso para dar conta dos efeitos que uma inspiração psicanalítica tem causado em diversas práticas que, de modo ou de outro, foram constituídas a partir da noção de cidadania. Assim, as práticas da "pedagogia terapêutica", da "educação psicanalítica", da "antipsiquiatria", da "reforma psiquiátrica", da "psicologia jurídica" e até mesmo da "luta antimanicomial" podem ser elencados nesse conjunto de saberes e práticas, e a nós nos parece ser possível verificar a constatação lacaniana em torno do "fracasso das utopias comunitárias".[2]

Podemos dizer que algumas dessas "utopias" fracassaram em razão da perda de um certo fôlego no decorrer do seu processo de afirmação, mas também em função do crescimento avassalador e o aprimoramento tecnológico da indústria farmacêutica, que, conforme sustenta Laia,

> [...] têm estendido, para uma escala planetária, os efeitos que, antes, eram mais localizáveis nas 'alas agitadas' dos hospícios: agora, são porções cada vez maiores do corpo social que se transformam não só no que um Michel Foucault chamou de 'grandes aquários mornos' como também em campos para manifestação de um êxtase vendido como, literalmente, comprimido.[3]

---

crescimento expressivo em relação às matrículas de alunos com deficiência na educação básica regular. Dados indicam que, no ano de 2014, 698.768 estudantes especiais estavam matriculados em classes regulares. No ano de 1998, cerca de 200 mil pessoas estavam matriculadas na educação básica, sendo apenas 13% em classes comuns. Em 2014, eram quase 900 mil matrículas e 79% delas em turmas comuns. Segundo o INEP (2018), as matrículas na educação especial totalizaram 1.181.276 alunos no Brasil, sendo que, no estado do Piauí, o montante de estudantes matriculados na educação especial foi de 21.432, enquanto na cidade de Teresina, local desta pesquisa, as matrículas totalizaram 5424.

[2] LACAN, J. "Notas sobre a criança". In: _____. *Outros escritos*. Rio de Janeiro: Jorge Zahar, [1969] 2003, p. 369

[3] LAIA, S. "A prática analítica nas instituições". In: HARARI, A.; CARDENAS, M. H.; FRUGER, F. (org.). *Os usos da psicanálise*: primeiro encontro americano do campo freudiano. Rio de Janeiro: Contracapa, 2003, p. 58.

Ora, no que tange ao indiscutível direito do cidadão moderno à educação formal, questionaríamos também se o "fracasso das utopias comunitárias" não adviria em função da presença maciça de práticas bem-sucedidas e que, em razão disso, geraram um "efeito de massa" no campo das políticas e práticas daquilo que se nomeou como educação especial na perspectiva inclusiva. Assim, esse efeito de massa promoveu um "enxame de significantes" que fez com que aquilo que deveria funcionar como uma exceção passasse a ocupar o lugar da norma.

Conforme fora anunciado anteriormente, discorreremos acerca dos efeitos de uma pesquisa-intervenção realizada com professores de uma escola pública em função das dificuldades apontadas por eles acerca da inclusão de crianças ditas com necessidades educacionais especiais, sobretudo frente àquilo que os professores nomeiam como angústia, bem como discutiremos a especificidade da pesquisa em psicanálise aplicada à educação. Nesse aspecto, as discussões em torno dos pontos de aproximação entre psicanálise e educação referentes à especificidade da pesquisa em psicanálise se fazem sempre presentes. Desse modo, no exercício de pesquisa aqui proposto, fez-se necessário lançar mão de uma metodologia específica denominada Conversação, levando-se em consideração a finalidade principal dessa metodologia, que é a circulação da palavra e o surgimento de um significante novo; este, por sua vez, proporcionador de novos sentidos em um grupo de professores, tendo em vista a psicanálise como uma ciência do particular.

Psicanálise: uma ciência do particular

O ponto de partida de nossa investigação centra-se na proposição lacaniana de que a especificidade da psicanálise se fundamenta na sua posição como ciência do particular. O ato inaugural de Freud demonstra que a fala, sempre particularizada, é o que define o lugar da verdade e é tal situação que a história de Anna O. demonstra[4]. O ineditismo do caso

---

[4] Anna O. é o primeiro dos cinco casos relatados por Breüer e Freud na publicação conjunta de 1895. Nas conferências realizadas na Universidade de Clark, nos Estados Unidos, em 1909, Freud o utilizou novamente na primeira de suas cinco conferências

Anna O. delineia a "espinha dorsal" de um dos aspectos fundamentais da psicanálise, que é a experiência advinda dos casos clínicos.

Ora, como se sabe, a psicanálise é um dos marcos do século XX, sendo os séculos XX e XXI identificados por alguns autores como o século da ciência propriamente dita[5]. A ciência aponta para os universais e para as generalizações, enquanto a psicanálise, ao se constituir a partir da ciência, apresenta-se essencialmente como uma "ciência do particular", visto que ela se interessa pelo sujeito do inconsciente. É nesses termos que Jacques Lacan introduz a discussão em torno da problemática científica ao sustentar que a empreitada freudiana se baseia no domínio da verdade do sujeito. Segundo o autor,

> a pesquisa da verdade não é inteiramente redutível à pesquisa objetiva, e mesmo objetivante, do método científico comum. Trata-se da realização da verdade do sujeito, como de uma dimensão própria que deve ser destacada na sua originalidade [...].[6]

As discussões lacanianas prosseguem apontando para a insistência freudiana em sua busca pela verdade e tal fato só se tornou possível a partir das relações que Freud estabeleceu com seus doentes, uma relação de caráter absolutamente singular. Dessa maneira, a questão lacaniana em

---

sobre psicanálise. Entretanto, ao escrever *Sobre a história do movimento psicanalítico*, Freud deixou claro que a história da doença e do tratamento de Anna O. pertencia a Breüer, mas que as conclusões tiradas do caso e que levaram à psicanálise eram dele, Freud.

[5] O século XXI é considerado o século da ciência em função dos avanços, fatos e invenções que têm surgido em nossa época e ainda surgirão. De acordo Pereirinha (2009), o século XXI apresenta-se como um tempo em que houve um triunfo generalizado e universal do discurso da ciência, em que nada mais tem validade caso não passe por seu crivo. Para a psicanálise, a nosso ver, o triunfo do capitalismo e da ciência produziu novos impasses, sintomas e modos de vida sem que necessariamente tenha gerado novas formas de produção subjetiva. O que interessa à psicanálise, nesses casos, é acompanhar os efeitos que o "triunfo da ciência" causa ao sujeito e à vida social. PEREIRINHA, J. F. *A problemática do sujeito à luz da teoria de Jacques Lacan*. 219 f. Tese (Doutorado) – Minho: Instituto de Letras e Ciências Humanas, Universidade do Minho, 2009.

[6] LACAN, J. *O seminário, livro 1*: os escritos técnicos de Freud. Rio de Janeiro: Jorge Zahar, [1953- 1954] 1986, p. 31.

torno da psicanálise vai se pautar sempre na perspectiva da análise como uma experiência do particular e que esta, por sua vez, assume um modo genuinamente singular. Uma importante discussão a esse respeito é feita no instigante texto de 1965, "Ciência e verdade", no qual ele problematiza as relações entre esses dois campos destacados, como o próprio título de seu escrito acentua. Ao permanecer na ideia de que a psicanálise é uma ciência do particular, Lacan argumenta que a ciência se caracteriza por uma disjunção entre a verdade e o saber, o que fica claro quando ele enfatiza: "a prodigiosa fecundidade de nossa ciência deve ser interrogada em sua relação com o seguinte aspecto, no qual a ciência se sustentaria: que, da verdade como causa, ela não quer-saber-de-nada".[7] Em contraponto, o discurso do analista indica que ambas ocupam o mesmo lugar.

É a partir daí que Lacan sustenta a tese de que a psicanálise só pode ser pensada como uma ciência do particular, ao que ele diz: "[...] a análise como ciência é sempre uma ciência do particular. A realização de uma análise é sempre um caso singular, mesmo que esses casos singulares se prestem não obstante a alguma generalidade[...]".[8] Assim, se a generalidade é possível em psicanálise, isso se deve ao fato de muitos analistas tomarem aquilo que se apresenta como algo particular de um caso para pensar outros, o que o tornaria paradigmático.

Se o passo inicial foi dado por Freud, Lacan esforça-se para formalizar o discurso analítico através da produção de matemas que condensariam o real em jogo no inconsciente. É a partir dessa formalização que o discurso analítico aposta em uma ciência baseada na dimensão particular, conforme fora dito, não mais aderida a certas construções imaginárias, mensageiras de significações *prêt-à-porter*. É nesse sentido que o psicanalista francês, ao prefaciar a edição alemã de *Escritos,* trabalha a partir de uma lógica em que determinados casos são tomados como paradigmáticos, ao que ele sustenta: "Não sou pródigo em exemplos, mas, quando meto

---

[7] LACAN, J. "A ciência e a verdade". *In:* LACAN, J. *Escritos*. Rio de Janeiro: Jorge Zahar, [1965] 1998, p. 889.

[8] LACAN, J. *O seminário, livro 1*: os escritos técnicos de Freud. Rio de Janeiro: Jorge Zahar, [1953- 1954] 1986, p. 31.

meu nariz, elevo-os ao paradigma".[9] Tal posicionamento é o que faz com que ele transforme exemplos extraídos da literatura em casos paradigmáticos; podemos indicar tanto Hamlet quanto Joyce, passando por Sade, que foram utilizados para indicar fatos de estrutura. Nessa perspectiva, a psicanálise eleva determinados casos à condição de paradigma para deles extrair consequências; melhor dizendo, o caso é tido como paradigmático porque orienta outros que tenham as mesmas características. Desse modo, ao discutirmos a problemática da pesquisa em psicanálise e educação, o relato aqui tratado foi selecionado porque supomos que pode nos orientar e talvez servir de paradigma, ou seja, buscamos dele extrair as devidas consequências que talvez possam orientar casos semelhantes.

Assim, em uma perspectiva contemporânea, o discurso da ciência e o discurso do capital são postos como os dois pilares de estruturação do mundo, demandando um novo *saber-fazer* da psicanálise frente aos impasses provenientes da nova ordem simbólica, mais especificamente, das "desordens do real".[10] O real lacaniano não é propriamente o real da ciência; trata-se do real do acaso, da contingência, mas a psicanálise, para existir, não prescindiu do real organizado do saber científico. Em razão da associação entre o real da psicanálise com o real da ciência é que a clínica psicanalítica é passível de ser formalizada. Trata-se então de colher, a partir de um traço singular, aquilo que, da experiência, também pode ser universalizado, ou melhor:

> Haverá, entretanto, em cada experiência, o encontro com uma singularidade irredutível, pois os efeitos de *lalíngua* sobre a diversidade dos corpos não podem ser completamente reduzidos às classificações que já conhecemos.[11]

---

[9] Lacan, J. (2003). "Introdução à edição alemã dos Escritos". In: *Outros Escritos*. Rio de Janeiro. Jorge Zahar, 1973[2003].

[10] MILLER, J-A. "A psicanálise, seu lugar entre as ciências". *In:* COELHO DOS SANTOS, T.; SANTIAGO, J.; MARTELLO, A. (orgs.). *De que real se trata na clínica psicanalítica?* Psicanálise, ciência e discursos da ciência. Rio de Janeiro: Companhia de Freud, 2012.

[11] SANTOS, T. C. dos. "Existe uma nova doutrina da ciência na psicanálise de orientação lacaniana?". *In:* COELHO DOS SANTOS, T.; SANTIAGO, J.; MARTELLO, A.

Nesse caminho, apresentaremos abaixo a tentativa de formalização do real da psicanálise associado ao real da ciência como um ponto de partida para possíveis efeitos de transmissão que a formalização de uma intervenção em psicanálise possa ter.

A angústia do professor frente ao não saber-fazer com a educação especial

Em uma pesquisa exploratória,[12] realizada com 973 professores das escolas municipais de Teresina (PI) em 2015, 71% dos professores disseram ter alto nível de necessidade de aperfeiçoamento profissional para trabalhar com estudantes com necessidades especiais ou deficiência. Do total dos respondentes, 63,7% sentem falta de material didático específico; 56,4% afirmam que as salas muito cheias impedem o atendimento individualizado ao aluno com deficiência; e 53% responderam que os alunos com deficiência têm que enfrentar alguma barreira física na escola.

O projeto de pesquisa-intervenção intitulado "Saberes e discursos sobre o fracasso escolar em escolas municipais de Teresina"[13] teve como proposta inicial investigar os discursos circulantes na escola sobre o fracasso escolar e os saberes construídos por professores e pedagogos em torno

---

(orgs.). *De que real se trata na clínica psicanalítica? Psicanálise, ciência e discursos da ciência.* Rio de Janeiro: Companhia de Freud, 2012, p. 59.

[12] MIRANDA, C. Discursos sobre o fracasso escolar: identificação, saberes e práticas de inclusão. relatório de pesquisa. Teresina, UFPI, 2016.

[13] De acordo com Lacadée (2000) e Santiago (2008) a pesquisa-intervenção de orientação psicanalítica tem como objetivo alterar dada realidade na qual dificuldades, sintomas ou problemas que insistem em se reproduzir ali se encontram, gerando mal-estar. Segundo esses pesquisadores, essa metodologia implica uma atitude de interpretação do sintoma institucional e consequente intervenção sobre ele a partir da oferta da promoção de circulação da palavra, o que, neste projeto, foi realizado por meio da Conversação. LACADÉE, P. Da norma da conversação ao detalhe da conversação. *In* : LACADEE P. ; MONIER, F. (orgs.), *Le pari de la conversation*. Paris: Institut du Champs Freudien: CIEN Centre interdisciplinaire su l´Enfant, 2000.; SANTIAGO, A. L. O mal-estar na educação e a Conversação como metodologia de pesquisa: intervenção em Psicanálise e Educação. In CASTRO, L. R.; BESSET, V. L. (orgs). *Pesquisa-Intervenção na Infância e Juventude*. Rio de Janeiro: Nau editora, pp. 113-131, 2008.

dessa questão. Em uma escola de anos iniciais do ensino fundamental, à medida que nos colocávamos a escutar os professores através da metodologia da Conversação,[14] as queixas em torno da condição docente começaram a emergir. Assim, guiados pelos significantes apontados pelos professores, propusemos um trabalho específico para *tratarmos da condição docente e do mal-estar que parece ser quase inerente ao ofício de professor*. As conversações apontaram para as tradicionais queixas dos professores em relação à condição docente.[15]

    Entretanto, a interpelação feita pelo coordenador da Conversação provocou a vacilação da condição estanque na qual os professores se encontravam, abrindo espaço para o surgimento de alguma novidade: "Dessas queixas, todos já sabemos; existe alguma questão nova a ser feita?" A partir daí, foi possível destacar significantes novos que começaram a circular nessa associação-livre coletivizada acerca do mal-estar docente. Como resultado dessas conversações, destacamos, nas falas dos professores, duas fontes desencadeadoras de angústia que se associam diretamente ao propósito deste ensaio, a saber: i) **angústia frente ao não-saber** – professores que se sentem angustiadas com as dificuldades escolares diversas de alunos, sobretudo aqueles que se encontram em idade de ler, escrever e fazer cálculos, e não o fazem. Esses professores se sentem constantemente inquietados por esses alunos que parecem se encontrar refratários aos conteúdos ensinados e, mais ainda, sentem-se constantemente pressionados pela escola para fazer com que tais alunos assimilem os conteúdos escolares. À título de ilustração, uma professora diz ao iniciar a conversação: "Aí, eu estou ficando cada vez mais desanimada com a minha turma. Ela tá muito fraca, muito devagar... os meninos não evoluem. A leitura tá difícil". Ela é interrogada: "Mas não é muito cedo para ficar

---

[14] MIRANDA, M.; SANTIAGO, A. "O mal-estar do professor frente à 'criança-problema'". *In*: Psicanálise, Educação e Transmissão, 2006. Disponível em: http://www.proceedings.scielo.br/scielo.php?script=sci_arttext&pid=MSC0000000032006000100048&lng=en&nrm=abn. Acesso em: 30 ago. 2020.

[15] MIRANDA, M.; SANTIAGO, A. "O mal-estar do professor frente à 'criança-problema'". *In*: Psicanálise, Educação e Transmissão, 2006. Disponível em: http://www.proceedings.scielo.br/scielo.php?script=sci_arttext&pid=MSC0000000032006000100048&lng=en&nrm=abn. Acesso em: 30 ago. 2020.

desanimada? As aulas mal começaram...", ao que a professora diz:"Talvez você tenha razão, mas sabe quando você sente que a coisa não vai?"; ii) **angústia frente ao não-saber-fazer** – refere-se a uma dificuldade em lidar com crianças deficientes incluídas na escola (deficiências sensório-motoras, cognitivas, hiperativas e autistas), mesmo com a presença dos acompanhantes. Por um lado, há uma queixa por parte dos professores que não se sentem capacitados para lidar com as crianças com as chamadas necessidades educacionais especiais e, por outro, há o dizer da rede de ensino acerca da oferta de cursos de formação para professores nessa área.

Frente ao não-saber fazer com "isso", a resposta dada pelos professores ou é uma paralisia (uma impotência) ou um enlaçamento míope ao discurso médico (é o caso de uma professora que só permitia a entrada de um aluno dito hiperativo em sua aula se ele tomasse o medicamento para hiperatividade diante dela), ou ainda uma convocação do imaginário acerca do campo afetivo (é o caso de algumas professoras que dizem:"Eu trabalho com esses meninos como se fossem meus filhos; eu me coloco no lugar das mães deles que, mesmo eu não tendo um conhecimento muito grande, tenho um grande amor").

A angústia frente ao não-saber-fazer com alunos ditos com necessidades educacionais especiais tem também como um de seus sucedâneos, em algumas professoras, a impotência. Ágata, por exemplo, pensa em deixar a docência. Após um trabalho difícil com um aluno com deficiência intelectual, queixa-se de não ter conseguido nada com ele. Recebeu orientações da equipe pedagógica e ainda assim não obteve êxito. Sustenta que já desistiu do aluno; quanto à profissão, pensa em desistir.

A inclusão e os riscos da segregação

A concepção de segregação que adotamos em nossa pesquisa refere-se diretamente à noção de identificação,[16] com seus respectivos

---

[16] Segundo Freud, a identificação refere-se ao mais remoto laço afetivo realizado com um objeto, sendo seus efeitos duradouros. Lacan vai dizer que a identificação se refere à relação do sujeito com o significante sendo, por isso, uma dimensão simbólica. Trata-se

fenômenos de massa, tais como a paixão e o ódio; quanto mais se identifica a X maior a tendência em odiar (segregar) Y.[17] Desse modo, segregar remete a um efeito de massa em que o outro deverá ser excluído, separado, discriminado. Para Ferrari[18], "a segregação é uma emergência da verdade que concerne ao gozo, tal como Lacan abordou o sintoma em sua leitura de Marx. Ela é uma solução de compromisso e um erro lógico, maneira de Freud situar o sintoma". Segundo essa autora, trata-se de um compromisso estabelecido entre a dissipação dos ideais e um ambiente crescente de "mais de gozo"; para ela, é possível até mesmo considerar a segregação como um sintoma que permite ao saber tratar o sujeito como objeto de estudo. Refere-se, assim, a um "apagamento" do sujeito frente aos protocolos e modos de pesquisa preconizados pela ciência moderna. Ferrari concorda que a segregação está associada à identificação. Como se sabe, nos processos identificatórios ocorre o estabelecimento de uma fraternidade a partir de certos traços "[...] e constitui o conjunto dos 'bons', dos 'maus', dos 'ricos', dos 'pobres', dos trabalhadores etc., assegurando certa paz interna à vida em uma comunidade, mas guerra permanente contra os estrangeiros ao conjunto".[19]

No que tange ao sintoma escolar ou a algum outro tipo de "problema" presente na infância escolarizada, surge uma insistente medida de exclusão. O uso de classes homogêneas, denominadas também de classes especiais, em que crianças são agrupadas em função das dificuldades escolares, ou a partir de uma constatação de fracasso, ou ainda em decorrência da defasagem idade/série, a nosso ver, presentifica a segregação em sua forma velada, que é a da insistência em se normatizar

---

de uma forma de ancoragem do sujeito ao nome que o representa. Conferir: FREUD, S. Psicologia de grupo e análise do ego. *Edição standard brasileira das obras completas de Sigmund Freud*. Rio de Janeiro: Imago, [1921] 1990. vol. XVII; e LACAN, J. *O seminário, livro 9:* a identificação. [S. l., s. n.]: [1961- 1962]. (Inédito).

[17] Para uma discussão mais acurada a respeito do tema, conferir: AGAMBEN, G. *Homo sacer:* o poder soberano e a vida nua I. Belo Horizonte: Ed. UFMG, 1995-2002.

[18] FERRARI, I. Realidade social: a violência, a segregação e a falta de vergonha. *Revista Mal-estar e Subjetividade*, Fortaleza, vol. VII, n. 2, pp. 269-284, set. 2007, p. 276.

[19] FERRARI, I. Realidade social: a violência, a segregação e a falta de vergonha. *Revista Mal-estar e Subjetividade*, Fortaleza, vol. VII, n. 2, pp. 269-284, set. 2007, p. 277.

a identificação a um tipo de sintoma coletivizado que não permite a alteridade.[20]

De acordo com as proposições de Bastos[21], existe uma diferença entre o sintoma analítico e o sintoma "socializado", uma vez que o "socializado" toma de empréstimo "[...] a etiqueta ao discurso dominante com a qual o sujeito se faz representar, como no caso do anoréxico, do portador da síndrome do pânico, do débil com dificuldades de aprendizagem", bem como de outras nomeações identificatórias que parecem se generalizar no mundo contemporâneo. Segundo essa autora, o termo "socializado" não é uma referência direta às manifestações coletivas e fenômenos grupais que expressam o mal-estar na cultura. Assim, o sintoma "socializado" é aquele que se alimenta das nomeações provenientes do discurso da ciência médica e da maneira como eles são difundidos socialmente, sob forma de "TOC [...], síndrome do pânico, distúrbio do déficit de atenção e hiperatividade etc. Uma criança de seis anos diz: 'sou um hiperativo', com muito pouco a agregar a isso, além do silêncio".[22]

Na perspectiva trabalhada por essa autora, o "sintoma socializado" tem seu fundamento em uma nomeação proveniente do discurso da ciência, produtora de signos universais que causam efeitos também universais, portanto, sem a presença de uma subjetivação particular. Esse tipo de sintoma provoca um modo de segregação coletiva, em que os sujeitos se identificam, de forma narcísica, a certos significantes que circulam no social sob a égide do discurso da ciência. Costumeiramente, a segregação recai, na contemporaneidade, sobre os sintomas coletivizados que trazem a marca de um adoecimento: anorexia, bulimia, jogadores

---

[20] MIRANDA, C. E. S. *Superdotação, psicanálise e nomeação*: crianças e adolescentes superdotados, suas famílias e instituições de apoio. Curitiba: Juruá, 2015.
[21] BASTOS, A. Segregação, gozo e sintoma. *Revista Subjetividades*, vol. 4, n. 2, pp. 251-265, set. 2004.
[22] SANTOS, T. C. dos. "Existe uma nova doutrina da ciência na psicanálise de orientação lacaniana?". *In:* COELHO DOS SANTOS, T.; SANTIAGO, J.; MARTELLO, A. (orgs.). *De que real se trata na clínica psicanalítica?* Psicanálise, ciência e discursos da ciência. Rio de Janeiro: Companhia de Freud, 2012, p. 24.

compulsivos, obsessivos compulsivos, hiperativos, autistas, deprimidos, ansiosos, dentre outros.

Como implicação, programas e projetos de inclusão, classes especiais, políticas públicas e uma série de interrogações aparecem na inquietação de educadores e gestores, na tentativa de se incluir aquele que também é visto como "diferente". De acordo com Maria Rita Guimarães[23], o uso do termo segregação, em psicanálise lacaniana, é mais frequentemente empregado a partir do momento em que surge a inquietação de Lacan com os efeitos dos discursos no laço social, de modo mais preciso a partir de 1967. Nos anos ulteriores, o conceito surge com uma série de indagações às práticas sociais existentes, não se referindo, necessariamente, às concepções de discriminação e exclusão, conceitos caros ao campo das ciências sociais.[24] Sobre esse tema, a leitura lacaniana irá contribuir tomando como referência à discussão linguística a respeito dos fundamentos da linguagem, a partir dos estudos de Ferdinand de Saussure[25] e de Roman Jakobson.[26] Assim, nesse campo do saber, a significação não é uma condição nata da linguagem, mas surge a partir de um sistema de oposições. Nesse sistema, um significante só existe como pura diferença, ou seja, por um sistema de exclusão. Melhor dizendo, o significante *homem* só possui uma significação a partir de uma oposição que ele estabelece com o significante *mulher; preto* em oposição a *branco*, e assim por diante. Por esse caminho, a segregação aparece como princípio, visto que o significante é o fundamento da linguagem e esta, por sua vez, é condição de existência da humanidade. Dessa forma, o encontro do vivente com a linguagem o coloca, desde o início, em uma condição de segregação, tendo em vista a exclusão inerente à própria linguagem.

---

[23] GUIMARÃES, M. R. A psicanálise na era da criança generalizada. *Almanaque On-line*, n. 7, 2010. Instituto de Psicanálise e Saúde Mental de Minas Gerais. Belo Horizonte. Disponível em:http://www.institutopsicanálise-mg.com.br/psicanálise/almanaque/07/Textos/MariaRita.pdf. Acesso em: 30 ago. 2020.

[24] MIRANDA, C. E. S. *Superdotação, psicanálise e nomeação*: crianças e adolescentes superdotados, suas famílias e instituições de apoio. Curitiba: Juruá, 2015.

25 SAUSSURE, F. *Curso de linguística geral*. São Paulo: Cultrix, [1905]2006.

[26] JAKOBSON, R. Quest for the essence of language. *Diogenes*, vol. 13, n. 51, pp. 21-37, 1965.

Em uma época em que os "Direitos do Homem" são tomados em seu extremo, o "tudo pelo social", as políticas públicas do "para todos" têm um ideal universalizante, e Guimarães[27] defende que o ideal uniformizante localizado nos impasses da época do "todos iguais, e/ou para todos" tem, como correspondência, um efeito crescente de segregação. Para essa autora, o contemporâneo inaugura a existência de uma estrutura paradoxal, uma vez que, à medida que se encaminha para o universal, mais o particular é segregado. "O particular refere-se ao que resta denegado, recalcado, à função estruturante da falta do Outro; é a castração, o mal-entendido que porta cada um dos falantes que somos desde o nascimento".[28]

Ora, ser classificado como pessoa com necessidade educacional especial pode produzir um esvaziamento da subjetividade, derivando-se em uma segregação. Por outro lado, segundo Santiago e Salum,[29] a associação entre a terminologia médica e jurídica pode promover a segregação mesmo nos dispositivos cuja lógica formal se orienta pela inclusão, o que tem como consequência a evasão escolar. Em suma, produz-se exclusão em um sistema que tem a inclusão como política.

Desse modo, a persistência da exclusão em espaços tidos como de inclusão denuncia a presença da desinserção como um mecanismo subjacente aos modos de gozo contemporâneos. Diante da constatação de que ser nomeado como "pessoa com necessidade especial"[30] pode

---

[27] GUIMARÃES, M. R. "A psicanálise na era da criança generalizada". *Almanaque On-line*, n. 7, 2010. *Instituto de Psicanálise e Saúde Mental de Minas Gerais*. Belo Horizonte. Disponível em: http://www.institutopsicanálise-mg.com.br/psicanálise/almanaque/07/Textos/MariaRita.pdf. Acesso em: 30 ago. 2020.

[28] GUIMARÃES, M. R. "A psicanálise na era da criança generalizada." *Almanaque On-line*, n. 7, 2010. Instituto de Psicanálise e Saúde Mental de Minas Gerais. Belo Horizonte. Disponível em: http://www.institutopsicanálise-mg.com.br/psicanálise/almanaque/07/Textos/MariaRita.pdf. Acesso em: 30 ago. 2020.

[29] SALUM, M. J. G.; SANTIAGO, A. L. "Os adolescentes desinseridos e seus sintomas nas instituições socioeducativas". *Revista aSEPHallus*, vol. 7, n. 14, pp. 120-130, 2012. Disponível em: http://www.isepol.com/asephallus/numero_14/artigo_08.html. Acesso em: 30 ago. 2020.

[30] Mesmo com a mudança na nomenclatura para Pessoa com Deficiência, há, por parte dos professores, a insistência da terminologia pessoa ou criança com necessidade especial.

colocar o sujeito em uma condição de segregação operada pelo Outro da cultura, torna-se essencial a discussão em torno de como escutar tal sujeito sem que se reforce sua condição de excluído e se garanta a presença do sujeito do inconsciente.[31] Tais dados são relevantes para nosso trabalho por apontar para as dimensões imaginárias que circundam o tema, com seus respectivos efeitos. O que importa, então, a partir da perspectiva lacaniana, é o fato de tais dados serem materializados em palavras e dessas palavras nomearem. Assim, o que se tem em conta é o valor imaginário dessas palavras, que por sua vez, delimitará o modo como a prática docente será efetivada e também o modo como o professor relaciona-se com seu aluno.

De fato, o que se tem nessa concepção imaginária é um sentido construído em torno do significante "especial", com o efeito que ele provoca: uma relação desprovida de particularidade em função de uma fixação provocada por essa forma de linguagem. Como defende Laurent, o efeito que um significante pode ter é um efeito de massa, através da criação de comunidades de identificação a funcionar "como fundamento imaginário de uma neogarantia simbólica".[32] Daí tem-se a questão: o que pode o psicanalista frente à segregação operada no escolar?

O psicanalista na instituição escolar: a psicanálise se depara com a política pública

Como se sabe, os efeitos psicanalíticos não resultam apenas do *setting*, mas da instalação de coordenadas simbólicas dadas pelo analista e cujos resultados são provenientes da experiência em que ele se engajou. Segundo Miller,[33] localizar-se no discurso analítico é o que permite

---

[31] MIRANDA, C. E. S. *Superdotação, psicanálise e nomeação*: crianças e adolescentes superdotados, suas famílias e instituições de apoio. Curitiba: Juruá, 2015.

[32] LAURENT É., « L'ordre symbolique au XXIe siècle », *La Cause freudienne*, n. 76, p. 86, 2011.

[33] MILLER, J. Rumo ao PIPOL 4, s/p. Disponível em: http://ea.eol.org.ar/04/pt/template.asp?lecturas_online/textos/miller_hacia_pipol4.html. Acesso em: 30 ago. 2020.

conceber o psicanalista contemporâneo como objeto nômade e "[...] a psicanálise como uma instalação portátil, susceptível de se deslocar para novos contextos e, em particular, para as instituições". Segundo esse autor, há um Lugar Alfa na instituição, que é aquele que permite a instalação de um lugar analítico possível. Defende, portanto, que o Lugar Alfa não é um local de escuta, mas um lugar de respostas. Para o autor, o lugar de escuta é aquele no qual o sujeito é convidado a falar o que quiser à vontade. Para ele, só existe o Lugar Alfa se, pela mediação do analista, o falar livremente revelar o saber inconsciente e promover a instalação da transferência, que é o que permite a ocorrência do ato interpretativo.

Assim, atuar como objeto nômade em um Lugar Alfa localizado na instituição escolar é conectar-se diretamente com o social na tentativa de aí restabelecer os laços. Seguindo tal orientação, pragmaticamente colocamos a possibilidade de realizarmos novas Conversações Temáticas sobre os desafios que a inclusão de crianças nomeadas como especiais trazem aos professores que, mesmo passando por cursos de formação, permanecem angustiados frente ao não-saber-fazer com isso. Na primeira Conversação, a evidência da queixa em torno da dificuldade em "chegar ao aluno", em estabelecer uma relação com alunos que "parecem que não estão nem aí", a angústia de se notar uma "agitação em alguns alunos que parece patológica" são elementos recorrentes dentre os professores e professoras. Uma delas, no entanto, frente à interrogação do coordenador da Conversação sobre o que fazer com isso, afirma que todas as professoras ali sabem que é um direito das crianças com algum tipo de deficiência estarem presentes na escola regular e que isso é muito bom para esses meninos e meninas. Na sua fala, recorda que, quando adolescente no interior do estado do Piauí, teve um parente vitimizado por "paralisia infantil" e o quanto era difícil para a família ter que lidar quase que sozinha com essa criança, uma vez que as escolas de sua cidade não tinham interesse em recebê-la como aluno; lembra-se também de um vizinho que, segundo ela, ao que tudo indica, tinha um filho esquizofrênico, e de como a família sentia-se ao mesmo tempo envergonhada e impotente frente à não inclusão dessa criança na escola.

No circuito das memórias, outra professora relata ter assistido a um filme cuja narrativa trazia a figura de um pai que tinha deficiência intelectual e, em função disso, corria o risco de perder sua filha. Imaginariamente infere que esse pai possivelmente não teve acesso à escola ou dela foi excluído. Para ela, "nós não podemos correr o risco de jogar esses meninos na lata de lixo! Pensem nas famílias deles! Nós não podemos...", diz ela. "E o que podemos?", o coordenador interroga. Uma professora (Professora A) inverte a posição e diz:

> O que podemos eu não sei... eu sei é o que devemos! Devemos tratar esses alunos como seres humanos. Eu fico chocada com algumas coisas que eu ainda vejo hoje em dia com pessoas deficientes. A gente tem que se lembrar o tempo todo é que eles têm direito à educação, que a gente deve fazer um bom uso da sala de recursos, conversar mais com o professor dessa sala, pensarmos em alguns projetos com as faculdades da cidade para trazerem estudantes para cá para fazerem um trabalho com esses alunos; eles não devem ser expulsos da escola, e não devem ser apenas jogados por aí, eles são cidadãos.

O coordenador da Conversação franqueia a fala dessa professora e sustenta que às vezes é bastante penoso para os educadores ter, em sala de aula, alunos imunes ao estabelecimento do laço social, que parecem não ter curiosidade pelo conhecimento e não entram no regime das relações e trocas sociais. Destaca ainda que, para certas crianças, principalmente para aquelas que têm dificuldades não apenas do ponto de vista físico, mas possuem certas precariedades simbólicas, ir à escola pode significar a volta à circulação social e também a retomada de seu desenvolvimento intelectual. Mais que um exercício de cidadania, ir à escola, para essas crianças, possui um valor terapêutico.

Após isso, um professor (Professor B) assume a fala e diz que, de algum modo, ele e outros colegas têm conseguido garantir isso às crianças:

> [...] nós ficamos angustiados é porque queremos ver resultados rápidos demais e, no meu caso específico, preciso conversar um pouco mais com a professora da sala de recursos... na verdade, a gente vê que lentamente esses meninos têm progredido... só que não sabemos direito é avaliar esses progressos.

De algum modo, o franqueamento da fala provocou certo movimento desses professores. Ao reconhecerem os efeitos de seus trabalhos, saíram, de certo modo, da condição de impotência.

A leitura do fragmento da Conversação acima permite elencar *três resultados* que costumeiramente aparecem no manejo da escuta analítica no grupo de professores: "a desconstrução das formações imaginárias que fazem obstáculo à função simbólica, o reconhecimento da posição do sujeito no discurso e o giro na posição discursiva".[34] Desse modo, posicionar-se no Lugar Alfa nessa instituição escolar permitiu aos professores produzirem novas significações a partir do desdobramento de suas queixas. Ademais, de algum modo, o reposicionamento dos professores na cadeia discursiva poderá possibilitar a atuação deles no enfrentamento da desinserção que insiste em permanecer nas instituições escolares, a despeito da existência de leis voltadas para a inclusão de crianças com deficiências. Certamente que a aposta reside no trabalho do analista no tensionamento entre o sujeito e o cidadão. Nesse caso, "não há dúvida de que poderemos contribuir com algo novo – a rejeição escolar, por exemplo –, visto que o significante-mestre nos possibilita percepções da autoridade e do saber, que podem ser comunicadas".[35] Numa dimensão pragmática, trata-se de circular a palavra, trata-se de, após acolher a sustentação imaginária da experiência docente, com a confrontação do sujeito com seu próprio dizer, produzir furos no imaginário para, simbolicamente, permitir um "saber-fazer-aí".

Com o estabelecimento de leis e tratados ligados ao combate da "Exclusão", o que se verifica é uma homogeneização dos diversos sujeitos-alvo da educação inclusiva. Como se trata de algo característico das leis e das políticas públicas, a homogeneização – ou o estabelecimento

---

[34] BASTOS, M.; KUPFER, M. C. "A escuta de professores no trabalho de inclusão escolar de crianças psicóticas e autistas". *Revista Estilos da Clínica*, vol. 15, n. 1, p. 116-125, 2010. Disponível em: http://pepsic.bvsalud.org/scielo.php?script=sci_arttext&pid=S1415-71282010000100008&lng=pt&nrm=iso. Acesso em: 30 ago. 2020.

[35] MILLER, J. *Rumo ao PIPOL 4*, s/p. Disponível em: http://ea.eol.org.ar/04/pt/template.asp?lecturas_online/textos/miller_hacia_pipol4.html. Acesso em: 30 ago. 2020.

de categorias universais supostamente garantidoras do combate à exclusão – tende a não se ocupar das heterogeneidades, ou dos acidentes, como define Aristóteles, pois se assenta num imaginário de ordem coletiva, segundo uma perspectiva da necessidade e da razão, desconsiderando o que é de mais peculiar de um sujeito – e que não pode ser excluído –, o desejo. A questão que nos é imposta é a seguinte: como garantir, diante das necessárias políticas públicas, um lugar de exceção para o sujeito? Desse modo, na aposta da lógica contingente, que indica um não-todo, a psicanálise contribui com as políticas públicas em educação ao propor a possibilidade da inserção do sujeito na ordem social.

Ora, o que pode ser verificado é o fato de, nas sociedades ocidentais, a noção de lei associar-se ao conceito de governo e de ordem social.[36] Ao Estado cabe, essencialmente, estabelecer e garantir o exercício da lei. Assim, cumpre ao governo, através de um sistema legal, fornecer uma estrutura previsível, sistemática e ordenada para resolver possíveis desentendimentos gerados na teia social. A questão, assim, é sempre a interrogação de como se garantir um espaço para a subjetividade diante daquilo que é essencialmente coletivo. Freud[37] argumenta que o grande ideal civilizatório é anular todos os vestígios animalescos ou bárbaros presentes na humanidade, sobretudo a evidente agressividade presente nos animais em estado selvagem.

No entanto, as limitações que a cultura impõe ao homem são fonte de mal-estar. Se a civilização pode ser pensada, a partir de Freud, como a demonstração de que o homem alçou acima de sua condição animal, o pai da psicanálise sustenta que a civilização é exatamente o "ponto de renúncia" que o homem faz de sua vida instintiva ao lado de uma série de mecanismos coercivos – dentre eles a lei – que ajustam as relações entre os humanos. Diz-nos Freud[38] que é impossível desconsiderar o ponto até o qual a cultura é arquitetada com base no abandono ou à não

---

[36] REALE, M. *Teoria do direito e do estado*. São Paulo: Saraiva, 2000.
[37] FREUD, S. "O mal-estar na civilização". *In:* FREUD, S. *edição standard brasileira das Obras Completas de Sigmund Freud.* (vol. 21). Rio de Janeiro: Imago, 1996.
[38] FREUD, S. "O mal-estar na civilização". *In:* FREUD, S. *edição standard brasileira das Obras Completas de Sigmund Freud.* (vol. 21). Rio de Janeiro: Imago, p. 157, 1996.

satisfação do instinto e, segundo esse autor, "essa 'frustração cultural' domina o grande campo dos relacionamentos sociais entre os humanos e, como já sabemos, é a causa da hostilidade contra a qual todas as civilizações têm que lutar".

Faz coro com o dizer freudiano acima o que se diz sobre o Estado. Uma das funções do Estado é, segundo Reale,[39] definir o que é certo e o que é errado, o que é moral e imoral, quais condutas e práticas são aceitáveis ou não. Com isso, através das leis por ele criadas, supostamente garantidoras da ordem social, o Estado coloca restrições de diversas ordens ao sujeito e, inclusive chama para si, de maneira monopolizadora, o direito do uso da violência, do poder e da agressividade. Se uma das funções mais proeminentes do Estado é a coerção, tendo em vista o mínimo de ordem social, cabe a ele também impedir que a falta de assistência aos seus cidadãos seja causa de desagregação. É também em função disso que as políticas públicas são estabelecidas e visam, conforme temos argumentado, ao universal. Urge, desse modo, pensar na proposição de uma política voltada para "todos" – universal – mas que garanta o que é "o de cada um" – o singular.

Isso posto, constata-se que a reivindicação de um direito necessariamente denuncia a presença imperativa de um ideal, cujo Outro, materializado no Estado, se colocará como garantia e ponto de identificação para o cidadão. Todavia, a demanda do sujeito nem sempre coincide com a demanda do cidadão, uma vez que a noção de cidadania implica uma lógica universal, enquanto ao sujeito cabe uma demanda de gozo que nem sempre encontra acolhimento no substrato coletivo preconizado pela noção de cidadania. Sendo assim, há de se ressaltar que o real da psicanálise, ao encontrar o real da ciência política, talvez possa preservar um espaço para a presença do inconsciente, seja em forma de garantir a circulação da palavra, seja na garantia de que a surpresa poderá manifestar-se. Será possível às escolas ditas inclusivas permitir e garantir um lugar de exceção que proteja o sujeito de um possível esmagamento pela classe que ele representa? De certo modo, a nosso ver, a proposição

---

[39] REALE, M. Teoria do direito e do estado. São Paulo: Saraiva, 2000.

psicanalítica poderá auxiliar a condução das políticas públicas sem cair nas "utopias comunitárias", ou seja, sem se deixar engodar pelas contemporâneas perspectivas de "validade estatística", espetacularização e segregação. É evidente que, para uma política pública, a perspectiva do universal faz-se necessária. Contudo, em nossa proposição, uma orientação menos homogeneizante é aquela em que o estatuto de sujeito deverá ser considerado.

    Nesse caminho, faz-se necessário pensar que existe um sujeito-alvo das políticas públicas. No entanto, há também um sujeito outro, que é o da psicanálise. Se do ponto de vista das políticas que tomam a inclusão como norte, a consideração é sempre da ordem do universal; do ponto de vista da política do desejo, a consideração será da ordem do particular. É bem evidente que é importante haver um trabalho para que todos tenham uma boa educação, assim como uma boa saúde e um salutar acesso à assistência social universal. Conforme discute Arenas,[40] não há dúvidas de que a psicanálise entende que a saúde é um direito inalienável do ser humano, assim como a educação também o é; está claro que se trata de estabelecer políticas públicas e destinação de recursos orçamentários que garantam a implantação e implementação de tais políticas. Para ela, a perspectiva da saúde como algo comum a todos deve incluir o singular, ou seja, existe uma possibilidade "moebiana"[41] de se

---

[40] ARENAS, A. (2011). *"La salud de todos sin la segregacion de cada uno"*. In: GLAZE, A, BRISSET, F. O. B.; MONTEIRO, M. E. D. (orgs.). (2011). *A saúde para todos, não sem a loucura de cada um: perspectivas da psicanálise*. Rio de Janeiro, RJ: Wak Editora.

[41] Proposta em 1865 pelo matemático alemão August Ferdinand Moebius (1790-1868), a faixa de Moebius foi o embrião de um novo ramo da matemática conhecido como topologia. A banda de Moebius gera uma modificação na compreensão do espaço comum por se tratar de um objeto topológico que pode ser construído com uma meia-torção dada, por exemplo, em uma tira retangular de papel, para depois se tomar suas duas extremidades e juntá-las. Utilizada por diversas vezes por Lacan em seus seminários, a banda de Moebius demonstra que os opostos coexistem, não sendo excludentes e, ao mesmo tempo, não fazem uma síntese entre si. Lafont (1996) argumenta que a imagem da banda de Moebius foi utilizada por Lacan para dizer que, no que tange ao psíquico, não se pode fazer distinções polares de dentro ou fora, uma vez que uma superfície leva necessariamente a outra. Assim, na proposição que se faz neste ponto da tese, o que se defende é que é possível operar em políticas públicas levando-se em consideração a dimensão do particular do sujeito. LAFONT, J. G. A *Topologia de Jacques Lacan*. Tradução autorizada da segunda edição francesa, Rio de Janeiro: Jorge Zahar, 1996.

estabelecer uma política pública que leve em consideração alguns pressupostos psicanalíticos, sobretudo um trabalho fundamentado na disposição não-segregativa da psicanálise.

Assim, a posição da psicanálise frente às políticas públicas transita entre o "para todos" e o "cada um". Na articulação entre esses dois elementos é que, a nosso ver, opera a psicanálise, ao se encontrar com as políticas públicas; ou, mais ainda, ao operar no "entre", somente a psicanálise pode garantir que dois elementos vistos como heterogêneos possam se encontrar e fazer existir. Nesse caminho, a proposição de espaços de fala de professores poderá permitir que uma instituição suporte o lugar de exceção que muitos alunos com deficiências por vezes encarnam e, com isso, facilitar o trabalho psíquico do sujeito em incluir-se ou permitir-se ser incluído.

Apontamentos finais

Miranda[42] destaca que Tibério Cláudio, imperador de Roma no século I da era cristã, foi considerado débil durante toda sua infância e adolescência, tendo permanecido afastado do poder durante bom tempo devido às suas deficiências físicas. Chamado por seus contemporâneos de "Cláudio, o idiota", Cláudio, o gago" e "pobre tio Cláudio", foi impedido de frequentar o colégio em função da vergonha que sua família sentia dele devido às suas dificuldades com o corpo e no campo da fala. Tendo atingido o posto mais alto no governo romano, escreveu sua autobiografia em que narra seu drama. De acordo com o historiador Robert Graves, Cláudio narra, nessa autobiografia, o modo como o desprezo de sua mãe o impactou:

> Minha mãe Antônia fez tudo o que se esperava em matéria de dever, mas nada além disso. Não me amava, isso não. Sentia uma grande aversão por mim, não somente porque eu era doente, mas também porque ela tivera uma gravidez difícil e um parto doloroso, que a deixara meio inválida durante vários anos.[43]

---

[42] MIRANDA, C. E. S. *Superdotação, psicanálise e nomeação*: crianças e adolescentes superdotados, suas famílias e instituições de apoio. Curitiba: Juruá, 2015.
[43] GRAVES, Robert. *Eu, Cláudio*. São Paulo: A Girafa, 2007, p. 335.

A mãe referia-se a ele como um monstro e utilizava-o como exemplo de estupidez. Segundo relatos, o governo de Cláudio foi de grande prosperidade na administração e no terreno militar. No entanto, ao assumir o comando do Império, apesar de toda sua situação diante da vida, encontrou forças para revelar a segregação, o desprezo e o ódio que cercaram sua existência, durante toda a infância e juventude. De acordo com Graves, Cláudio nasceu prematuro e seu pai faleceu quando ainda era bem jovem. Tutelado por seu tio Augusto, do mesmo modo que não se via desejado por sua mãe, buscava reconhecimento daquele que era visto pelo sobrinho como um ser tão majestoso e distante. Nesse sentido, Tibério diz:

> "Apenas uma única vez Augusto tentou dominar a repugnância que sentia por mim, mas foi uma situação tão forçada que fiquei mais nervoso do que de costume. Gaguejei e tremi como um louco".[44] Diante daquilo que interpretava como uma única manifestação de afeto por parte de seu tutor, a resposta que ele dá é o nervosismo, a inquietação, a agitação, e afirma ter se sentido em uma condição catastrófica: "Na verdade, devo ter sido um palhaço, uma desonra para um pai tão rigoroso e magnífico e para uma mãe tão majestosa".[45]

No entanto, com o auxílio acadêmico do filósofo estoico Atenodoro Cananita, Cláudio desenvolveu grande capacidade argumentativa. Por esse filósofo, nutriu profundo respeito e, a partir de sua relação com ele, começou a falar dos sonhos que tinha com seu pai; segundo ele, se este não tivesse falecido, o teria resgatado das covardias da mãe e do tio. Ao relatar isso ao filósofo, Cláudio pôde, de algum modo, reconstruir sua vida, sentir-se inscrito em sua genealogia e elaborar seu mito familiar.

Tal fato permite-nos verificar que além da transmissão de conhecimento que se opera na relação mestre-discípulo, alguma coisa "fora da cena" se passa aí, sustentada pela via transferencial. De acordo

---

[44] GRAVES, Robert. *Eu, Cláudio*. São Paulo: A Girafa, 2007, p. 408.
[45] GRAVES, Robert. *Eu, Cláudio*. São Paulo: A Girafa, 2007, p.409.

com a narrativa que Cláudio faz acerca de Atenodoro, verifica-se que, para além dos conteúdos disciplinares, o filósofo serviu de suporte para que Tibério Cláudio refizesse seu percurso, a partir dos restos recolhidos em seu sonho com o pai. Isso ainda permite-nos constatar que, para Lacan, o desejo do Outro está atrelado à interpretação, sob a qual o sujeito se vê reconhecido por esse Outro.[46] Além disso, permite-nos indicar que o encontro, com o filósofo, que suportou o lugar da transferência, tanto no trabalho de construção de conhecimento, quanto no acolhimento do saber inconsciente, promoveu uma mudança em Cláudio. Esse encontro permitiu que o sujeito fosse além das nomeações que lhes foram conferidas desde a infância – Cláudio, o gago, Cláudio, o manco, Cláudio, o idiota, dentre várias outras e, dessa forma, transformasse seu destino. Tal narrativa auxilia-nos a situar dois aspectos importantes tratados neste trabalho, a saber: i) os efeitos deletérios da segregação residem na não consideração de crianças que apresentam algum traço de diferença, negando-lhes tanto a condição de cidadãos quanto a condição de sujeitos; ii) quando o Outro, seja ele encarnado na instituição ou no professor, suporta o lugar da transferência e acolhe o saber inconsciente, alguma coisa opera no sujeito e permite que ele ultrapasse o lugar de aluno dito especial.

Em uma de suas conferências, Hannah Arendt[47] afirmou que "a pluralidade é a lei da terra". De acordo com suas ideias defendidas na Universidade de Aberdeen no ano letivo de 1973, a natureza fenomênica do mundo exige-nos pensar que tudo o que se passa no mundo impõe a presença de outro, mas um outro que é marcado por uma diferença radical de seu semelhante. Nesses termos, qualquer estratégia de massificação é sempre uma tentativa de homogeneização do mundo, o que reduziria a dimensão singular que toca as pessoas. Nesse sentido, a vida

---

[46] LACAN, J. Formulações sobre a causalidade psíquica. *In*: LACAN, J. *Escritos*. Rio de Janeiro: Jorge Zahar, [1950] 1998, p. 183.

[47] ARENDT, H. *A condição humana*. Rio de Janeiro: Forense Universitária, 1999, p. 29. Alemã, de origem judaica, Hannah Arendt é considerada uma das mais importantes filósofas do século XX. Sua "filosofia política" inclui reflexões sobre o totalitarismo, a responsabilidade, a verdade, a educação e o mal. Em função da força de suas ideias, seu "sistema de pensamento" continua a dialogar com diversos elementos e questões contemporâneas.

na terra demanda um estado de ordem social calcado no pacto estabelecido entre os diferentes seres que nela habitam. Para a filósofa alemã, a concepção de pluralidade centra-se no fato de que a condição humana iguala a todos sem, ao mesmo tempo, tornar a todos iguais; essa situação é o fato essencial para a existência da política e, por consequência, da vida na cidade. Segundo ela, "[...] conviver no mundo significa essencialmente ter um mundo de coisas interposto entre os que nele habitam em comum [...], o mundo ao mesmo tempo separa e estabelece relação entre os seres humanos"[48]. Desse modo, a ação política é uma ação que deve permitir a convivência entre os homens, ou seja, a vida na cidade, coordenada pelos atos políticos, sustenta-se na relação entre os seres humanos.

O Lugar Alfa, enquanto um lugar possível ao analista contemporâneo, permite que seja assegurado um espaço de fala no qual os professores poderão problematizar as vicissitudes da ação pedagógica com essas crianças. Do ponto de vista de uma Clínica Pragmática, a circulação da palavra e a confrontação permitem o estabelecimento de uma báscula discursiva, de modo a colocar, lá onde residia a certeza, a pergunta. Assim, sustentar até certo ponto a posição imaginária desses professores é um modo de garantir que um trabalho possível seja feito. Da mesma forma, franquear a palavra desses professores, destacando os efeitos positivos de suas intervenções, é um modo de permitir o trânsito da posição tradicional de impotência para uma nova posição de impossibilidade, ou seja, de reconhecimento dos limites sem ceder demais a eles.

Ora, se uma das funções mais proeminentes do Estado é a coerção, tendo em vista o mínimo de ordem social, cabe a ele também impedir que a falta de assistência aos seus cidadãos seja causa de desagregação. É também em função disso que as políticas públicas são estabelecidas e visam ao universal. Urge desse modo, pensar na proposição de uma política voltada para "todos" – universal – mas que garanta o que é "o de cada um" – o singular. Nesse ponto, as discussões de Cohen[49] alertam-nos para

---

[48] ARENDT, H. *A condição humana.* Rio de Janeiro: Forense Universitária, 1999, p. 62.
[49] COHEN, R. H. P. *Do universal ao singular:* um tratamento possível do fracasso escolar. *Estilos da clínica,* vol. 12, n. 23, pp. 56-67, dez. 2007.

a diferença essencial entre Aristóteles e Lacan. Enquanto Aristóteles sustentava somente haver ciência do universal e se ocupava com os atributos essenciais das coisas, não se ocupando com os predicados acidentais ou contingentes, por sua vez "Lacan [...] tratou o impossível real pela via da contingência, visto que, para ele, existiam dois tipos de real: o da ciência e o da psicanálise, que é característico do inconsciente".[50]

Sendo assim, há de se ressaltar que o real da psicanálise, ao encontrar o real da ciência política, talvez possa preservar um espaço para a presença do inconsciente, seja em forma de garantir a circulação da palavra, seja na garantia de que a surpresa – o novo, o inesperado e o contingencial – poderá manifestar-se. Será possível, às escolas e aos professores, permitir e garantir um lugar de exceção que proteja o sujeito de um possível esmagamento pela classe que ele representa? Orienta-nos Miller[51] que o universal da classe não se encontra completamente presente num indivíduo. Para ele, o indivíduo real até pode ser exemplar de uma classe, mas sempre o será de forma lacunar. Assim, "Há um déficit da instância da classe num indivíduo e é justamente por causa desse traço que o indivíduo pode ser sujeito, por nunca poder ser exemplar perfeito".[52]

Para nós a questão é sempre levar em consideração, nas pesquisas em educação orientadas pela psicanálise, como investigar fenômenos educacionais que se apresentam cada vez mais massificados, tais como a violência, o fracasso escolar, a inclusão de pessoas com deficiência, dentre outros, sem cair nas "utopias comunitárias", ou seja, sem se deixar engodar pelas contemporâneas perspectivas de "validade estatística", generalização e evidências. Isso posto, quais questões específicas se levantam para o campo da psicanálise e educação? De algum modo, a Conversação já se apresenta como uma metodologia surgida no bojo da psicanálise cuja aposta se faz a partir da noção de sujeito por levar em consideração suas

---

[50] COHEN, R. H. P. *Do universal ao singular*: um tratamento possível do fracasso escolar. *Estilos da clínica*, vol. 12, n. 23, pp. 56-67, dez. 2007, p. 30.
[51] MILLER, J-A. "O rouxinol de Lacan". *Carta de São Paulo*, São Paulo, vol. 10, n. 5, pp. 18-32, out./nov. 2003.
[52] MILLER, J-A. "O rouxinol de Lacan". *Carta de São Paulo*, São Paulo, vol. 10, n. 5, pp. 18-32, out./nov. 2003, p. 25.

particularidades. Trata-se, assim, de uma metodologia que busca romper com o subjetivo/objetivo,[53] tendo em vista que subjetivo e objetivo não são polos opostos, uma vez que a relação do sujeito com o mundo é mediada pela realidade psíquica, fonte primária da realidade. Ademais, a conversação surge como um investimento feito segundo a lógica da abertura de possibilidades de interrogação de discursos cristalizados pela nomeação advinda do Outro, sendo assim, a nosso ver, um importante dispositivo de pesquisa-intervenção nas pesquisas realizadas no campo da psicanálise e educação.

A questão final que me coloco é a seguinte. Tenho me ocupado significativamente de professores de crianças com alguma marca peculiar. Interrogo: o que teriam essas crianças a dizer acerca de sua marca e, mais ainda, o que elas teriam a dizer da possível angústia proveniente da "não-relação educacional"?

Referências

AGAMBEN, G. *Homo sacer: o poder soberano e a vida nua* I. Belo Horizonte: Ed. UFMG, 1995-2002.

ALVES-MAZZOTTI, A.; GEWANDSZNAJDER, F. *O método nas ciências naturais e sociais. Pesquisa quantitativa e qualitativa*. São Paulo: Pioneira Thompson Learning, 2004.

ARENAS, A. (2011). "La salud de todos sin la segregacion de cada uno". *In*: GLAZE, A, BRISSET, F. O. B.; MONTEIRO, M. E. D. (orgs.). (2011). *A saúde para todos, não sem a loucura de cada um: perspectivas da psicanálise*. Rio de Janeiro, RJ: Wak Editora.

ARENDT, H. *A condição humana*. Rio de Janeiro: Forense Universitária, 1999.

BASTOS, A. "Segregação, gozo e sintoma". *Revista Subjetividades*, vol. 4, n. 2, p. 251-265, set. 2004.

BASTOS, M.; KUPFER, M. C. "A escuta de professores no trabalho de inclusão escolar de crianças psicóticas e autista"s. *Revista Estilos da Clínica*, vol. 15, n. 1,

---

[53] ALVES-MAZZOTTI, A.; GEWANDSZNAJDER, F. *O método nas ciências naturais e sociais. Pesquisa quantitativa e qualitativa*. São Paulo: Pioneira Thompson Learning, 2004.

p. 116-125, 2010. Disponível em: http://pepsic.bvsalud.org/scielo.php?script=sci_arttext&pid=S1415-71282010000100008&lng=pt&nrm=iso. Acesso em: 30 ago. 2020.

COHEN, R. H. P. "Do universal ao singular: um tratamento possível do fracasso escolar". *Revista Estilos da Clínica*, v. 12, n. 23, p. 56-67, dez. 2007.

FERRARI, I. "Realidade social: a violência, a segregação e a falta de vergonha". *Revista Subjetividades*, v. 7, n. 2, p. 269-284, set. 2007.

FREUD, S. "Psicologia de grupo e análise do ego". In: _____. *Edição standard brasileira das obras completas de Sigmund Freud,* vol. 17. Rio de Janeiro: Imago, [1921] 1990.

_____. "O mal-estar na civilização". In: _____. *Edição Standard brasileira das Obras psicológicas completas de Sigmund Freud*, vol. 21. Rio de Janeiro: Imago, 1996.

GRAVES, R. Eu, Cláudio. São Paulo: A Girafa, 2007.

GUIMARÃES, M. R. "A psicanálise na era da criança generalizada. *Almanaque On-line"*, n. 7, 2010. Instituto de Psicanálise e Saúde Mental de Minas Gerais. Belo Horizonte. Disponível em:http://www.institutopsicanálise-mg.com.br/psicanálise/almanaque/07/Textos/MariaRita.pdf. Acesso em: 30 ago. 2020.

JAKOBSON, R. *Quest for the essence of language. Diogenes*, vol. 13, n. 51, pp. 21-37, 1965.

LACAN, J. "Notas sobre a criança". In: _____. *Outros escritos*. Rio de Janeiro: Jorge Zahar, [1969] 2003.

_____. "Prefácio à edição alemã de Os escritos". In: _____. *Outros escritos*. Tradução de Vera Ribeiro. Rio de Janeiro: Jorge Zahar, [1973] 2003, p. 371-382.

_____. "A ciência e a verdade". In: _____. *Escritos*. Rio de Janeiro: Jorge Zahar, [1965] 1998.

_____. "Formulações sobre a causalidade psíquica". In: _____. *Escritos*. Rio de Janeiro: Jorge Zahar, [1950] 1998.

_____. *O seminário, livro 1: os escritos técnicos de Freud*. Rio de Janeiro: Jorge Zahar, [1953- 1954] 1986.

_____. *O seminário, livro 9: a identificação*. [S. l., s. n.]: [1961- 1962].

LACADÉE, P. "Da norma da conversação ao detalhe da conversação". In : LACADEE P.; MONIER, F. (orgs.), *Le pari de la conversation*. Paris: *Institut du Champs Freudien: CIEN Centre interdisciplinaire su l'Enfant*, 2000.

LAFONT, J. G. *A Topologia de Jacques Lacan*. Tradução autorizada da segunda edição francesa, Rio de Janeiro: Jorge Zahar, 1996.

LAIA, S. "A prática analítica nas instituições". *In*: HARARI, A.; CARDENAS, M. H.; FRUGER, F. (org.). *Os usos da psicanálise: primeiro encontro americano do campo freudiano*. Rio de Janeiro: Contracapa, 2003.

LAURENT, É., « *L'ordre symbolique au XXIe siècle* », La Cause freudienne, n. 76, p. 86, 2011.

MILLER, J. *Rumo ao PIPOL 4*, s/p. Disponível em: http://ea.eol.org.ar/04/pt/template.asp?lecturas_online/textos/miller_hacia_pipol4.html. Acesso em: 30 ago. 2020.

MILLER, J-A. "A psicanálise, seu lugar entre as ciências". *In*: COELHO DOS SANTOS, T.; SANTIAGO, J.; MARTELLO, A. (orgs.). *De que real se trata na clínica psicanalítica? Psicanálise, ciência e discursos da ciência*. Rio de Janeiro: Companhia de Freud, 2012.

_____. "*O rouxinol de Lacan*". Carta de São Paulo, vol. 10, n. 5, p. 18-32, out./nov. 2003.

MIRANDA, C. *Discursos sobre o fracasso escolar:* identificação, saberes e práticas de inclusão. relatório de pesquisa. Teresina, UFPI, 2016.

_____. *Superdotação, psicanálise e nomeação:* crianças e adolescentes superdotados, suas famílias e instituições de apoio. Curitiba: Juruá, 2015.

MIRANDA, M.; SANTIAGO, A. "O mal-estar do professor frente à 'criança-problema'". *In*: *Psicanálise, Educação e Transmissão*, 2006. Disponível em: http://www.proceedings.scielo.br/scielo.php?script=sci_arttext&pid=MSC0000000032006000100048&lng=en&nrm=abn. Acesso em: 30 ago. 2020.

PEREIRINHA, J. F. *A problemática do sujeito à luz da teoria de Jacques Lacan*. 219 f. Tese (Doutorado) – Minho: Instituto de Letras e Ciências Humanas, Universidade do Minho, 2009.

REALE, M. *Teoria do direito e do estado*. São Paulo: Saraiva, 2000.

SALUM, M. J. G.; SANTIAGO, A. L. "Os adolescentes desinseridos e seus sintomas nas instituições socioeducativas". *Revista aSEPHallus*, vol. 7, n. 14, pp. 120-130, 2012. Disponível em: http://www.isepol.com/asephallus/numero_14/artigo_08.html. Acesso em: 30 ago. 2020.

SANTIAGO, A. L. *A inibição intelectual na psicanálise*. Rio de Janeiro: Jorge Zahar, 2005.

_____. "O mal-estar na educação e a Conversação como metodologia de pesquisa: intervenção em Psicanálise e Educação". *In*: CASTRO, L. R.; BESSET, V. L. (orgs). *Pesquisa-Intervenção na Infância e Juventude*. Rio de Janeiro: Nau editora, pp. 113-131, 2008.

SANTOS, T. C. "Existe uma nova doutrina da ciência na psicanálise de orientação lacaniana?". *In*: COELHO DOS SANTOS, T.; SANTIAGO, J.; MARTELLO, A. (orgs.). *De que real se trata na clínica psicanalítica? Psicanálise, ciência e discursos da ciência*. Rio de Janeiro: Companhia de Freud, 2012.

SAUSSURE, F. *Curso de linguística geral*. São Paulo: Cultrix, [1905]2006.

A PESQUISA PSICANALÍTICA COMO INTERVENÇÃO NA FORMAÇÃO CONTINUADA DE PROFESSORES DE LÍNGUA INGLESA

MARALICE DE SOUZA NEVES
NATÁLIA COSTA LEITE

A pesquisa que propomos tratar neste capítulo foi desenvolvida em um projeto de extensão em educação continuada de professores de língua inglesa da Faculdade de Letras da UFMG. Esse projeto, que nomeamos ContinuAção Colaborativa (ConCol), foi criado em 2011 para integrar o Programa Interfaces da Formação em Línguas Estrangeiras juntamente com outros projetos e ações de extensão já em vigência anteriormente. O ConCol surgiu em consequência da pesquisa de doutorado de Vanderlice Sól[1], que investigava os efeitos da formação em língua inglesa de egressos participantes de um projeto mais antigo desse Programa. A maioria dos participantes da pesquisa de Sól demandaram a continuidade da formação, sobretudo por não encontrarem em suas

---

[1] SÓL, V. S. A. *Trajetórias de professores de inglês egressos de um projeto de educação continuada: identidades em (des)construção*. 2014. 259 fl. Tese (Doutorado em Linguística Aplicada) – Faculdade de Letras da Universidade Federal de Minas Gerais, Belo Horizonte, 2014.

escolas colegas da área de atuação com disponibilidade para interlocução sobre suas práticas. O objetivo do projeto desde o início foi o de promover oportunidades para que esses professores de língua inglesa de ensino fundamental e médio, já tendo participado de projetos de capacitação anteriores, passassem a se relacionar, colaborar entre si e discutir suas práxis no contato com a comunidade escolar. Desde então, espera-se que os participantes já coloquem em prática o que "aprenderam" nos cursos anteriores e também que compartilhem atividades e propostas pré-pedagógicas enquanto dão continuidade à sua formação linguística,[2] processo que nunca acaba, pois coloca em encontro-confronto o ser-estar entre línguas, materna e estrangeira(s).

Um diferencial do Projeto ConCol em relação a outras ações de formação continuada na área ensino-aprendizagem de línguas se ancorou, em essência, no diálogo que empreendemos com os estudos do discurso a partir de teorias do discurso franco-brasileiras que concebem, em aliança com a psicanálise lacaniana, a linguagem como constituidora da subjetividade. Essa noção atravessa a análise do discurso, conforme afirma a linguista Marlene Teixeira.[3] Nesse atravessamento, o sujeito é efeito, "sujeito produzido pela linguagem, tomado numa divisão constitutiva"; é heterogêneo, embora acredite na transparência da linguagem, mas "o enunciador [só] está em condições de representar sua enunciação e o sentido que aí 'produz', no efeito de transparência imaginária".[4]

Nessa linha, consideramos que aprendizagem de línguas estrangeiras (LE) pode provocar instabilidade das posições de sujeito, já carregadas de afeto da língua primeira, resultando no encontro com um "novo eu" na outra língua ou, ao contrário, no confronto ou no evitamento do que

---

[2] Os participantes do ConCol recebem bolsa de estudo integral nos cursos de inglês do Centro de Extensão da Faculdade de Letras (CENEX-FALE), além de terem aulas de língua e cultura às sextas-feiras ministradas por colaboradores da pós-graduação e externos à UFMG, bolsistas da graduação e professores assistentes de ensino norte-americanos participantes de um acordo Capes/Fulbright.

[3] TEIXEIRA, M. *Análise de discurso e psicanálise*: elementos para uma abordagem do sentido no discurso. 2ª ed. Porto Alegre: EDIPUCRS, 2005.

[4] TEIXEIRA, M. *Análise de discurso e psicanálise*: elementos para uma abordagem do sentido no discurso. 2ª ed. Porto Alegre: EDIPUCRS, 2005, p. 68.

poderia distanciar o sujeito do conforto imaginário que a língua materna (LM) lhe proporciona, salienta a psicanalista Christine Revuz.[5] Essa instabilidade é muito comum nas aulas de LE, podendo causar admiração e/ou estranhamento quando se percebe que não existe uma relação de equivalência entre as línguas e que o outro não somente fala uma língua desconhecida, mas apreende e constrói o mundo, simbolicamente, a partir de uma perspectiva diferente, estranha. Revuz[6] pontua que é pela intermediação da língua estrangeira "que se esboça o deslocamento do real [enquanto calculável e representável gramaticalmente] e da língua. O arbitrário do signo linguístico torna-se uma realidade tangível, vivida pelos aprendizes na exultação... ou no desânimo".

Sendo a LM fundante, o contato com a LE torna-se um processo que coloca em jogo a própria relação do sujeito consigo mesmo e com o Outro, heterogeneidade fundante e fundadora do saber inconsciente. Desse modo, consideramos necessário problematizar o conceito predominante na área de Linguística Aplicada (LA) de língua como instrumento de comunicação, com suas regras gramaticais universais e externas ao sujeito. Torna-se igualmente necessário problematizar porque a ciência linguística não dá conta de apreender as vicissitudes dos posicionamentos do sujeito. Esta, apoiando-se na noção do sujeito fonte intencional do sentido, considera que o sujeito se exprime por meio de uma língua instrumento de comunicação, caso das abordagens pragmático-comunicacionais. Nessas abordagens, salienta Revuz,[7] "o enunciador está em condições de (se) representar sua enunciação e o sentido que ele aí produz [...] sejam um reflexo direto do real do processo enunciativo". Porém, como aponta a linguista, a psicanálise e a teoria do discurso

---

[5] REVUZ, C. "A língua estrangeira entre o desejo de um outro lugar e o risco do exílio". *In:* SIGNORINI, I. (org.). *Língua(gem) e identidade*. Campinas: Mercado de Letras, FAPESP, FAEP/UNICAMP, 1998, pp. 213-230.

[6] REVUZ, C. "A língua estrangeira entre o desejo de um outro lugar e o risco do exílio". *In:* SIGNORINI, I. (org.). *Língua(gem) e identidade*. Campinas: Mercado de Letras, FAPESP, FAEP/UNICAMP, 1998, p. 223.

[7] REVUZ, C. "A língua estrangeira entre o desejo de um outro lugar e o risco do exílio". *In:* SIGNORINI, I. (org.). *Língua(gem) e identidade*. Campinas: Mercado de Letras, FAPESP, FAEP/UNICAMP, 1998, p. 16.

oferecem apoio nos exteriores teóricos que destituem o sujeito do domínio do seu dizer. A psicanálise lacaniana apresenta o sujeito sujeitado ao desejo inconsciente produzido pela linguagem e estruturalmente clivado, e a teoria do discurso pecheutiana considera que o sujeito discursivo funciona pelo inconsciente, mas, sobretudo, postula a determinação histórica do dizer. Assim, as formas concretas de enunciação, as palavras que dizemos, não falam por si, mas pelo Outro.

A língua é uma relação simultânea do sujeito com a materialidade da enunciação e o funcionamento do discurso, em uma relação histórica singular com seus modos de enunciação.[8] Em consequência, para aprender outra língua, o sujeito pode inscrever-se como alguém que se autoriza a falar em primeira pessoa e para isso ele precisa acessar as bases de sua estruturação psíquica que está organizada na LM. Se a aprendizagem de uma LE movimenta tanto a subjetividade de seu aprendiz, o que sustentaria então o desejo de estar em contato com essa língua? Para a psicanalista Jutta Prasse, o desejo pelas línguas estrangeiras, o desejo de aprender, de saber falar uma outra língua, alimenta-se de duas fontes aparentes que, no fundo, não passam de uma só: inveja dos bens e da maneira como gozam os outros, e inquietação por uma desordem, inquietação de não estar no lugar necessário, de não poder encontrar seu próprio lugar na língua materna.[9]

A autora discute que, ao se deparar com esse outro falante de uma língua desconhecida, o sujeito supõe que ele tem acesso a uma fonte de gozo (ou satisfação pulsional) diferente da sua e por isso goza mais e talvez até melhor. Esse outro, desconhecido, captura o sujeito, tecendo em seu imaginário construções sobre um lugar onde seu gozo não encontraria barreiras. Assim, a identificação a esse desconhecido, portador de um gozo diferente, desperta no sujeito sua condição como ser desejante. Ele deseja gozar do mesmo jeito, ter acesso a seus objetos, falar

---

[8] SERRANI, S.M. "Abordagem transdisciplinar da enunciação em segunda língua: a proposta AREDA". In: SIGNORINI, I.; CAVALCANTI, M. (org.). *Linguística aplicada e transdisciplinaridade*. Campinas: Mercado de Letras, 1998. pp. 143-167.

[9] PRASSE, J. "O desejo das línguas estrangeiras". *Revista Internacional Rio de Janeiro, Paris, Nova York, Buenos Aires*, ano I, n. 1, pp. 63-73, jun. 1997, p. 71.

sua língua, ser como esse outro admirado. Conforme salienta Souza,[10] o imaginário do aprendiz é povoado com ideais sustentados por significantes que o seduzem com promessas de maior acesso a bens de consumo, bens culturais, ascensão social e sucesso profissional, principalmente se pensarmos na língua inglesa e na sua difusão no mundo contemporâneo.

O percurso de aprendizagem de uma LE não se dá sem seus impasses e descontinuidades, mas podemos afirmar, com base na psicanálise, que ser falado pela LE significa mais que a aquisição de uma habilidade; significa também que o sujeito inscreveu algo de seu desejo nesse movimento de se apropriar de uma LE. Aprender uma LE marca, portanto, um ato de investimento subjetivo, "um desejo de ter escolha, de poder escolher a lei, as regras e muitas vezes o mestre de nosso gozo".[11]

Neste capítulo, trazemos um dos casos investigados por Leite[12] para ilustrarmos uma pesquisa sobre o mal-estar docente e a língua inglesa como objeto de investimento de aprendizagem e de ensino de uma professora atuante e assídua nos encontros do ConCol. A professora é pontual e exigente com relação ao cumprimento das atividades e aproveita todas as oportunidades que o projeto oferece para que tenha contato com a língua inglesa. Para nossa surpresa, no entanto, ela se encontra em desvio de função, não pretendendo voltar à sala de aula até que se aposente. Indagamos: o que faz uma professora estudar inglês há vinte e quatro anos, participar de um projeto que tem como um dos objetivos implicar o professor com o seu trabalho em sala de aula e, no entanto, estar fora da sala de aula e ainda se encontrar no nível básico de inglês? Nas seções que se seguem, apresentamos a metodologia do nosso trabalho de formação docente, buscando apresentar as particularidades de nossa

---

[10] SOUZA, E. "O ensino de língua inglesa no Brasil". *BABEL: Revista Eletrônica de Línguas e Literaturas Estrangeiras*, vol. 1, n. 1, pp. 1-7, 2011. Disponível em: http://www.revistas.uneb.br/index.php/babel/article/ view/99. Acesso em: 2 mar. 2017.

[11] PRASSE, J. "O desejo das línguas estrangeiras". *Revista Internacional Rio de Janeiro*, Paris, Nova York, Buenos Aires, ano I, n. 1, pp. 63-73, jun. 1997, p. 72.

[12] LEITE, N. C. *O mal-estar do professor de língua inglesa*: o desvio de função como aposta subjetiva. 2018. 160 f. Tese (Doutorado em Estudos Linguísticos) – Faculdade de Letras da Universidade Federal de Minas Gerais, Belo Horizonte, 2018.

relação com a psicanálise que guiam a nossa práxis e as nossas pesquisas, culminando no relato do caso em foco.

A psicanálise em nossas práxis e em nossas pesquisas

Trabalhando na área de LA ao ensino de línguas, buscamos operar com a evocação de significantes culturais, socialmente institucionalizados e estruturados, e a constatação dos deslizamentos das significações na produção dos sentidos e dos sujeitos. Consideramos que o equívoco é inerente à língua(gem), uma vez que o real sempre fica inacessível às dimensões do imaginário e do simbólico.

A necessidade de aprendermos a escutar nossos participantes a partir da perspectiva psicanalítica exigiu que nos aproximássemos dos grupos de trabalho em psicanálise e educação,[13] resultando num gradual afastamento das pesquisas que privilegiam a descrição e interpretação do enunciado para darmos supremacia à enunciação. Lembramos que, no que diz respeito à concepção de linguagem, a psicanálise difere da linguística saussuriana e das teorias pragmático-comunicacionais por ter uma teoria do inconsciente e uma teoria do sujeito. Mesmo tendo Lacan se valido dos estudos de Saussure e Jakobson, ao situar o inconsciente onde a ciência linguística não o faz, Lacan aponta aquilo que a ciência linguística não apreende nos posicionamentos do sujeito, o resto, o resíduo. Nas palavras do psicanalista,

> E quem é o eu então? Ele é talvez interno a esse nó de linguagem que se produz quando a linguagem tem que dar conta de sua própria essência. Talvez seja obrigado que nessa conjuntura se produza obrigatoriamente alguma perda. É exatamente conjugando a essa questão da perda, da perda que se produz cada vez que a linguagem tenta, num discurso, dar conta de si

---

[13] LEPSI-Minas – Laboratório de Estudos e Pesquisas Psicanalíticas e Educacionais, coordenado por Marcelo Ricardo Pereira, e NIPSE – Núcleo Interdisciplinar de Pesquisa em Psicanálise e Educação, coordenado por Ana Lydia Santiago, ambos pertencentes à Faculdade de Educação da UFMG.

mesma, que se situa o ponto de onde quero partir, para marcar o sentido do que chamo de *relação do significante com o sujeito* (grifo do autor).[14]

Lacan[15] já marcara anteriormente que a fala é o lugar estratégico da relação analítica e a escuta está para além do discurso tomado como laço social.[16] Portanto, precipitar interpretações sobre o que nos dizem os professores de seu desejo por formação, suas queixas e demandas constantes por respostas do formador, faz necessário lembrar a insuficiência da análise da materialidade linguística, ou seja, o enunciado como portador de efeitos de sentido socialmente compartilhados. Para a psicanálise, o que a palavra enlaça não recobre tudo o que é vivenciado pelo sujeito e que a demanda é intransitiva.[17] Frequentemente algo vai resistir como um mal-estar sintomático. Nosso objetivo maior, portanto, nas ações e nas pesquisas, passaram a ser, como bem afirmam Vasconcelos e Miranda,[18] "buscar o saber não sabido, mas que nos constitui e pode, às vezes, revelar posições assumidas e não assumidas", apostando nas nossas contribuições para se pensar a formação docente sob a ótica do sujeito de desejo. Lacan[19] nos fornece a chave para o formador e o pesquisador, que devem estar ancorados na psicanálise para que sua escuta esteja atenta ao "saber não sabido" (a verdade) do sujeito. É a transferência de trabalho (ou nesse caso, pedagógica) que faz acontecer o desejo de saber.

---

[14] LACAN, J. *O Seminário, livro 12*: problemas cruciais para a psicanálise. Recife: Centro de Estudos Freudianos do Recife, [1964-1965] 2006, p. 19.

[15] LACAN, J. "A direção do tratamento". *In:*_____. *Escritos*. Rio de Janeiro: Zahar, [1958] 1998. pp. 591-652.

[16] Lacan propõe formas de vínculo social, considerando quatro discursos: do mestre, universitário, da histérica e do analista. LACAN, J. *O Seminário, livro 17*: o avesso da psicanálise. Rio de Janeiro: Jorge Zahar, [1969-1970] 1992.

[17] LACAN, J. "A direção do tratamento". *In:*_____. *Escritos*. Rio de Janeiro: Zahar, [1958] 1998. pp. 591-652.

[18] VASCONCELOS, R.N.; MIRANDA, M.P. "A formação de professores no Brasil e a contribuição da psicanálise". *Educação em Foco*, n.21, pp.41-67, 2013, p. 63.

[19] LACAN, J. *Os não-tolos vagueiam*. Salvador: Espaço Moebius, [1973-1974] 2016. Publicação não comercial.

O ConCol investe em três eixos: na qualificação metodológica, seguindo um modelo que enfatiza a capacitação mais técnico-pedagógica, assim ensinando como tornar as aulas mais comunicativas e interacionais; na capacitação linguística, ensinando a língua por via da utilização das técnicas aprendidas; e na atividade reflexiva dos participantes, seguindo uma visada epistemológica ancorada na teoria psicanalítica. Não se busca a verdade da correspondência com os fatos, mas se favorece "o modo singular de cada um lidar com suas contingências", explica Neves.[20] Há um grande número de pesquisas em LA que se interessam por compreender "como o imaginário de língua(s) é construído e sustentado nas representações sobre a língua estrangeira e os falantes nativos", bem como pelo que sustenta (ou não) esses docentes como falantes e professores de língua(s) estrangeira(s) em situações frequentemente adversas em que prevalece o discurso corrente de que não se aprende inglês nas escolas regulares brasileiras, sobretudo nas públicas.[21] Porém, particularmente, a pesquisa psicanalítica, quando há uma escuta considerada clínica, bem como a intervenção sob os princípios psicanalíticos – fazer falar em associação livre, escutar de forma não dirigida, manejar a transferência –, preocupa-se com a narrativa singular de um sujeito em sua implicação com aquilo que narra.

Não se busca uma verdade da correspondência de suas palavras com os fatos, mas se interessa pela ficção que ele constrói ali a partir da transferência que estabelece com o pesquisador.[22] Essa particularidade metodológica permite a aposta no deslocamento subjetivo do professor participante. Por meio de uma intervenção deliberada, específica das pesquisas em psicanálise e educação, o "sujeito de pesquisa" torna-se participante ativo e seus deslocamentos são parte do trabalho contínuo e de longo prazo efetuado, sobretudo, no terceiro eixo de formação.

---

[20] NEVES, M.S. A escuta de uma professora de língua inglesa em educação continuada: Por que não sustentar a posição de louca? *Letras & Letras*, vol. 32, n. 3, pp. 68-79, 2016, p. 70.

[21] NEVES, M.S. *Memorial descritivo*. 86fl. Memorial (Concurso para professor titular) –Faculdade de Letras da Universidade Federal de Minas Gerais, 2018.

[22] VOLTOLINI, R. "A *démarche* clínica na formação de professores". *In*: VOLTOLINI, R. e cols. *Psicanálise e formação de professores*: antiformação docente. São Paulo: Zagodoni, 2018. pp. 79-87.

Lembrando que a relação do sujeito com a LE guarda estreito liame com sua constituição subjetiva e também com o Outro, muitas vezes idealizado, o que nos conta essa professora, que apesar de vir estudando inglês há vinte e quatro anos, ainda se encontra matriculada no nível básico 3do curso de extensão de língua inglesa da FALE-UFMG?[23] Qual foi a relação que ela construiu da docência? O que ocorre em seu processo de inscrição no lugar de professora e de falante da LE?

Na pesquisa de orientação psicanalítica, busca-se não apenas localizar onde o sujeito goza e onde se implica nesse ponto de embaraço, mas oferecer-lhe um espaço de fala para que o sujeito tenha chance de ser escutado sobre o que lhe afeta, de modo que possa se deparar com suas fragilidades, dúvidas, estranhamentos. O manejo do pesquisador visa questionar o enigma que afeta o sujeito em sua aderência à verdade e à consistência do sentido. Espera-se que, a partir da narrativização de suas experiências e da confrontação com seu dizer, o sujeito se responsabilize pelo que fala, fazendo do dito outros dizeres.[24] A pesquisa de orientação psicanalítica não prescinde do vínculo transferencial entre pesquisador e pesquisando, mas vale-se dele para operar e por isso é uma proposta de trabalho que é construída *com* os sujeitos participantes e não *sobre* eles.[25]

---

[23] A professora frequentou um dos nossos projetos de formação continuada por dois anos em 2006 e 2008. Em 2017 frequentou mais um ano de curso nesse mesmo projeto. A partir do início de 2018, passou a frequentar o ConCol. Recebe bolsa de estudo integral nos cursos de extensão de línguas (CENEX) da FALE, tendo terminado o nível Básico 2 do curso regular no segundo semestre de 2018. Os níveis oferecidos pelo CENEX são Iniciante 1, Iniciante 2, Básico 1, Básico 2 e Básico 3; Pré-intermediário 1, Pré-intermediário 2, Pré-intermediário 3; Intermediário 1, Intermediário 2, Avançado 1 e Avançado 2 (nível máximo oferecido pelo CENEX e correspondente ao nível C1-2 do CEFR – *Common European Framework of Reference*).
[24] MINNICELLI, M. "Cerimônias mínimas". *Estilos da Clínica*, vol. 16, n. 2, pp. 94-323, 2011.
[25] PEREIRA, M. R. "*La orientación clínica de trabajo como cuestión de método a la psicología, psicoanálisis y educación*". In: I CONGRESO INTERNACIONAL II NACIONAL y III REGIONAL DE PSICOLOGÍA, 2010, Rosario. Rosario, Argentina: UNR, 2010. vol. 2. pp. 1-15.

O que vale destacar é que essa modalidade de pesquisa dispõe de dispositivos metodológicos específicos de observação, formação do *corpus*, exposição, redação e publicação. Como destaca Vorcaro,[26] uma particularidade metodológica dessa modalidade de pesquisa é não dispor de muitas recomendações técnicas, justamente para que seja evitada a redução a uma técnica universalmente aplicável, apagando assim a singularidade do sujeito de pesquisa. Ainda para a autora, essa é uma metodologia cujos percursos podem ser construídos justamente para dar vazão à singularidade do pesquisador. Assim, passa a ser necessário discutir como tratar as questões de método, uma vez que são estabelecidas para cada pesquisa, conforme alerta Pereira.[27]

Considerações sobre o método utilizado

Leite[28] buscou compreender as formas de gozo da docente em questão, perpassando a lógica do sintoma[29] a partir de sua condição profissional atual (o desvio de função), pois, nessa lógica, pressupõe-se que haja um "ganho proveniente da doença".[30] Os instrumentos escolhidos para a formação do *corpus* e análise dos dizeres do caso ilustrado

---

[26] VORCARO, A. "Psicanálise e método científico: o lugar do caso clínico". In: NETO, F. K.; MOREIRA, J. O. *Pesquisa em psicanálise*: transmissão na universidade. Barbacena, MG: Editora da UEMG, 2010. pp. 11-23.

[27] PEREIRA, M. R. *O nome atual do mal-estar docente*. Belo Horizonte: Fino Traço, 2016, p. 80.

[28] LEITE, N. C. *O mal-estar do professor de língua inglesa*: o desvio de função como aposta subjetiva. 2018. 160 f. Tese (Doutorado em Estudos Linguísticos) – Faculdade de Letras da Universidade Federal de Minas Gerais, Belo Horizonte, 2018.

[29] Pereira explica que o sintoma para a psicanálise não é sinal de doença, mas "um fenômeno subjetivo constituído pela realização deformada do desejo. [Este] mescla restrição e satisfação, interdição e gozo, pois, se há alguma realização de desejo, essa se dá de maneira enviesada." É a um só tempo o que não anda bem, causando sofrimento, e o que vai bem, já que é o modo como o sujeito "passa a gozar e se instituir *no sintoma*" (grifo do autor). PEREIRA, M. R. *O nome atual do mal-estar docente*. Belo Horizonte: Fino Traço, 2016, p. 80.

[30] FREUD, S. "Inibição, sintoma e ansiedade". In:_____. *Edição standard brasileira das obras completas de Freud*. Rio de Janeiro: Imago, [1926] 1980. vol. 20.

foram: (1) a entrevista de orientação clínica; (2) a observação de uma das sessões de *Pedagogical Rounds*;[31] e (3) o diário clínico.[32]

Voltolini[33] alerta que "o termo clínica excede o uso especificamente terapêutico", representando, "sobretudo, um método de apreensão do inconsciente". Assim, de acordo com o autor, a abordagem clínica favorece a dimensão singular ao invés da universal; privilegia a relação com o não-saber/produção de saber em comparação com a ideia de conhecimento; visa à diminuição da alienação ao conhecimento; e valoriza a interpretação do que é narrado mais do que sua explicação conceitual.[34]

Para a condução das entrevistas, a proposta girou em torno da oferta da palavra como norteadora do trabalho de escuta, buscando acessar a técnica "recordar, repetir, elaborar",[35] conforme proposto por Pereira.[36] Foi possibilitado que, na sua lembrança, a professora falasse sob a forma de repetição em palavras e atos e isso lhe permitiria perceber-se a si mesma e, possivelmente, elaborar-se subjetivamente. Alertamos, porém, que sabemos que recordar é, sobretudo, repetir em ato "e sob as condições da resistência. Na relação transferencial com o pesquisador, a pessoa pesquisada repete suas inibições, suas atitudes inúteis e seus traços patológicos de caráter", conforme explicita Pereira.[37] Essa condição

---

[31] Nome dado ao procedimento que será explicitado mais adiante.
[32] PEREIRA, M. R. "El método de orientación clínica aplicado a la investigación-intervención". *In: Psicologia, conocimiento y sociedad*. Montevidéu: UDELAR (1), 2014.
[33] VOLTOLINI, R. "A *démarche* clínica na formação de profesores". *In*: VOLTOLINI, R. e cols. *Psicanálise e formação de professores*: antiformação docente. São Paulo: Zagodoni, 2018. p.79.
[34] VOLTOLINI, R. "A *démarche* clínica na formação de profesores". *In*: VOLTOLINI, R. e cols. *Psicanálise e formação de professores*: antiformação docente. São Paulo: Zagodoni, 2018. p. 80.
[35] FREUD, S. "Recordar, repetir, elaborar (Novas recomendações sobre a técnica da psicanálise II)". *In:_____. Edição standard brasileira das obras completas de Freud*. Rio de Janeiro: Imago,[1914] 2006. vol. 12, pp. 161-174.
[36] PEREIRA, M.R. *O nome atual do mal-estar docente*. Belo Horizonte: Fino Traço, 2016.
[37] PEREIRA, M. R. "El método de orientación clínica aplicado a la investigación-intervención". *In: Psicologia, conocimiento y sociedad*. Montevidéu: UDELAR (1), 2014, p. 82.

torna-se fundamental por acolher processos de subjetivação, ou desterritorialização, com objetivo de levar o sujeito a produzir o inesperado, um significante que perturba, uma palavra plena. A entrevista de orientação clínica se distancia da entrevista semiestruturada pela regra fundamental da associação livre, não pretendendo trabalhar a partir de um guia pré-elaborado pelo pesquisador. No entanto, utiliza-se de levantamento de temas pertinentes e/ou questões-guia pertinentes aos objetivos da pesquisa. Esse processo possibilita o surgimento de significantes próprios do sujeito para que ele possa se perceber, se estranhar e ter a chance de se deslocar subjetivamente. Conforme Paulino,

> as entrevistas guiadas pela orientação clínica permitem, para além da coleta do material a ser analisado, que o objeto pesquisado seja tratado enquanto sujeito que é permeado pelas contradições, conflitos e incertezas que, por aparecerem na fala, são também escutadas na orientação psicanalítica.[38]

As questões tiveram o objetivo de conhecer melhor o sujeito que fala e propiciar o estabelecimento e o manejo da transferência. As entrevistas que se seguiram a partir do primeiro encontro com a professora se organizaram posteriormente para retomar alguns pontos que, por falta de tempo, não puderam ser desenvolvidos na entrevista anterior, ou para que a professora tivesse a possibilidade de elaborar alguns de seus ditos que foram devolvidos pela pesquisadora em forma de citação.[39]

O *Pedagogical Round* (PR) foi o nome dado ao procedimento de formação de *corpus* utilizado por Gisele Loures[40] em sua pesquisa no ConCol, e que se tornou um método de trabalho no eixo reflexivo do

---

[38] PAULINO, B. *De que discurso se trata quando professores se dizem padecidos*. 2015. 101 fl. Dissertação (Mestrado) – Faculdade de Educação da Universidade Federal de Minas Gerais, Belo Horizonte, 2015, p. 46.

[39] LACAN, J, O *Seminário, livro 17*: o avesso da psicanálise. Rio de Janeiro: Jorge Zahar, [1969-1970] 1992, pp. 34-35.

[40] LOURES, G. F. *O manejo da transferência na formação continuada de professores de inglês: um estudo de caso*. 2014. 189 f. Tese (Doutorado em Estudos Linguísticos) – Faculdade de Letras da Universidade Federal de Minas Gerais, Belo Horizonte, 2014.

projeto. Inspirada nas conversações do CIEN,[41] Loures adaptou esse método, possibilitando o espaço coletivo de fala em forma de roda de conversa, tal qual acontece em Conversações, tendo como objetivo a circulação da palavra. Particularmente, o tema do *PR* se dá em torno de questões-impasse no fazer pedagógico dos membros do ConCol. Conduzidos uma vez por mês, buscamos fazer com que os *PR* propiciem uma "associação livre coletivizada", em que o que um diz evoca no outro algo do seu dizer. Em um dos encontros de *PR*, Leite[42] pôde coletar pontos que se sobressaíram nos dizeres da professora em questão e foram interpretados como relevantes para a escrita do caso do qual extraímos o recorte para este capítulo.

O diário clínico, o terceiro instrumento de formação do *corpus*, constituiu-se de um registro das impressões sobre as entrevistas e as observações da sessão de *PR*. O diário clínico escrito pela pesquisadora permitiu a construção de um texto em que as associações significantes produziram um registro que resgatou as impressões objetivas, mas, sobretudo, a experiência subjetiva do outro e de si mesma. As anotações no diário ocorreram logo após os encontros com a professora e serviram de base para a análise do caso.

Nesse tipo de construção, o saber por parte da pesquisadora se deu apenas *a posteriori*, no trabalho de escrita do caso. A construção do caso visou a uma operação de transformação da narrativa em escrita através da observação de elementos significantes que possibilitaram acessar o sujeito a partir de suas falas e atos. Essa redução dos elementos significantes se tornou efeito do processo de construção do caso.[43] Pensar a construção do caso como um processo implica considerar a interpretação, um corte

---

[41] MILLER, J-A. Problemas de pareja, cinco modelos. *La pareja e el amor*: conversaciones clinicas com Jacques Alain-Miller em Barcelona. Buenos Aires: Paidós, 2005. pp. 15-20. LACADEÉ, P.; MONIER, F. (Orgs.). *Le pari de la conversation*. Institut du Champs Freudien: CIEN Centre interdisciplinaire sur l'Enfant. Paris, 1999/2000. Brochura.

[42] LEITE, N. C. *O mal-estar do professor de língua inglesa*: o desvio de função como aposta subjetiva. 2018. 160 f. Tese (Doutorado em Estudos Linguísticos) – Faculdade de Letras da Universidade Federal de Minas Gerais, Belo Horizonte, 2018

[43] FÉDIDA, P. *Nome, figura e memória*. A linguagem na situação psicanalítica. São Paulo: Escuta, 1991.

no sentido e, dessa forma, "libertar o significante da ligação cristalizada a um significado que lhe aprisiona e impede o movimento criador frente aos impasses da vida".[44] Portanto, para este capítulo, demonstraremos apenas um recorte do caso da professora de inglês, Elisabeth, apresentando alguns dos enlaces da história singular da professora, enlaces presentificados a partir do *corpus* formado pela pesquisadora como forma de delinear a narrativa da sua relação com a aprendizagem e o ensino da língua inglesa.

Elisabeth: entre o evitamento, o adiamento e o enfrentamento

Elisabeth é uma professora de inglês em desvio de função há onze anos. Desde sua primeira licença, em 2007, conta que toma medicamentos psicotrópicos para combater a depressão e a síndrome de pânico. Muito embora Elisabeth não mais lecione, ela voltou a frequentar assiduamente nossos projetos de formação continuada a partir de 2017.

Elisabeth se formou inicialmente como bacharel em Tradução e após os quatro anos de curso decidiu entrar com obtenção de novo título para o curso de licenciatura plena, graduando-se como professora de Língua Portuguesa e Língua Inglesa. Ela atuou como professora de língua inglesa na rede pública por cinco anos antes de se afastar de suas funções e diz nunca ter lecionado língua portuguesa por falta de confiança em seus conhecimentos dessa língua. Elisabeth trabalhou como professora em duas escolas públicas, uma no turno vespertino e a outra no turno noturno. Hoje ela exerce a função de secretária em uma escola e de operadora de máquina copiadora em outra.

Quatro entrevistas foram realizadas com Elisabeth e também o acompanhamento de um *PR*. O tema desse *PR* foi a relação profissional do professor com sua questão pessoal. As duas primeiras entrevistas ocorreram em um pátio dentro da universidade; ao final da segunda

---

[44] MOSCHEN, S.; VASQUES, C. K.; FROHLICH, C. B. "Psicanálise, educação especial e formação de professores: construções em rasuras". *In:* VASQUES, K.; MOSCHEN, S. (org.). *Psicanálise, educação especial e formação de professores*: construções em rasuras. Porto Alegre: Evangraf, 2015. vol. 1, p. 36.

entrevista, Elisabeth sugeriu que as próximas fossem realizadas em um local privado. Assim, as demais entrevistas ocorreram dentro de uma sala localizada também na universidade.

Tendo em vista a indagação sobre a relação que Elisabeth estabelece entre a língua inglesa e o ensino, ela conta, sem mencionar sua relação com o ensino da língua, que sempre assistiu a muitos filmes americanos e que é encantada pela cultura deles, o *"American way of life,* entendeu? *Halloween, Thanksgiving,* tudo, o colegial" [...], "o jeito de vestir, alimentação, tudo, eu fiquei louca com aquilo", "ser americana [...] de ficar me perguntando porque eu nasci aqui; queria ter nascido lá". Nessas palavras de Elisabeth, parecem ecoar as elaborações de Juta Prasse[45] sobre o desejo das línguas estrangeiras. Para além de uma possibilidade de adquirir bens de consumo e vivenciar experiências de gozo diferentes das que ela tem acesso, o desejo de aprender uma língua estrangeira pode ter relação com a idealização de toda uma vida. Parece-nos, à primeira vista, que a possibilidade de vida no estrangeiro permite a concepção de uma noção de liberdade calcada no imaginário de "ideal de eu" que a encanta e seduz.

Entretanto, desconfiamos de sua relação com seu desejo quando a professora nos conta que gostaria muito de ir passear nos Estados Unidos, mas a falta de condições financeiras e do inglês fluente "barram-na". Ela diz, "Eu tenho visto, agora só falta juntar meu dinheiro pra ir (ri) porque eu não sou nem um pouco controlada". Diante da instigação da pesquisadora de que havia modos de conseguir participar de processos seletivos para professores da escola pública[46] e que ela própria havia ido aos Estados Unidos fazer um curso desse modo, Elizabeth retruca, "Mas você fala inglês fluentemente. Eu não falo, né, madame? (risos)". A pesquisadora insiste, "Mas você não está no processo?". Ao que a professora responde, "Mas isso me barra muito/ É isso/ Não saber/ Falar inglês/ Me barra".

---

[45] PRASSE, J. "O desejo das línguas estrangeiras". *Revista Internacional Rio de Janeiro*, Paris, Nova York, Buenos Aires, ano I, n. 1, pp.63-73, jun. 1997.
[46] Esses processos seletivos são financiados pela CAPES em convênio com o órgão norte-americano Fulbright e são dirigidos a professores de língua inglesa que lecionam em escolas públicas brasileiras.

Elisabeth atribui substância aos motivos que a impedem de viajar, assim adiando ou mesmo impedindo que aconteçam, enquanto atribui à pesquisadora a suposição de *saber* a língua e saber *fazer com* ela. Ao mesmo tempo, constrói narrativamente o enviesamento do seu desejo na impotência de um ideal cujo gozo se reatualiza no seu modo de enunciar: o riso e o uso da expressão "né, madame?", referindo-se à pesquisadora. Ao dizer que gostaria de ter nascido nos Estados Unidos, deixa sua fantasia fluir, no momento em que a participante da pesquisa é convidada a falar sem censura, por meio da associação livre, o que lhe vier à mente, "Tudo é melhor. A cultura [...] não tem violência, a língua é linda pra falar; eu sou louca pra falar igual a eles, né? [...] por mais que eu estude o inglês eu não consigo falar igual a eles (risos), então, eu sou encantada por tudo de lá". Diante desse encantamento de Elizabeth, retomamos a afirmação de Lacan[47] sobre a função do imaginário: ele "dorme" e "adormece" o sujeito frente à realidade empírica.

Consideramos ainda curioso o fato de atribuir à falta de conhecimento linguístico o impedimento de viajar ao país idealizado, mas não o fato de se tornar professora da língua na escola regular. Ao ser indagada sobre o que a motivou a se tornar professora de língua inglesa, responde, "Foi por causa do inglês, porque eu achei que seria um caminho fácil, né?", ao que a pesquisadora pergunta, "Mas como professora, isso não exigiria o domínio da língua?". Sua resposta é imediata, "É, exigiria, mas aqui no Brasil pelo que eu vejo; pela minha história, entendeu? Eu na escola, tanto no ensino, antes era primeiro, segundo grau, nenhum professor exigiu da gente falar inglês; só dava gramática e tradução; então eu pensei, eu dou conta disso". A posição de Elisabeth diante do ensino de inglês na escola pública se aferra à representação vigente no discurso corrente de que não se aprende inglês ali, porque também não é necessário que o professor tenha domínio da língua. Mais do que uma percepção coletivamente compartilhada, no cerne dessa interpretação, no comando do seu *saber fazer* inconsciente, está a sua experiência de aprendizagem, *saber* este que se consolidou historicamente num modo de fazer

---

[47] LACAN, J. *Os não-tolos vagueiam*. Salvador: Espaço Moebius, [1973-1974] 2016. Publicação não comercial.

conhecido como o método tradicional da "gramática e tradução". Essa forma de ensinar consiste da tradução de frases e palavras, cópia do conteúdo da lousa e memorização de estruturas gramaticais com pouca ou nenhuma interação oral.

Como, então, poderia Elisabeth sustentar a sua posição de mestria perante seus alunos desejosos de saber outras coisas da língua? Parece-nos que o desvio de função lhe oferece um lugar seguro e protegido de evitação do exercício da docência nas condições em que se encontrava quando adoeceu. Durante as entrevistas, Elisabeth relata algumas situações de embaraço na relação que mantinha com seus alunos naquela época. Ela aponta um grande desconforto em lidar com as dúvidas de seus alunos, ao dizer, "quando os alunos chegavam até a mim perguntando, normalmente os roqueiros, eu tinha pavor dos roqueiros porque, quando eles vinham na minha direção, eu falava assim: pronto eles vão me perguntar uma coisa que eu não sei [...]. E quase todas as vezes eu não sabia e aquilo me frustrava". Conta ainda que esse sentimento de frustração foi a razão que a levou a se afastar da profissão por se sentir, muitas vezes, uma "fraude".

No percurso das entrevistas, a pesquisadora questiona Elisabeth sobre a forma como ela se relacionava com as dificuldades advindas do exercício da docência. Para a professora, a questão se colocava entre evitar ou enfrentar. O enfrentamento, para ela, guardava relação com um certo tipo de confronto direto ou, em suas palavras, "peitar o aluno". A evitação se constituía como outro tipo de resposta possível à demanda do Outro (nesse caso, de seu aluno). Diante do binarismo da resposta, a pesquisadora aponta a Elisabeth a possibilidade de uma terceira via, alguma saída que não envolvesse o enfrentamento direto ou a evitação perante as demandas dos alunos. Elisabeth concorda que haja uma terceira via, mas não sabe dizer qual é. Talvez possamos levantar como suposição que, ao longo das entrevistas, Elisabeth tenha conseguido elaborar algo do seu "pavor" da violência dos alunos, de seu não saber a LE, das dúvidas de seus alunos, quando admite que o uso de medicamentos para depressão talvez não fosse suficiente. Ao ser indagada sobre essa questão, responde: "Só o remédio não basta. Ele vai tratar a parte fisiológica [...]porque na verdade é o medo que eu tenho; tenho que perder o medo." Nesse momento,

Elisabeth parece iniciar uma elaboração do seu medo como algo passível de ser tratado, possibilitando, talvez, uma saída da impotência.

A caminho de uma reflexão *per si*, ela vislumbra a possibilidade de retomar o acompanhamento psicológico e talvez enxergar outras possibilidades, quando salienta, "eu acho que eu tinha que voltar a fazer mais sessões, porque quando eu não estou fazendo sessão, eu não penso no meu problema; eu só convivo com ele; mas você está fazendo um papel de psicóloga comigo". Nesse gesto, Elizabeth atribui à pesquisadora uma suposição de saber sobre o que fazer com seu problema, resposta própria a uma relação transferencial, na qual a demanda da pesquisadora retorna à pesquisada como sua demanda e seu desejo de saber de si, momento possível para a emergência subjetiva.

Como já sinalizamos, o discurso hegemônico sobre o ensino de línguas, tal qual o discurso pedagógico como dispositivo de controle da aprendizagem, é prescritivo e suprime o sujeito do desejo, aquele que poderá furar todas as expectativas de sucesso da aprendizagem de uma língua. É a pesquisa em psicanálise e educação que possibilita apontar a existência do tempo do desejo. Talvez possamos aventar que saber a língua inglesa para Elisabeth tenha o apelo de gozo pelo adiamento do desejo, uma vez que o novo, como ideal do eu, leva o sujeito a outra posição subjetiva. Ao se fazer eterna estudante, ela evita tomar posição frente ao desejo de se inserir de fato nos modos de gozo da enunciação na língua alvo, no processo de subjetivação ou desterritorialização, que lhe possibilitariam acordar do encantamento. Talvez, por conta do tempo necessário a cada um para subjetivar-se, não foi possível observar dentro do tempo da pesquisa a elaboração que Elizabeth fez a partir de sua narrativa.

À guisa de conclusão

No relato exposto, inferimos que o enlace da professora com a profissão docente não tenha sido motivado pelo desejo de ensinar, mas por satisfações substitutivas que parecem ter pouco a ver com o desejo de ser professora de língua inglesa e com a transmissão de saber. Uma possibilidade é que a profissão, na esfera pública, oferece oportunidades de sustentação de seu gozo, gozo este de prolongar a doença, prolongando, assim, seu afastamento da sala de aula, bem como seu processo de (lenta) aprendizagem da língua inglesa.

Por outro lado, Elizabeth parece manifestar uma inquietação por não estar no lugar necessário, de não poder encontrar seu próprio lugar na língua materna, o que é evidenciado quando diz nunca ter lecionado a língua portuguesa por falta de confiança em seus conhecimentos, a despeito de sua formação em licenciatura dupla. Certamente, em seu percurso de aprendizagem, Elizabeth passou por possíveis impasses e descontinuidades, uma vez que ela ficou muito tempo sem frequentar a formação continuada, mas foi assídua durante o tempo da pesquisa. Podemos afirmar, com base na psicanálise, que a despeito de sua frequência às aulas de língua por tantos anos, algo de seu desejo também parece ser adiado, evitando, com isso, que ela se aproprie da língua inglesa como "mestre do seu gozo". Parece-nos que ela se mantém bem assentada em seu sintoma, mantendo-se na ilusão de completude e, portanto, na impotência simbólica e imaginária de não saber tudo que imagina que deveria. Muito embora a pesquisadora tenha procurado manter o enfoque clínico para propiciar deslocamentos nas identificações cristalizadas que causavam sofrimento psíquico, o seu próprio tempo de elaboração e o tempo de elaboração de Elizabeth podem exceder o tempo da pesquisa ou mesmo das ações do projeto. O tempo do sujeito é singular e depende de sua implicação com o quanto quer saber de seu desejo.

REFERÊNCIAS BIBLIOGRÁFICAS

AUTHIER-REVUZ, J. *Palavras incertas*: as não-coincidências do dizer. Campinas: Editora UNICAMP, 1998.

FÉDIDA, P. *Nome, figura e memória*. A linguagem na situação psicanalítica. São Paulo: Escuta, 1991.

FREUD, S. "Recordar, repetir, elaborar (Novas recomendações sobre a técnica da psicanálise II)". In:_____. *Edição standard brasileira das obras completas de Freud*. Rio de Janeiro: Imago, [1914] 2006. vol. 12, pp. 161-174.

_____. "Inibição, sintoma e ansiedade". In:_____. *Edição standard brasileira das obras completas de Freud*. Rio de Janeiro: Imago, [1926] 1980.

_____."Análise terminável e interminável". In:_____. Edição standard brasileira das obras completas de Freud. Rio de Janeiro: Imago, [1937] 1980. v. 23.

LACADEÉ, P.; MONIER, F. (orgs.). Le pari de la conversation. Institut du Champs Freudien: CIEN Centre interdisciplinaire sur l'Enfant. Paris, 1999/2000. Brochura.

LACAN, J. Os não-tolos vagueiam. Salvador: Espaço Moebius, [1973-1974] 2016. Publicação não comercial.

_____. O Seminário, livro 12: problemas cruciais para a psicanálise. Recife: Centro de Estudos Freudianos do Recife, [1964-1965] 2006.

_____."A direção do tratamento". In:_____. Escritos. Rio de Janeiro: Zahar, [1958] 1998, p. 591-652.

_____. O Seminário, livro 17: o avesso da psicanálise. Rio de Janeiro: Jorge Zahar, [1969-1970] 1992.

LEITE, N.C. O mal-estar do professor de língua inglesa: o desvio de função como aposta subjetiva. 2018. 160f. Tese (Doutorado em Estudos Linguísticos) – Faculdade de Letras da Universidade Federal de Minas Gerais, Belo Horizonte, 2018.

LOURES, G.F. O manejo da transferência na formação continuada de professores de inglês: um estudo de caso. 2014. 189f. Tese (Doutorado em Estudos Linguísticos) – Faculdade de Letras da Universidade Federal de Minas Gerais, Belo Horizonte, 2014.

MILLER, J.-A. Problemas de pareja, cinco modelos. La pareja e el amor: conversaciones clinicas com Jacques Alain-Miller em Barcelona. Buenos Aires: Paidós, 2005. p.15-20.

MINNICELLI, M. "Cerimônias mínimas". Estilos da Clínica, vol. 16, n. 2, p.94-323, 2011.

MOSCHEN, S.; VASQUES, C. K.; FROHLICH, C. B. "Psicanálise, educação especial e formação de professores: construções em rasuras". In: VASQUES, K.; MOSCHEN, S. (org.). Psicanálise, educação especial e formação de professores: construções em rasuras. Porto Alegre: Evangraf, 2015. vol. 1, p. 17-42.

NEVES, M.S. "A escuta de uma professora de língua inglesa em educação continuada: Por que não sustentar a posição de louca?". Letras & Letras, vol. 32, n. 3, pp. 68-79, 2016.

_____. Memorial descritivo. 86fl. Memorial (Concurso para professor titular) – Faculdade de Letras da Universidade Federal de Minas Gerais, 2018.

PAULINO, B. *De que discurso se trata quando professores se dizem padecidos*. 2015. 101fl. Dissertação (Mestrado) – Faculdade de Educação da Universidade Federal de Minas Gerais, Belo Horizonte, 2015.

PEREIRA, M.R. *O nome atual do mal-estar docente*. Belo Horizonte: Fino Traço, 2016.

_____. El método de orientación clínica aplicado a la investigación-intervención. *In:Psicologia, conocimiento y sociedad*. Montevidéu: UDELAR (1), 2014.

_____. *La orientación clínica de trabajo como cuestión de método a la psicología, psicoanálisis y educación*. In: I CONGRESO INTERNACIONAL II NACIONAL y III REGIONAL DE PSICOLOGÍA, 2010, Rosario. Rosario, Argentina: UNR, 2010. v. 2. p. 1-15.

PRASSE, J. O desejo das línguas estrangeiras. *Revista Internacional Rio de Janeiro*, Paris, Nova York, Buenos Aires, ano I, n. 1,p.63-73,jun. 1997.

REVUZ, C. A língua estrangeira entre o desejo de um outro lugar e o risco do exílio.*In:* SIGNORINI, I. (org.).*Língua(gem) e identidade*. Campinas: Mercado de Letras, FAPESP, FAEP/UNICAMP, 1998, p. 213-230.

SERRANI, S.M. "Abordagem transdisciplinar da enunciação em segunda língua: a proposta AREDA". *In:* SIGNORINI, I.; CAVALCANTI, M. (org.). *Linguística aplicada e transdisciplinaridade*. Campinas: Mercado de Letras, 1998. pp. 143-167.

SÓL, V. S. A. *Trajetórias de professores de inglês egressos de um projeto de educação continuada: identidades em (des)construção*. 2014. 259fl. Tese (Doutorado em Linguística Aplicada) – Faculdade de Letras da Universidade Federal de Minas Gerais, Belo Horizonte, 2014.

SOUZA, E. "O ensino de língua inglesa no Brasil". *BABEL: Revista Eletrônica de Línguas e Literaturas Estrangeiras*, vol. 1, n. 1, p. 1-7, 2011. Disponível em: http://www.revistas.uneb.br/index.php/babel/article/ view/99. Acesso em: 2 mar. 2017.

TEIXEIRA, M. *Análise de discurso e psicanálise*: elementos para uma abordagem do sentido no discurso. 2ª ed. Porto Alegre: EDIPUCRS, 2005.

VASCONCELOS, R.N.; MIRANDA, M.P. A formação de professores no Brasil e a contribuição da psicanálise. *Educação em Foco*, n.21, pp. 41-67, 2013.

VOLTOLINI, R. A *démarche* clínica na formação de professores. *In:* VOLTOLINI, R. e cols. *Psicanálise e formação de professores*: antiformação docente. São Paulo: Zagodoni, 2018. pp. 79-87.

VORCARO, A. Psicanálise e método científico: o lugar do caso clínico. *In:* NETO, F. K.; MOREIRA, J. O. *Pesquisa em psicanálise*: transmissão na universidade. Barbacena, MG: Editora da UEMG, 2010. pp. 11-23.

Parte IV
A INFÂNCIA E O INFANTIL NA PESQUISA EM PSICANÁLISE E EDUCAÇÃO

LINGUAGEM, PSICANÁLISE E EDUCAÇÃO: DE INFANS A FALANTE

CRISTÓVÃO GIOVANI BURGARELLI
DAYANNA PEREIRA DOS SANTOS

Neste capítulo, pretendemos, como primeiro passo, sintetizar o percurso teórico-prático que realizamos, a partir de 1995, em nossas experiências de pesquisas no campo das articulações entre linguagem, psicanálise e educação, no âmbito da Faculdade de Educação da Universidade Federal de Goiás, em Goiânia. Pretendemos, também, num passo mais exigente, como num trabalho de decifrar, ler e conceituar o que não cessou de se escrever nesse tempo, explicitar o ponto teórico com que nos deparamos agora e, além disso, propor algumas balizas fundamentais para a continuidade renovada dos gestos teóricos que conseguiremos, possivelmente, formalizar. Para tal, tomamos como método a consideração de que os conceitos fundamentais da psicanálise nascem de uma prática clínica e não respondem, portanto, aos ideais de uma ciência que se propõe a mensurar ou a reintegrar eliminando ou higienizando, de sua totalidade, os pontos de falta. É por essa via que, ao articular alguns resultados de uma pesquisa em psicanálise e a partir de seus fundamentos, este texto se propõe a contribuir com o debate a respeito das particularidades do campo de pesquisas denominado psicanálise e educação.

Portanto, com o desenvolvimento dessa proposta, acreditamos somar esforços na tentativa de responder, singularmente, às principais questões que vêm tornando férteis os encontros do Grupo de Trabalho Psicanálise e Educação, vinculado à Associação Nacional de Pesquisa e Pós-Graduação em Psicologia (ANPEPP), grupo do qual advêm os diversos pesquisadores reunidos nesta publicação devido ao interesse pelo trabalho interdisciplinar no campo educacional e clínico, fundamentado nos pressupostos teórico-práticos da psicanálise. Nascida no grupo maior, a pergunta "Como se dá a pesquisa em psicanálise e educação?" ecoou, portanto, de modo singular para o pequeno núcleo de Goiânia, que, de saída, se viu comprometido com a sua história e, ao mesmo tempo, com o saber que se articula, se autentica e se torna passível de transmissão devido à existência desse GT que vem se articulando há anos, nacional e internacionalmente, em torno dos estudos sobre infância, adolescência, docência, linguagem, transmissão, clínica, escola, mal-estar na cultura, entre outros.

Destacamos ainda nesta introdução que os dois passos enunciados acima – retomar a história e formular conceitos – comparecerão, muitas vezes, entrelaçados, sem a possibilidade de decisão a respeito de qual momento foi, de fato, primeiro ou segundo. Como exemplo desse entrelaçamento, temos a primeira parte do nosso título, "linguagem, psicanálise e educação", a qual nos remete à insistência de manter esse sintagma nominativo sob uma tríade cujo *entre* foi/é a psicanálise. A nosso ver, trata-se de um gesto simples, mas que nos convoca a assumir algumas consequências quanto à circunscrição do nosso objeto de estudo, do nosso método, das nossas metodologias, do modo como pensamos as possíveis intervenções práticas e, ainda, do modo de enfrentar as questões éticas pertinentes a uma pesquisa interdisciplinar como esta.

Por sua vez, o subtítulo "de *infans* a falante" refere-se à tentativa de enunciar o ponto teórico a que chegamos neste momento de nossa investigação, o qual, a nosso ver, nos permite redizer, com consequências, o passo a passo dessa problematização. Trata-se de um gesto conceitual-prático, cuja direção propõe considerar o processo educativo, entendido aqui como condição de subjetivação para o educando, prescindindo do termo *infans*, para não correr o risco de cair nas teorias do desenvolvimento,

LINGUAGEM, PSICANÁLISE E EDUCAÇÃO: DE *INFANS* A FALANTE

e favorecendo, em contrapartida, o termo *falante*, que permitirá uma articulação com o que Freud conceituou como pulsão, que tem a ver com a inter-relação entre o aparelho psíquico tomado como aparelho de linguagem e a dinâmica sexual, decorrente, por sua vez, da relação de objeto.

Para atender, portanto, à proposta deste livro, de aprofundar e sistematizar as questões relativas à pesquisa realizada no campo denominado *psicanálise e educação*, escolhemos trilhar e fazer cruzar estas duas vias: ao modo de um analisante, contar mais uma vez a nossa história, na aposta de que se revele, nesse movimento desejante, o retorno de alguma verdade velada, naquele tempo, pelo nosso próprio querer saber; ao modo de um psicanalista, precaver-se para não ceder quanto à radicalidade do inconsciente, que, durante todo o percurso de nossa experiência e, de modo especial, nesta pontuação do agora, vem exigindo como método a consideração do paradoxo inexorável implicado na função da fala e, portanto, na escuta de um encadeamento histórico e, ainda, nessa própria tarefa de falar da fala ao tentar uma transmissão.

Ainda no que se refere a esse método, dois pontos axiais podem ser explicitados preliminarmente: a consideração de que o inconsciente é estruturado como uma linguagem leva-nos a pensar que é o próprio efeito do exercício do significante que confere ao inconsciente a sua materialidade, e isso implica tomar o sujeito do inconsciente enquanto estruturado topologicamente como efeito dessa relação complexa com o significante; referir-se à fala, em cuja estrutura se encontra uma medida comum com o inconsciente, remete-nos não a uma psicogênese, mas sim a um nó capaz de atar o uso do significante a uma satisfação ou prazer,[1] ou seja, em vez de um sistema de necessidades, levamos em conta a dimensão da demanda, que, por estar estruturada na e pela fala, diz respeito a "algo que se distingue de todas as formas imanentes de captura de um em relação ao outro".[2]

Por fim, antes de começar, de fato, o passo a passo de nossa articulação, assinalamos que, na passagem do primeiro ponto axial ao

---

[1] LACAN, J. *O Seminário, livro 5*: as formações do inconsciente. Rio de Janeiro: Jorge Zahar, [1957-58] 1999, p. 89.
[2] LACAN, J. *O Seminário, livro 6*: o desejo e sua interpretação. Rio de Janeiro: Jorge Zahar, [1958-1959] 2016, p. 317.

segundo, vamos nos debruçar, como verão à frente, sobre o ponto de falta que Lacan,[3] no seminário d'*A angústia*, destrinça em sua leitura do livro de Piaget, *A linguagem e o pensamento na criança*. Acreditamos que, com esse exercício de leitura, quiçá consequente, vamos situar melhor a problemática atual de nossa pesquisa, quer seja, a função do objeto *a* na fundação do sujeito, conforme a perspectiva psicanalítica. Com esse percurso, acreditamos poder explicitar melhor a relação possível, ou não, entre psicanálise e ciência.

Escrita no presente do que se praticou no passado

O grupo de pesquisa em torno dos estudos com o objetivo de articular *linguagem, psicanálise e educação* consolidou-se, na Faculdade de Educação da Universidade Federal de Goiás, em 1995, após a conclusão da tese de doutorado de Sonia Borges,[4] referência que balizou, alguns anos depois, o trabalho de Burgarelli.[5] Contrapondo-se às abordagens vigentes sobre a alfabetização e a aquisição de linguagem – que situam a escrita inicial da criança na dimensão da cognição e/ou da interação/comunicação –, Borges indagou sobre o estatuto das letras que comparecem na produção escrita da criança, tomando-as como marcas de uma filiação ao funcionamento da língua. Com a denominação *linguística ressignificada pela psicanálise*, inscreveu em seu trabalho um gesto teórico pioneiro, sobretudo devido à sua elaboração em torno do conceito de *Outro*,[6] articulado às teorias da alfabetização. Considerado em seu estatuto simbólico, esse gesto lhe permitiu contrapor-se à noção de

---

[3] LACAN, J. *O Seminário, livro 10*: a angústia. Rio de Janeiro: Jorge Zahar, [1962-1963] 2005.

[4] BORGES, S. *O quebra-cabeça*: a instância da letra na aquisição da escrita. Tese (Doutorado) – Psicologia, PUC, SP, 1995.

[5] BURGARELLI, C. G. *Escrita e corpo pulsional*. 2003. 126 f. Tese (Doutorado) – Universidade Estadual de Campinas, Instituto de Estudos da Linguagem, Campinas, 2003.

[6] Para deslocar-se do ideal de transparência da linguagem e, consequentemente, da metacognição, Borges (1995) recorre, na psicanálise, a esse conceito de Outro, que perpassa toda a obra de Lacan, e privilegia defini-lo, em seu trabalho, como "funcionamento linguístico-discursivo".

representação, historicamente instituída de Platão a Hegel. Por sua vez, Burgarelli,[7] pela elaboração de uma noção de sujeito enquanto corpo pulsional, buscou incluir nessa abordagem a incidência real do Outro; gesto esse que, metodologicamente, implicou deslocar o recurso à psicanálise para um lugar teórico privilegiado e único, buscando avançar com as consequências da consideração de que *o sujeito é efeito de linguagem*.

A elaboração trazida por Borges[8] e os diversos textos-fundamentos a que ela recorreu produziram efeitos radicais nos trabalhos da área de linguagem referentes às disciplinas do curso de Pedagogia. Num clima efervescente, intensificaram-se os debates em torno das teorias da aquisição de linguagem, da alfabetização, da literatura e do ensino de língua portuguesa nos anos iniciais. As concepções, até então estabelecidas, de sujeito, objeto e outro, bem como as funções tanto do professor quanto do texto foram postas em questão, principalmente a partir do entendimento de que a produção discursiva do aprendiz (oral, escrita, gestual...) constitui-se como efeito do discurso do Outro, ou seja, de que são os textos com que os alunos entram em contato – as complexas relações dos significantes ali encadeados – que causam a sua produção textual. Se até aquele momento, para a maioria dos implicados com a questão, estava acordado um modo crítico de se opor à abordagem tradicional (behaviorista), buscando tirar as consequências –, a partir da teoria piagetiana, bem como de seus continuadores e/ou opositores – de uma abordagem psicológica para fundamentar o trabalho com a linguagem, o que o novo grupo estava a dizer é que não se tratava de perguntar por uma psicologia, mas por uma teoria da linguagem.

Sua principal crítica, que na época causou incompreensões e desacordos, dizia que os estudos ou as propostas de Piaget, Emília Ferreiro, Vigotski, Wallon, Bakhtin, Kenneth e Yetta Goodman, Frank Smith, entre outros, têm em comum a exclusão da noção saussureana de língua e,

---

[7] BURGARELLI, C. G. *Escrita e corpo pulsional*. 2003. 126 f. Tese (Doutorado) – Universidade Estadual de Campinas, Instituto de Estudos da Linguagem, Campinas, 2003.

[8] BORGES, S. *O quebra-cabeça*: a instância da letra na aquisição da escrita. Tese (Doutorado) – Psicologia, PUC, SP, 1995.

portanto, desconsideram a sistematicidade e o funcionamento da língua, tomando o sujeito e o objeto em sua articulação natural, e não como "lugares na estrutura linguístico-discursiva em que estão inseridos".[9] Em vez, então, de um *interacionismo*, em que um sujeito "interage com o objeto-linguagem, observando-o de um lugar que supostamente estaria 'fora' dele, podendo, por isso, objetivá-lo",[10] essa proposta, que tomou como referência as pesquisas de Cláudia Lemos, no campo da aquisição da linguagem oral, consistia em levar em conta, tanto para a descrição da linguagem da criança quanto para os fundamentos para uma prática pedagógica de leitura, literatura e produção de textos, as noções de significante, metáfora e metonímia.

Por algum tempo, esse grupo se apropriou da denominação *interacionismo dialógico*, que, retirada da própria tese de Borges, surgiu como efeito do exercício de marcar a diferença dessa "nova proposta" com as demais práticas pedagógicas "já assentadas" pelas abordagens vigentes e muitas vezes já anunciadas em diferentes projetos político-pedagógicos. Em síntese, ela queria dizer que, numa teoria da linguagem, o ponto primordial não está nem na relação entre o sujeito e o objeto de conhecimento (língua), nem na relação entre o sujeito (aprendiz) e os seus semelhantes (aprendizes e/ou adultos), mas sim na *representação simbólica*, isto é, no entendimento de que "só os discursas ligam".[11] Sendo assim, para a criança representar a/na língua, faz-se necessário que ela transite pelas representações do Outro, as quais, como ordem própria da língua, antecedem qualquer representação individual no funcionamento discursivo em que a criança está inserida. Esse entendimento é compatível com que Borges[12] e Lemos[13] teorizavam como *linguística ressignificada pela*

---

[9] BORGES, S. *Psicanálise, linguística e linguisteria*. São Paulo: Escuta, 2010, p. 95.

[10] BORGES, S. *Psicanálise, linguística e linguisteria*. São Paulo: Escuta, 2010, p. 95.

[11] MILNER apud BORGES, S. *Psicanálise, linguística e linguisteria*. São Paulo: Escuta, 2010, p. 97.

[12] BORGES, S. *O quebra-cabeça*: a instância da letra na aquisição da escrita. Tese (Doutorado) – Psicologia, PUC, SP, 1995.

[13] DE LEMOS, C. T. G. Os processos metafóricos e metonímicos como mecanismos de mudança. *Substratum*, Porto Alegre, vol. 1, n. 3, 1992.

psicanálise, cujos pressupostos buscavam a compreensão de como as unidades fônicas e gráficas passavam ao estatuto de formas simbólicas, capazes de estabelecer "classes, categorias e propriedades para o real das coisas, inclusive da linguagem".[14]

Tomando como lócus privilegiado o conjunto das atividades realizadas no interior do *Projeto escrita: ressignificando a produção de textos* (CNPq, 1997), esse grupo de pesquisadores preparou e realizou uma experiência de ensino com os alunos de uma 2ª série do ensino fundamental do CEPAE/UFG (Centro de Ensino e Pesquisa Aplicada à Educação da UFG). Elegendo como principal questão o que é, de fato, uma prática escolar com a alfabetização, a literatura, a leitura e a escrita, propusemos, com a participação efetiva da professora da turma, também pesquisadora no projeto, uma experimentação que buscou incluir o conjunto dos aspectos referentes a esse processo, como o planejamento das aulas, o passo a passo de cada lição, a exposição dos conteúdos (o que ler, o que escrever, como ler, como escrever...), a relação entre professor e aluno, o modo de intervir na produção do aluno, o repensar os encadeamentos das aulas após o estudo e a análise de um conjunto de lições etc. Entre os vários efeitos dessa pesquisa, tivemos o projeto de doutorado de Burgarelli, aprovado pelo Programa de Pós-Graduação em Linguística, no Instituto de Estudos da Linguagem da Unicamp.

De 1999 a 2003, continuando com a indagação sobre o que é a linguagem e em que consiste, de fato, a prática inicial com uma língua (entrada?), na oralidade, na escrita, na língua materna, numa língua estrangeira ou numa língua de sinais, a pesquisa de Burgarelli, que começou com o projeto *O erro num enfoque linguístico: estrutura, falta e criação*, desembocou, sob a orientação de Nina Leite, na tese *Escrita e corpo pulsional* (publicada depois como livro, *Linguagem e escrita: por uma concepção que inclua o corpo*). Um passo fundamental a esse percurso de estudos foi a consideração tanto do que é uma língua para a linguística quanto das consequências para uma reflexão sobre língua e linguagem a partir da descoberta freudiana do inconsciente. Com base na elaboração de

---

[14] BORGES, S. *Psicanálise, linguística e linguisteria*. São Paulo: Escuta, 2010, p. 97.

Milner,[15] passamos a interrogar pela possibilidade não só de reter do ser falante o que concerne a um objeto material, cuja substância (fônica, sintática, lexical, etc.) pode ser descrita (ensinada?), mas também de pensar os desdobramentos de que, ao ser habitada por quem fala, a linguagem constitui o campo no qual se articula o inconsciente, cuja realidade não pode ser pensada sem sua dimensão sexual. Embora tomando ainda, como dados da pesquisa, produções escritas de crianças, foi a questão sobre o que é o corpo para a psicanálise que se constituiu como a nossa principal indagação.

É importante realçar que se tratou, ao mesmo tempo, de um movimento teórico em que os principais pontos de tensão, entendidos como exigência de mudança, diziam respeito tanto ao impasse teórico, conceitual, quanto à interrogação sobre que direção tomar na prática em que consistia a pesquisa[16]. De início, seu foco era uma concepção de linguagem para pensar, com as instituições escolares, a entrada da criança na leitura e na escrita, portanto seus dados eram colhidos da produção escrita das crianças inseridas "normalmente" na vida escolar (inicialmente crianças entre 7 e 8 anos; depois crianças de 3 a 6 anos). No entanto, diante do entrave fundamental de incluir o conceito de sujeito (do inconsciente) nos estudos linguísticos (na chamada ciência da linguagem), sua questão se deslocou para uma articulação possível entre escrita e pulsão, o que permitiu, pelo menos, começar uma elaboração que considerasse o sujeito não apenas como sujeito dividido pelo efeito do significante, mas também em sua dimensão de gozo. Então, nesse momento, mais do que a coleta de dados científicos, seu interesse se deslocou para episódios linguageiros de uma criança em idade pré-escolar, colhidos em situações casuais e que emergiam no convívio cotidiano.

---

[15] MILNER, J. C. *O amor da língua*. Campinas:Editora da Unicamp, [1978] 2012.

[16] Nina Leite, na sua apresentação *Corpo e escrita: o lugar do sujeito*, elaborada para o livro de Burgarelli, comentou sobre essa "inelimininável presença do pesquisador no objeto de sua pesquisa". Disse: "O autor se detém não apenas em considerar o processo de aquisição da escrita a partir da hipótese de haver inconsciente estruturado como linguagem, mas também em retirar consequências éticas, para o discurso da ciência, em assumir tais fundamentos".BURGARELLI, C. G. *Linguagem e escrita*: por uma concepção que inclua o corpo.Goiânia: Ed. da UCG, 2005.

LINGUAGEM, PSICANÁLISE E EDUCAÇÃO: DE *INFANS* A FALANTE

Neste momento de nosso texto, pode ser importante o que nos faz notar Althusser,[17] em sua discussão com René Diatkine a respeito da "originalidade irredutível" da psicanálise, em contraposição à suposta linha divisória entre o biológico e o psíquico. Segundo ele, os fatos psicanalíticos, em vez de conceitos teóricos, em que já encontraríamos o conteúdo desses conceitos, exigem "conceitos práticos", ou seja, "conceitos-indicadores de direção", deixando, portanto, em aberto todo o campo da psicanálise, entendido como uma práxis inteiramente nova, sem a delimitação de um tempo em que o que era, antes, fato bio-eto-psicológico passaria, depois, como se tratasse de desenvolvimento, ao domínio do inconsciente. Foi nessa direção que caminhou nossa pesquisa: partir da pergunta de Milner,[18] "o que é a língua se a psicanálise existe?", significou interrogar a linguística sobre o desvio de pensar o ser falante sem corpo, as custas do qual o real da língua pode passar à ordem do calculável. Como Borges[19] nos ajudou a pensar – se na perspectiva da psicologia, adotada pela visão médica ou organicista, a linguagem é "índice do funcionamento cognitivo, mais precisamente, índice das formas adequadas ou patológicas de representação das coisas do mundo",[20] – na posição da psicanálise, cujo cerne é a clínica da fala, encontramos na linguagem a própria condição do inconsciente. Para nós, portanto, em nosso movimento teórico-prático, pensar a noção de corpo em sua função privilegiada, como corte de significante, teve como principal efeito abrir trilhas para a nossa permanência nos fundamentos da psicanálise.

No momento atual, mais de quinze anos após essa entrada na radicalidade do campo de pesquisa específico da psicanálise – e, mais do que isso, após a consideração de que essa tomada de posição também diz respeito às formações do psicanalista – nossas questões, imprescindivelmente,

---

[17] ALTHUSSER, L. « Lettre à D... (n. 1) ». In: _____. *Écrits sur la psychanalyse*: Freud et Lacan. Paris: Stock/Imec, [1966] 1993, p. 62.

[18] MILNER, J. C. *O amor da língua*. Campinas: Editora da Unicamp, [1978] 2012, p. 25.

[19] BORGES, S. *O quebra-cabeça*: a instância da letra na aquisição da escrita. Tese (Doutorado) – Psicologia, PUC, SP, 1995.

[20] BORGES, S. *Psicanálise, linguística e linguisteria*. São Paulo: Escuta, 2010, p. 125.

consistem em indagar sobre *o que é de fato uma clínica psicanalítica*. Antes, elas tinham como nascedouro um campo outro, embora tivessem que ser enfrentadas eticamente a partir da implicação com o inconsciente. Atualmente, também nos interessam as condições, os fundamentos, para que algumas questões nasçam e sejam pensadas no interior do próprio campo da psicanálise, por isso elegemos, a partir de 2013, no projeto *Entraste: subjetividade, arte e clínica*, privilegiar nossas indagações sobre a própria experiência analítica. Por que, na análise, pode-se apostar num acontecimento novo, a partir da rede simbólica que ali se constrói?

Portanto, quando nos interrogamos, neste capítulo, sobre a função da fala e suas implicações no que diz respeito ao que é a causalidade psíquica, numa teoria estritamente psicanalítica, acreditamos que: por um lado, estamos dando continuidade aos nossos trabalhos anteriores, pois mantemos o método advindo do próprio conceito de inconsciente, que não pode ser outro senão tomar como questão o que comparece como resto, ou desvio, no que pôde advir como constituído, assimilável; por outro, num exercício de transmissão, intricada à teoria, à clínica e à formação, lançamo-nos ao desafio de uma enunciação, ou seja, de, ao nosso estilo e ao nosso tempo, *tornar a falar* sobre certas noções fundamentais, apostando que esse gesto pode provocar efeitos em nossa experiência.

Em elaboração recente, desenvolvemos o argumento de que o pensamento, para Freud, não existe senão na dependência do fluxo associativo das representações engendradas com o princípio do prazer. Partindo da homonímia entre aparelho psíquico e aparelho de linguagem, buscamos situar a capacidade cognoscente como um dos efeitos do inconsciente, bem como explicitar que recorrer conceitualmente à denominação *aparelho de linguagem* não permite uma argumentação que pense uma estrutura preparatória para receber e manipular a linguagem, mas sim um processo de causação psíquica que não existiria sem linguagem e sem o ato de fala[21]. Aqui, vamos tentar avançar com essa elaboração. Em vez de nos apoiarmos no que comumente denominam

---

[21] BURGARELLI, C. G.; SANTOS, D. P. *Inconsciente, linguagem e pensamento*. [S.l.: s.n.], 2019.

como passagem do *infans* ao falante, nossa proposta é pensar, pelo menos, algumas consequências da afirmação lacaniana de que, do ponto de vista da psicanálise, a estrutura psíquica constitui uma operação em que não há um *initium* subjetivo senão como dependente da função da fala.

Nessa direção, importa-nos discutir alguns aspectos específicos a esse processo de estruturação psíquica: o circuito pulsional, a demanda do Outro como encadeamento simbólico (demanda que, de saída, já se desvincula da necessidade, porque nenhuma satisfação pulsional poderia ser pensada senão como da ordem do discurso), a divisão do sujeito como efeito do significante e, por fim, as consequências de que da própria fundação do sujeito no Outro advém "um resto em torno do qual gira o drama do desejo".[22] Conforme nosso entendimento, trata-se, principalmente, de manter o conceito de sujeito como questão, pois partimos da consideração de que não há um antes, da dimensão biológica ou etológica, para depois haver o inconsciente. Nosso desafio, portanto, consiste em lançar balizas para uma elaboração teórica que supere, quanto a esses pontos conceituais, os fundamentos psicogenéticos a que a educação vem recorrendo geralmente, de modo mais específico quando toma o desenvolvimento infantil com base na organização e reorganização estrutural, de natureza sequencial e cronológica, corroborando, na maioria das vezes, a visão médico-organicista.

O sujeito epistêmico em Piaget como suporte para a interlocução entre a educação e a psicologia do desenvolvimento

A psicologia, compreendida desde o século XIX como uma nova ciência capaz de descrever os processos psíquicos do desenvolvimento humano, passou a alicerçar a construção de propostas e de métodos adequados tanto à educação quanto ao ensino. Nessa perspectiva, a teoria psicogenética e do desenvolvimento, de Piaget, exerceu e ainda exerce forte influência no campo da pedagogia moderna, sobretudo devido à

---

[22] LACAN, J. *O Seminário, livro 10*: a angústia. Rio de Janeiro: Jorge Zahar, [1962-1963] 2005.

sua elaboração a respeito da anterioridade do pensamento em relação à fala. Opondo-se às elaborações que tomavam/tomam a inteligência como uma função adaptativa, ele se propôs a pensar a construção do conhecimento como uma estrutura ou organização de processos.

Em Piaget, portanto, para o desenvolvimento do pensamento da criança, as passagens sucessivas da inteligência sensório-motora à pré-operatória e, depois, às operações concretas e formais, ou seja, às "estruturas operatórias", são processos espontâneos subordinados tanto às regularidades que governam a coordenação das operações quanto às tendências das estruturas operacionais ao equilíbrio. Isso se dá em virtude de o pensamento ser orientado por estruturas que, embora "ignoradas" pelo indivíduo, definem, não apenas, o que ele é capaz ou incapaz de fazer (ora a extensão e os limites de seu poder de resolver problemas), mas ainda o que é "obrigado" a fazer (ora as ligações lógicas cogentes que se fixam a seu pensamento).

Com base nessa formulação, seria possível falar num *vir a ser*, pois o sujeito alçaria à condição de *devir* como tal, via processo de maturação – um exercício, como dizem, que exige tempo e esforço. Nessa perspectiva, todo conhecimento abarca uma elaboração nova; portanto, não pode ser compreendido como "algo predeterminado nas estruturas internas do indivíduo, [...] nem nos caracteres preexistentes do objeto",[23] pois as estruturas internas são oriundas de uma construção efetiva e contínua; já os caracteres do objeto só se dão a conhecer via mediação de tais estruturas, as quais os enriquecem e enquadram. Para ele, adequar essa elaboração nova à conquista da objetividade constitui o grande problema da epistemologia. De modo particular, para a discussão aqui proposta, é importante frisar, nesse ponto, o papel atribuído à linguagem. Piaget considera que a "aquisição da linguagem" enriquece as relações sociais, permitindo, consequentemente, enriquecer e transformar o pensamento. No entanto, o que ele denomina como função simbólica ou estrutura não é a linguagem; não é também um dos efeitos de linguagem. Se, por um lado, ele considera que esse novo objeto

---

[23] PIAGET, J. A *Equilibração das estruturas cognitivas:* problema central do desenvolvimento. Rio de Janeiro: Jorge Zahar, [1975] 1976, p. 129.

"adquirido" é constituído de noções, classificações, relações e conceitos, por outro, seu entendimento é que a criança assimila esta e todas as demais influências devido, por um lado, a processos cognitivos prévios e, por outro, ao egocentrismo de seu pensamento.

De acordo com esse entendimento, as formas primitivas da psique, biologicamente constituídas, são reestruturadas pela psique socializada, isto é, há uma relação de interdependência entre o sujeito conhecedor e o objeto a conhecer. Tal processo efetiva-se via mecanismo autorregulatório que incide no processo de equilibração progressiva do organismo com o meio em que o indivíduo está inserido. Nesse caso, o conhecimento acontece de forma processual a partir de estruturas cognitivas passíveis de transformação. A estrutura, por objeção às propriedades dos elementos, comporta leis, conserva-se e até mesmo se enriquece por meio do

> próprio jogo de suas transformações, sem que estas conduzam para fora de suas fronteiras ou façam apelo a elementos exteriores.
> Em resumo, uma estrutura compreende os caracteres de totalidade, de transformações e de autorregulação.[24]

Nesse sentido, a estrutura remete a um sistema de relações no qual são instituídas certas noções sistêmicas: a de totalidade (o todo não é somente a soma de suas partes), a de autorregulação (uma estrutura institui um sistema fechado, e qualquer relação entre seus elementos gera, por assim dizer, em um elemento próprio dele) e transformação (pela qual existe a possibilidade de o sistema se constituir e passar de um nível de menor complexidade a um nível de maior complexidade). De acordo com essa premissa, a inteligência relaciona-se com o aspecto cognitivo na medida em que sua função é a de estruturar as interações sujeito-objeto.

Assim, a evolução da inteligência está orientada sempre em um sentido, uma direção universal, independentemente de aspectos culturais,

---

[24] PIAGET, J. O estruturalismo. São Paulo: Difel, [1968] 1979, p. 8.

posição social, sexo etc. Esse sentido é o da reversibilidade cada vez mais completa das estruturas que a compõem.[25] Com esse entendimento, Piaget concebe a ação – seja ela movimento, pensamento ou sentimento, ação individual ou social, interna ou externa – como a base do desenvolvimento psíquico, ou seja, as estruturas cognitivas operatórias da criança desenvolvem-se na medida em que ela age e conhece. Paradoxalmente, tal noção é incorporada ao campo pedagógico com vistas a auxiliar tanto na compreensão do desenvolvimento da criança quanto na resolução das dificuldades escolares que inibem a expressão de potencialidades individuais.

Conforme comenta Anacleto,[26] uma questão importante para Piaget é "investigar de que modo a ação está sujeita a uma legalidade estrutural", ou seja, como, numa interação entre o indivíduo e o meio externo, a equilibração majorante impele o organismo à adaptação, ou ainda, como os processos de assimilação e acomodação levam à gênese da inteligência. Trata-se, segundo ela, da consideração de que o estruturalismo piagetiano se interessa pelas "regularidades das condutas visando isolar os mecanismos comuns presentes nos diferentes indivíduos estudados, compondo o que ele denomina sujeito epistemológico", sem abarcar "o que escapa a essa legalidade na forma de uma resposta singular".[27]

Anacleto[28] comenta ainda, embasada na leitura de Milner,[29] que, embora esse sujeito piagetiano não seja capaz de recolher por inteiro o

---

[25] PIAGET, J. A *Equilibração das estruturas cognitivas:* problema central do desenvolvimento. Rio de Janeiro: Jorge Zahar, [1975] 1976.

[26] ANACLETO, J. M. B. *Conhecimento e desejo nas formulações infantis.* 2018. 147 f. Tese (Doutorado em Educação) – Faculdade de Educação, Universidade de São Paulo, São Paulo, 2018, pp. 15-16.

[27] ANACLETO, J. M. B. *Conhecimento e desejo nas formulações infantis.* 2018. 147 f. Tese (Doutorado em Educação) – Faculdade de Educação, Universidade de São Paulo, São Paulo, 2018, p. 20.

[28] ANACLETO, J. M. B. *Conhecimento e desejo nas formulações infantis.* 2018. 147 f. Tese (Doutorado em Educação) – Faculdade de Educação, Universidade de São Paulo, São Paulo, 2018, p. 16.

[29] MILNER, J. C. "O que é psicologia?". In: *Estruturalismo. Antologia de textos teóricos.* São Paulo: Martins Fontes, 1967.

LINGUAGEM, PSICANÁLISE E EDUCAÇÃO: DE *INFANS* A FALANTE

sujeito psicológico, a psicologia, a partir desse ponto, vai empreender todos os seus esforços para garantir integralmente o seu estatuto, num movimento de "buscar o que a teoria piagetiana teria deixado de fora para, enfim, vir a encontrar de fato o sujeito em sua completude de coisa", mas, ao mesmo tempo, interpretando esse "'algo' responsável pelos efeitos discordantes da determinação própria ao sujeito epistemológico piagetiano como sendo a expressão de um sujeito psicológico dotado de intencionalidades, interesses, motivações".

Podemos perceber, então, que, mesmo recorrendo à noção de estrutura – e isso lhe permitiria, conforme discute Borges,[30] pensar a linguagem e os seus possíveis sistemas como um real estruturado, exterior à criança –, a teoria psicogenética reserva um lugar teórico privilegiado à noção de egocentrismo. Embora Piaget considere a estrutura, cujo sistema de transformações dependeria de leis próprias, suas concepções de *pensamento egocêntrico* e de *linguagem egocêntrica* não lhe permitem pensar o sujeito senão pela via de uma e*struturação progressiva* ou de uma s*ucessão evolutiva*, isto é, como aquele capaz de conhecer e objetivar a linguagem (da mesma forma que os demais objetos do mundo), sendo que, para isso, haverá a passagem do que era, antes, incorporação egocêntrica para a adaptação objetiva.

Conforme Piaget,[31] essa passagem permite-nos pensar a assimilação intelectual também como uma assimilação biológica. Para ele, a fonte do desenvolvimento cognitivo (intelectual) da criança é a organização e coordenação imanentes às ações do sujeito, cuja internalização causa as operações reversas.[32] Tais operações formam um sistema que modela as estruturas operatórias (o mecanismo do intelecto) e colocam o sujeito em equilíbrio com o objeto por meio da autorregulação.

---

[30] BORGES, S. *Psicanálise, linguística e linguisteria*. São Paulo: Escuta, 2010, p. 90.

[31] PIAGET, J. *A epistemologia genética*. Petrópolis: Vozes, [1970] 1971.

[32] Nesse processo, a *internalização* é tomada como um meio de transição das ações objetivadas, oriundas de movimentos externos no desempenho de certas ações sobre o plano de imagens, de projeções. Já *reversibilidade* é uma das propriedades das estruturas operacionais: contempla o desenvolvimento de uma operação tanto na direção direta como na reversa.

Na fértil interlocução entre a educação e a psicologia do desenvolvimento, ganha destaque, portanto, a noção de *sujeito epistêmico*, centrada no estabelecimento de características comuns para o desenvolvimento de todos os indivíduos, no que tange à inteligência, à afetividade, à socialização e à moralidade. O sujeito epistêmico, determinado pelas estruturas lógicas do pensamento hipotético-dedutivo, mas não submetido à ordem simbólica, teria como precursor um sujeito da ação no contexto da inteligência sensório-motora, engendrada cronologicamente de forma prévia e independente da linguagem. Imbuído da concepção de inteligência como mecanismo de adaptação do organismo, Piaget[33] compreende a linguagem como instrumento da inteligência. O desenvolvimento psíquico é pensado como uma construção progressiva, que se produz pela interação entre o indivíduo e o seu meio, via linguagem. Desse modo, as crianças passam por diferentes estágios em função do desenvolvimento de uma maturação predeterminada pela biologia.

Em síntese, essa concepção psicogenética de Piaget, após ajustes e adaptações, tem sustentado e impulsionado na pedagogia moderna as abordagens teóricas sobre os processos de ensino e aprendizagem e, sobretudo, acerca da aquisição da leitura e da escrita, destacando o papel funcional e representacional da linguagem a serviço da comunicação. Nesse contexto, a representação é tomada como procedimento psíquico fundamental para o desenvolvimento da consciência, da linguagem e do pensamento. Em outras palavras: a pedagogia, sob a influência do discurso da psicologia, tem buscado explicar os vários aspectos do desenvolvimento infantil para assim traçar metodologias de ensino capazes de formar um indivíduo ideal, ativo e consciente.

De *infans* a falante: o objeto *a* como causa do sujeito do desejo na psicanálise

Numa via radicalmente oposta, Lacan[34] refuta a ideia piagetiana de que a linguagem esteja a serviço de um mecanismo de comunicação

---

[33] PIAGET, J. *A linguagem e o pensamento da criança*, 7ª ed. São Paulo: Martins Fontes, [1923] 1999.

[34] LACAN, J. *O Seminário, livro 10*: a angústia. Rio de Janeiro: Jorge Zahar, [1962-1963] 2005.

e de compreensão do conhecimento. Para discutir, em Piaget, a "necessidade teórica" de evocar a linguagem egocêntrica, Lacan, após dizer de sua admiração pelo livro *A linguagem e o pensamento na criança*, busca apreender o *gap* para o qual Piaget aponta sem poder incluí-lo. Diz Lacan: se nos detivermos no

> problema de saber por que a linguagem do sujeito é essencialmente feita para ele mesmo, [vamos perceber que] a essência do erro está em acreditar que a fala tem como efeito, essencialmente, comunicar, quando o efetivo do significante é fazer surgir no sujeito a dimensão do significado.[35]

É nesse ponto que, segundo Lacan, Piaget situa uma "hiância, uma lacuna entre o que o pensamento infantil é capaz de formar e o que lhe pode ser proporcionado pela via científica",[36] ou seja, fica assinalada pelo próprio Piaget uma certa degradação no processo de compreender. Trata-se da *entropia da compreensão*,[37] a que Lacan se dedica nas suas últimas lições do seminário d'*A angústia*, tomando como exemplo "A torneira de Piaget" (título da lição XXI no texto estabelecido por Jacques-Alan Miller).

Dos vários pontos consequentes que Lacan desdobra ao tomar como fundamento sua formulação de que "o inconsciente é, essencialmente, efeito do significante",[38] um que nos interessa, particularmente, neste nosso capítulo, diz respeito à "relação radical da

---

[35] LACAN, J. *O Seminário, livro 10*: a angústia. Rio de Janeiro: Jorge Zahar, [1962-1963] 2005, p. 311.

[36] LACAN, J. *O Seminário, livro 10*: a angústia. Rio de Janeiro: Jorge Zahar, [1962-1963] 2005, p. 281.

[37] Lacan associa a expressão *entropia da compreensão* à segunda lei da termodinâmica, representada pela letra S e definida como $S = k \ln \Omega$. Portanto, a entropia, como conceito científico, é originária da Física e foi inicialmente utilizada em termodinâmica por Clausius em 1850 para representar uma grandeza aditiva (extensiva), sempre positiva. Logo, a entropia de um sistema isolado nunca diminui, ou seja, ela aumenta ou permanece constante. MOURA, M. *Entropia e a segunda lei da termodinâmica*. 2016. 113 f. Dissertação (mestrado) – Física, Faculdade de Física, Universidade Federal do Rio de Janeiro, Rio de Janeiro, 2016.

[38] LACAN, J. *O Seminário, livro 10*: a angústia. Rio de Janeiro: Jorge Zahar, [1962-1963] 2005, p. 316.

função do *a*, causa do desejo, com a dimensão mental da causa".[39] Em *O seminário, livro 5: as formações do inconsciente*, Lacan nos indica o primeiro passo dessa elaboração. Referindo-se ao "nó que une o uso do significante e aquilo que podemos chamar de uma satisfação ou prazer", ele nos ensina a questionar "o que de satisfação de uma necessidade acontece na demanda"[40] ou, em outras palavras: se "o significante existe para exprimir uma demanda", o que mesmo, "a partir de uma necessidade, passa por meio do significante dirigido ao Outro"?[41] Por sua vez, em *O seminário, livro 10: a angústia*, na lição XXI, mencionada acima, quando põe em questão a função da causa, ele busca, em oposição ao que ele chama de "atitude inveterada" dos psicólogos, avançar com essa topologia subjetiva, "a do S, do grande A e do pequeno *a*":

> Essa função onipresente em nosso pensamento, nós a encaramos, direi desde já, para me fazer entender, como a sombra, ou melhor, a metáfora da causa primordial que é o *a* como anterior a toda essa fenomenologia, o *a* que definimos como o resto da constituição do sujeito no lugar do Outro, na medida em que ele tem que se constituir como sujeito barrado.[42]

Interessa-nos, a partir dessas coordenadas, explicitar algumas implicações da indagação lacaniana: "uma vez reconhecida a estrutura da linguagem no inconsciente, que tipo de sujeito podemos conceber na psicanálise?".[43] Tal provocação exigiu a reflexão sobre o fato de que se, por um lado, as psicologias, oriundas do campo racionalista, estudam a constituição do sujeito enfatizando a consciência e as modificações produzidas pela plasticidade da evolução maturacional, social ou pela padronização de comportamento, por outro lado, do ponto de vista da

---

[39] LACAN, J. *O Seminário, livro 10*: a angústia. Rio de Janeiro: Jorge Zahar, [1962-1963] 2005, p. 306.

[40] LACAN, J. *O Seminário, livro 5*: as formações do inconsciente. Rio de Janeiro: Jorge Zahar, [1957-58] 1999, pp. 91-92.

[41] LACAN, J. *O Seminário, livro 5*: as formações do inconsciente. Rio de Janeiro: Jorge Zahar, [1957-58] 1999, p. 91.

[42] LACAN, J. *O Seminário, livro 10*: a angústia. Rio de Janeiro: Jorge Zahar, [1962-1963] 2005, p. 308.

[43] LACAN, J. Subversão do sujeito e dialética do desejo no inconsciente freudiano. *In*: _____. *Escritos*. Rio de Janeiro: Jorge Zahar, [1960] 1998, p. 814.

psicanálise, trata-se de uma operação de estruturação psíquica em que, no suposto *initium* subjetivo, como dependente da função da fala, há sempre uma entropia, um ponto de perda produzido pelo significante. Esse ponto de é definido por Lacan[44] como "o elemento que pode nos permitir avançar o discurso analítico", pois diz respeito ao que, além de nos fazer aperceber do ponto-de-falta que permitiu conferir ao sujeito a sua unidade e a sua pretensa suficiência, nos dirige para a consideração de que

> É em torno da fórmula ($◊a), em torno do ser do a, do mais-de--gozar, que se constitui a relação que nos permite, até certo ponto, ver consumar-se a solda, a precipitação, o congelamento que faz com que possamos unificar um sujeito como sujeito de todo um discurso.[45]

Desse modo, Lacan nos ensina a colocar em questão o que está por trás da denominação *linguagem egocêntrica*, de Piaget. Em vez de tomar como questão fundamental os problemas de gênese e desenvolvimento, Lacan propõe que nos dediquemos à topologia que ele nos apresenta em seu grafo do desejo, até ao ponto em que ele situa a fórmula da fantasia ($◊a), permitindo-nos pensar tanto a assunção do sujeito barrado quanto a assunção do sujeito por *a*. Com essa proposta, ele está nos dizendo, entre outras coisas, que o monólogo da criancinha é "revelador da precocidade das tensões denominadas de primordiais no inconsciente", pois nos leva a considerar que, "quanto ao sujeito em vias de se constituir, é exatamente do lado de uma voz desligada de seu suporte que devemos procurar o resto"[46].

Embora vários pontos consequentes precisariam ser desenvolvidos na tentativa de explicitar melhor essa categoria conceitual *voz*, vamos nos limitar, no contexto desta publicação, ao porquê de Lacan ter-se interessado por ela no momento específico dessa discussão com Piaget. A nosso ver, o ponto principal, aqui, é considerar os monólogos infantis como uma

---

[44] LACAN, J. *O Seminário, livro 16: de um Outro ao outro*. Rio de Janeiro: Jorge Zahar, [1968-1969] 2008, p.22.

[45] LACAN, J. *O Seminário, livro 16: de um Outro ao outro*. Rio de Janeiro: Jorge Zahar, [1968-1969] 2008, p.22.

[46] LACAN, J. *O Seminário, livro 10*: a angústia. Rio de Janeiro: Jorge Zahar, [1962-1963] 2005, p. 306, p. 298.

imisção vocálica que ressoa no vazio, o que Lacan[47] chama de "o vazio do Outro", "o e*xnihilo* propriamente dito", uma vez que, se a voz responde ao que é dito, somente o faz quando a consideramos em sua dimensão de alteridade, ou seja, como uma voz incorporada. Quanto a isso, Lacan diz:

> É por isso mesmo, e não por outra coisa, que, separada de nós, nossa voz nos soa com um som estranho. É próprio da estrutura do Outro constituir um certo vazio, o vazio de sua falta de garantia. A verdade entra no mundo com o significante antes de qualquer controle. Ela se experimenta, reflete-se unicamente por seus ecos no real. Ora, é nesse contexto que a voz ressoa como distinta das sonoridades, não modulada, mas articulada. A voz de que se trata é a voz como imperativo, como aquela que reclama obediência ou convicção. Ela não se situa em relação à música, mas em relação à fala.[48]

O principal ponto que podemos deduzir do trecho acima é que, para que a voz seja um substituto da fala, não como assimilada, mas como incorporada, é preciso, antes, que o desejo do Outro tenha assumido, para o falante, a forma de uma ordem. É no cerne dessa articulação que podemos situar o que se refere à função da causa conforme a psicanálise; causa produzida pela cadeia simbólica, mas que a ela excede, o que nos leva a conceituar o sujeito como determinado, ao mesmo tempo, tanto pelo significante quanto por um objeto libidinal. Em síntese, para que se fala então? Para capturar o Outro na rede do desejo. Para isso é que se fala ou não se fala, falando.

Sendo o engano constitutivo da posição de falante, o falar, nessa tessitura, configura-se em uma operação de buscar e de não encontrar o objeto perdido. Isso acontece porque o que se busca é distinto do que a língua pode autenticar. Assim, a língua materna está sempre referida a um impossível. Embora a língua possa ser tomada como uma cadeia de signos que pressupõe um todo, esse todo é fraturado por *lalíngua*[49] e faz referência

---

[47] LACAN, J. *O Seminário, livro 10*: a angústia. Rio de Janeiro: Jorge Zahar, [1962-1963] 2005, p. 306, p. 300.

[48] LACAN, J. *O Seminário, livro 10*: a angústia. Rio de Janeiro: Jorge Zahar, [1962-1963] 2005, p. 306, p.300.

[49] Para Lacan, lalíngua está vinculada a um conjunto de fonemas próprios de determinada

ao equívoco de modo a assinalar o não-idêntico da língua. Nesse sentido, podemos levantar a hipótese de que a fala se configura em uma relação com *la língua* e antecede toda e qualquer filiação ao campo simbólico, pois sua incidência é da ordem do Real no campo da linguagem.

Quanto a esse ponto, Lacan[50] afirma que o principal não é o (des)encontro com o perdido, mas sim a possibilidade de fazer borda ao vazio instaurado, sendo ele incontornável e impossível de ser evitado. É, pois, no vazio instaurado que se reconhece a falta de completude do Outro. Não há significante no Outro capaz de responder pelo ser, de dizer daquilo que se é. Este é o princípio limite que nos permite reconhecer que a resposta à questão do sujeito consiste numa privação simbólica, cujo objeto, ainda que imaginário, incide também no Real.Com a assunção da castração, o sujeito pode dizer que "é e que não é o falo[51], mas ele não é sem tê-lo"[52]

---

língua. Essa compreensão faz com que o psicanalista associe o termo à lalação (lallation) do bebê, cujo conteúdo sonoro ressoa as marcas instituidoras do desejo do *infans* via desejo do Outro. Lalíngua estabelece uma relação de continuidade entre sentido e sem-sentido, ao se articular tanto ao sentido originário da experiência de satisfação quanto ao sem-sentido, prévio a qualquer posição de simbolização. Essa relação, marcada pela lógica do não todo, realça o que escapa da dimensão consciente do falante. Nessa perspectiva, lalíngua engendra o uso da palavra não como parâmetro da comunicação, mas como elemento de gozo, isto é, "palavra enquanto disjunta da estrutura de linguagem, que aparece como derivada em relação a este exercício primeiro e separado da comunicação". MILLER, J-A. Os seis paradigmas do gozo. *Opção Lacaniana*, São Paulo, ano 3, n. 7, 2012, p. 38.

[50] LACAN, Conferência em Genebra sobre o Sintoma. *Opção Lacaniana*, São Paulo, n. 23, [04 out. 1975] dez. 1998.

[51] Conforme expõe Lacan (1958/1998), no texto *A significação do falo*, não se trata de uma imagem, pois "o falo não é uma fantasia [...] E menos ainda o órgão, pênis ou clitóris, que ele simboliza". Pois, o falo é um significante destinado a designar, em seu conjunto, os efeitos de significado, à medida que o significante os condiciona por sua presença de significante (pp. 696-697). Logo, com o movimento dialético de ter ou não ter o falo, a criança passa de objeto de desejo para desejante. Essa transferência permite a seleção dos mais diversos objetos e a inclusão da cadeia de significantes na dinâmica do desejo. Nessa passagem, a mãe sai da posição de Outro total, irrestrito, para a de Outro castrado — "castração da mãe". LACAN, J. A significação do falo. *In*: *Escritos*. Rio de Janeiro: Jorge Zahar, [1958] 1998, pp. 692-703.

[52] LACAN, J. *O Seminário, livro 6*: o desejo e sua interpretação. Rio de Janeiro: Jorge Zahar, [1958-1959] 2016, p.233.

Essa indicação é preciosa porque nos permite perceber, tal como apresentado no grafo, que o desejo se constitui após o sujeito se deparar com a falta de um significante no Outro. Para a pergunta: *chev uoi?*, o Outro (A) não possui resposta, não há um significante que possa representar o sujeito e oferecer a ele um saber sobre sua verdade.

Figura 1: O grafo do desejo

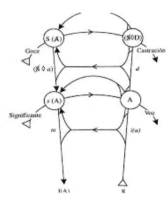

Fonte: LACAN, J. *O Seminário, livro 5*: as formações do inconsciente. Rio de Janeiro: Jorge Zahar, [1957-58] 1999, p.525.

A castração sinaliza que um gozo está vetado a quem fala, ou seja, sempre há algo que não se pode atingir. O significante do Outro barrado **S(A̶)** é a marca da interdição desse gozo, e ($◊D) diz respeito a uma "estrutura definida pelas intervenções da demanda e do desejo nas relações do sujeito com o Outro".[53] Para referir-se então ao sujeito da psicanálise, faz-se necessário remeter à fórmula da fantasia ($◊a), que indica a existência da divisão do sujeito entre enunciado e enunciação. O sujeito se esquece que ele mesmo é objeto e toma como suporte de seu desejo essa relação em báscula com o objeto, dividindo-se ao deparar-se com a demanda do Outro. Nessa lógica, o sujeito pode tolerar a posição de objeto para fazer frente ao desamparo que a castração do Outro produz,

---

[53] PORGE, E. *Voz do eco*. Campinas: Mercado de Letras, 2014, p.64.

sem, no entanto, a ele se entregar ou dele se apartar por inteiro. Ou seja, o sujeito muda de posição em relação ao objeto, e este não se constitui como algo a ser reencontrado, mas como aquilo que se aloca atrás do sujeito, causando-o. Trata-se de encobrir o ponto vazio sobre o qual desejo e gozo se articulam. É nesse ponto que o sujeito tenta responder ao desejo enigmático do Outro, e *a posteriori* pôr-se a haver com o seu próprio desejo.

Para (não) concluir

Em tempo de concluir, faz-se necessário realçar que, para a psicanálise, a criança não progride ao longo de uma sequência de etapas predeterminadas, e a fala não é acrescentada/adicionada ao corpo do nascido; ela não se constitui como um predicado cuja origem já estaria no sujeito (epistêmico). Como mencionamos na introdução, fizemos anteriormente o esforço de pensar essa questão a partir da elaboração freudiana a respeito do aparelho psíquico. Freud[54] nos ensina que o psíquico não é uma "projeção" direta do físico, mas sim a sua representação, logo não há uma relação unívoca entre o físico e o psíquico; um não causa o outro. Em vez disso, o funcionamento do aparelho psíquico é implantado com a primeira experiência de satisfação. Articulada e, ao mesmo tempo, oposta ao desprazer, essa experiência elimina toda quantidade de estímulos que possa abalar a homeostase do organismo. Por meio dela, nascem as primeiras inscrições psíquicas, e se interpõe um encadeamento simbólico fundamental para a estruturação do falante. Com esses fundamentos, buscamos sustentar a afirmação de que tanto a capacidade cognoscente quanto o pensamento científico são efeitos do inconsciente.

Neste capítulo, convocados pela questão proposta pelo GT da ANPEPP, propusemo-nos a: 1) não só a (re)dizer essa tese, mas também explicitá-la, de diferentes modos, a partir da retomada teórico-metodológica do nosso fazer pesquisa num campo em que se articulam linguagem, psicanálise e educação; 2) a partir da enunciação

---

[54] FREUD, S. *A interpretação das afasias*. Lisboa: Edições Biblioteca 70, [1891] 1977.

de que, para a psicanálise, não há *infans*, mas sim falante, discutir alguns aspectos específicos a esse processo de estruturação psíquica, como o circuito pulsional, a divisão do sujeito e, principalmente, o objeto *a*, que, conforme articulado por Lacan,[55] permite avançar a discussão em torno da contraposição radical entre a psicanálise e a teoria do desenvolvimento.

Podemos sintetizar, portanto, que o sujeito, ao se inscrever no campo do Outro, é afetado pelo corte significante; portanto, ele é clivado devido à própria operação de *fala*. Dessa operação de divisão, advém o objeto *a*, um resto que opera pela via do negativo, pela presentificação de sua inexistência. Conforme exposto no grafo do desejo, devido à cisão engendrada pela demanda, o objeto *a* é assinalado pelo significante da falta no Outro, S(Ⱥ), e com isso admite o fundamento de um gozo a ser recuperado na dimensão do simbólico. Por essa via, a falta, fundamento do desejo, produz o efeito falta-a-ser e emerge sob a forma do confronto do falante com a castração. Assim, na alteridade do que é dito, entra em jogo o advento do ser ou não ser, ter ou não ter. Nesse sentido, quando o Outro (por via de algum representante; a mãe como exemplo privilegiado) fala com a criança, imprime não apenas o que é da ordem do simbólico, mas do gozo – algo daquilo que escapa à articulação significante.

Com efeito, à medida que se torna veículo de gozo, a fala não mais se inscreve sob a égide da comunicação, mas sim como uma busca de reconhecimento do Outro, como uma demanda de amor. Por conseguinte, como sublinhou Lacan,[56] a criança fala sem saber o que diz. Nesse sentido, falar implica sempre a substituição de algo, pois o que sustém os enunciados é o objeto *a*, causa de desejo. Por fim, poder situar-se como sujeito de um discurso, diríamos, como pensante numa língua, constitui um ato singular, não linear, efeito da função de corte do significante sustentado pelas leis da linguagem.

---

[55] LACAN, J. *O Seminário, livro 10*: a angústia. Rio de Janeiro: Jorge Zahar, [1962-1963] 2005.

[56] LACAN, J. *O Seminário, livro 10*: a angústia. Rio de Janeiro: Jorge Zahar, [1962-1963] 2005, p. 316.

Mais uma última coisa que queremos relembrar: situar-se ou não em relação a tais conceitos, contrapostos e elucidados aqui (dento do que nos foi possível), constitui, intricadamente, práticas diferentes, em psicanálise, em pesquisa e em educação.

REFERÊNCIAS BIBLIOGRÁFICAS

ALTHUSSER, L. "Lettre à D... (n. 1 »). *In*: _____. *Écrits sur la psychanalyse*: Freud et Lacan. Paris: Stock/Imec, [1966] 1993.

ANACLETO, J. M. B. *Conhecimento e desejo nas formulações infantis*. 2018. 147 f. Tese (Doutorado em Educação) – Faculdade de Educação, Universidade de São Paulo, São Paulo, 2018.

BORGES, S. *Psicanálise, linguística e linguisteria*. São Paulo: Escuta, 2010.

_____. *O quebra-cabeça*: a instância da letra na aquisição da escrita. Tese (Doutorado) – Psicologia, PUC, SP, 1995. [Procurar também por Mota (1995), pois, na época, a autora assinava Sonia Borges Vieira da Mota.]

BURGARELLI, C. G. *Linguagem e escrita*: por uma concepção que inclua o corpo. Goiânia: Ed. da UCG, 2005.

_____. *O erro num enfoque linguístico*: estrutura, falta e criação. Mímeo: projeto apresentado à Pós/IEL como requisito para a seleção de doutorado, 1998.

BURGARELLI, C. G.; SANTOS, D. P. Inconsciente, linguagem e pensamento. *Estilos da Clínica*, vol.23, n.3, p. 655-669, set./dez. 2018.

DE LEMOS, C. T. G. Os processos metafóricos e metonímicos como mecanismos de mudança. *Substratum*. Porto Alegre, vol. 1, n. 3, 1992.

FREUD, S. "Além do princípio do prazer". *In*: _____. *Escritos sobre a psicologia do inconsciente*, vol. 2. Rio de Janeiro: Imago, [1920] 2006.

_____ . *A interpretação das afasias*. Lisboa: Edições Biblioteca 70, [1891] 1977.

LACAN, J. *O Seminário, livro 6*: o desejo e sua interpretação. Rio de Janeiro: Jorge Zahar, [1958-1959] 2016.

_____. *O Seminário, livro 16: de um Outro ao outro*. Rio de Janeiro: Jorge Zahar, [1968-1969] 2008.

_____. *O Seminário, livro 10*: a angústia. Rio de Janeiro: Jorge Zahar, [1962-1963] 2005.

_____. *O Seminário, livro 5*: as formações do inconsciente. Rio de Janeiro: Jorge Zahar, [1957-58] 1999.

_____. "Subversão do sujeito e dialética do desejo no inconsciente freudiano". *In:* _____. *Escritos*. Rio de Janeiro: Jorge Zahar, [1960] 1998.

_____. Conferência em Genebra sobre o Sintoma. *Opção Lacaniana*, São Paulo, n. 23, [04 out. 1975] dez. 1998.

MILLER, J-A. Os seis paradigmas do gozo. *Opção Lacaniana*, São Paulo, ano 3, n. 7, 2012.

MILNER, J. C. *O amor da língua*. Campinas: Editora da Unicamp, [1978] 2012.

_____. "O que é psicologia?". *In: Estruturalismo. Antologia de textos teóricos*. São Paulo: Martins Fontes, 1967.

MOURA, M. *Entropia e a segunda lei da termodinâmica*. 2016. 113 f. Dissertação (Mestrado) – Física, Faculdade de Física, Universidade Federal do Rio de Janeiro, Rio de Janeiro, 2016.

PIAGET, J. *A linguagem e o pensamento da criança*. 7ª ed. São Paulo: Martins Fontes, [1923] 1999.

_____. *O estruturalismo*. São Paulo: Difel, [1968] 1979.

_____. *A Equilibração das estruturas cognitivas:* problema central do desenvolvimento. Rio de Janeiro: Jorge Zahar, [1975] 1976.

_____. *A epistemologia genética*. Petrópolis: Vozes, [1970] 1971.

PORGE, E. *Voz do eco*. Campinas: Mercado de Letras, 2014.

O DIZER DE CRIANÇAS QUE NÃO FALAM

ÂNGELA VORCARO

Com frequência, o critério escolar para abordar crianças que se mostram inoperantes na interação social replica a classificação psiquiátrica que as enquadra no dito espectro autista. Reproduzindo essa categorização, os educadores podem considerar tanto a restrição enunciativa quanto a recusa à comunicação como incompatíveis com a dinâmica da aprendizagem, impedimento que se justificaria pela ausência das trocas dialógicas necessárias ao laço social. Na medida em que o efeito desse funcionamento peculiar das crianças é o de causar estranheza aos seus educadores, esta pode potencializar o isolamento em que elas já se encontram.

Interrogamos aqui se o método psicanalítico poderia prenunciar outra modalidade de abordagem a essas crianças na prática educativa.

Efetivamente, a condição dessas crianças impacta o cotidiano escolar. Mesmo que reproduzam alguns enunciados, elas não proferem uma enunciação pela qual, num só tempo, se *alienam*, ao se servirem do sistema simbólico de sua cultura, e se *destacam* deste, discernindo um modo próprio de operar nele. Os autistas parecem não ter instrumentos para estabelecer relações, seja por se manterem alheios ao campo social em que habitam, seja por abordarem, sem discriminar nem mediar com a fala, seus próprios corpos, objetos e pessoas: enfrenta-os diretamente (opondo-se com automutilações, despedaçamentos e ataques) ou a eles adere (no fascínio do movimento mecânico de um ventilador, na persistência do seu impulso restrito ao mesmo movimento).

Excedendo demasiadamente as regulações orientadas pela funcionalidade preestabelecida, essas crianças deixam supor que habitam na fenda do campo de partilhas sociais. Nessa medida, mesmo que uma política de inclusão faça vigorar a admissão e a tentativa de sustentação delas na escola, pode ser muito difícil reconhecer um percurso de aprendizagem nelas: errantes, sugerem, muitas vezes, apenas deambularem pela escola.

As dificuldades na abordagem da psicopatologia de crianças compareceram desde que elas foram tomadas como lugar de investimento social. No final do século XIX, a busca de uma mensuração que definisse seu estado tornou urgente a construção de métodos para classificar ocorrências de manifestações desajustadas, de modo a controlá-las, preveni-las e tratá-las a tempo. Estabeleceu-se um cronograma da medida etária de aquisições, orientado pela referência ao desenvolvimento humano ideal que prefiguraria a garantia da plenitude adulta almejada. Assim, o interesse pelas origens das síndromes mentais dos adultos nuançou a referência ao retardo mental que caracterizava, naquela época, a psicopatologia da infância. A partir da constatação de uma racionalidade própria à infância, no século XX, as especificidades dos distintos estados psicopatológicos da criança foram reconhecidas.[1]

Entretanto, o modo como cada criança subverte o ideal de criança insiste nas dificuldades de tornar seu psiquismo cientificamente universalizável, mensurável e aplicável, conduzindo constantes adaptações e reformulações nos instrumentos classificatórios, explicitando que a especificidade incógnita da criança não se deixa neutralizar pela catalogação.

Esse foi o caso do procedimento classificatório DSM,[2] que partiu de uma descrição, em 1943,[3] da síndrome do autismo, definida como

---

[1] BERCHERIE, P. « La clinique psychiatrique de l'enfant, étude historique ». *In*: _____. *Géographie du champ psychanalytique*. Paris: Navarin, 1988.

[2] AMERICAN PSYCHIATRIC ASSOCIATION (APA). *Diagnostic and statistical manual of mental disorders (DSM-V)*. Arlington, VA: American PsychiatricAssociation, 2015.

[3] KANNER, L. « *Os distúrbios autísticos de contato afetivo* ». *In*: SCHMIDTBAUER, P. (org.). *Autismo*. São Paulo: Escuta, [1943] 1997.

rara. O sistema classificatório americano ensejou, no curso de suas cinco edições, uma crescente abrangência da síndrome, agora nomeada *Transtorno do Espectro Autista*. Para contornar as impossibilidades culturais de estabelecer um código unificador da abordagem da psicopatologia da criança, esse parâmetro investiu numa absoluta neutralidade da objetivação da observação de comportamentos, para isolar sintomas psicopatológicos e definir tipos clínicos. Pretendendo-se "a-teórico", tentou anular a incidência da subjetividade necessariamente implicada na observação clínica, propagando a suposta condição *científica* de seu método. Dessa forma, enquanto o termo *espectro* reconhece a impossibilidade da categorização das manifestações do autismo, afirmando que o transtorno varia muito dependendo da gravidade, do nível do desenvolvimento e da idade cronológica,[4] o termo *autista* passa a atribuir a mesma denominação para uma enorme gama de quadros clínicos. Assim, a síndrome rara do autismo ganhou a prevalência de uma a cada sessenta e oito crianças.[5] Em sua descrição – relativa a relacionamentos e interesses restritos, fala ausente ou precária, comunicação não verbal deficitária – tal classificação generalista englobou a maior parte dos sinais problemáticos da criança.[6]

Do método psicanalítico na clínica com crianças

A orientação metodológica da psicanálise pode configurar uma prática de transmissão simbólica que transponha o ponto de encurralamento implicado no espectro autista. A partir da interrogação da univocidade da relação comportamento-nome do transtorno, considera

---

[4] AMERICAN PSYCHIATRIC ASSOCIATION (APA). *Diagnostic and statistical manual of mental disorders (DSM-V)*. Arlington, VA: American Psychiatric Association, 2015, p. 53.

[5] CENTERS FOR DISEASE CONTROL & PREVENTION (CDC). Disponível em: https://www.aap.org/en-us/about-the-aap/Committees-Councils-Sections/Council-on-Children-with-Disabilities/Pages/Recent-Information.aspx. Acesso em: 15 ago. 2020, p. 18.

[6] MAS, N. A. *Transtorno do Espectro Autista: história da construção de um diagnóstico*. Dissertação (Mestrado), Programa de Pós-Graduação em Psicologia Clínica Universidade de São Paulo, 2018, p. 42.

a possibilidade de leitura concatenada de suas expressões, reconhecendo-as como manifestações subjetivas em impasse. A aposta de conjugação dessas crianças no laço escolar implica, inicialmente, substituir a estranheza que elas causam, não por uma nomeação que as defina imediatamente, mas pela suspensão desse nome por meio da elevação da estranheza ao estatuto de enigma. Ao ser abordado como tal, por meio de invenções que a ele se atrelem na construção solidária de novos circuitos simbólicos assim estendidos, o enigma pode tornar-se passível de leitura.

As primeiras abordagens da criança pela psicanálise conduziram a constatação freudiana de que ela trazia dificuldades incalculáveis[7]. Entretanto, a diferenciação das funções que assume explicita o eixo dessas dificuldades. A psicanálise decantou a *função imaginária* da criança, localizando-a na representação narcísica dos pais e da cultura, campo da realização do que os pais não fizeram, e ainda como lócus de prevenção que garantiria o ideal da civilização. Enquanto elemento substituível na equação de equivalentes geracionais, a *função simbólica* da criança foi apurada a partir das versões da fantasia do adulto que a ela se dirige ao cuidar dela ou que dela escapa, mas também ao remeter-se à própria criança que teria sido. Nessas diversas significações atribuídas à criança, a psicanálise localizou os envelopes que vestem e conformam o estatuto do sujeito, distinguindo o que nele resiste e dele retorna como enigma, na opacidade da criança. As interrogações sobre esse ponto foram formuladas por Freud,[8] que não apenas afirmou que a observação da vida anímica infantil não responde pelo infantil e origina mal-entendidos, mas asseverou que a criança pode tornar-se inabordável, surpreendendo quem dela cuida. Contudo, as assertivas lacanianas nos permitem situar essa dificuldade ao distinguir, na criança, a *dimensão do real* que habita todo sujeito.

Ao manter a tensão entre universalidade do tipo clínico e a singularidade do caso único, Lacan[9] perfila o método psicanalítico a partir do impasse da particularização classificatória. Em vez de servir-se de

---

[7] VORCARO, A. *A criança na clínica psicanalítica*. Rio de Janeiro: Cia de Freud, 1997.

[8] FREUD, S. "*Nuevas conferencias de introducción al psicoanálisis*". In: _____. O.C. vol. 7. Buenos Aires: Amorrortu, [1933] 1992.

[9] LACAN, J. "Introdução à edição alemã de um primeiro volume dos *Escritos*". In:_____. *Outros escritos*. Rio de Janeiro: Jorge Zahar, [1973] 2003a.

categorias para designar apenas semelhanças e oposições com relação a elementos das classes, a psicanálise toma o que há de paradoxal nelas: há algo em cada elemento de uma classe que escapa aos seus padrões, sendo "dessemelhante de qualquer outro".[10] Ultrapassando a função classificatória das nomenclaturas, estas podem remeter a conceitos-tipo que apenas ancoram o pensamento sobre a pluralidade do sofrimento psíquico, considerando que há algo, em cada sujeito de uma classe, que resiste a sua integração nessa mesma classe.[11]

Para esclarecer esse ponto, seguiremos, neste parágrafo, a retomada feita por Nascimento e Vorcaro[12] dos argumentos psicanalíticos, a partir da posição freudiana[13] sobre a importância de um diagnóstico manter-se interrogado, dependente da confirmação ou exclusão durante o tratamento, além de reconhecer que a inclusão do sujeito em uma classe reduz a possibilidade de diferenciar o que lhe é singular. Lacan[14] especificou que o tipo clínico dos sintomas pode configurar uma estrutura que, entretanto, não tem o mesmo sentido: um sintoma tipo não corresponde diretamente a uma estrutura, podendo cumprir outra função lógica. Sem uma regra de aplicação fixa da prática diagnóstica para a condução de um tratamento[15], a psicanálise considera a existência de agrupamentos que não criam entre seus elementos nenhuma comunidade, formando um conjunto inconsistente, impossível de ser atualizado na simultaneidade de suas partes: indicam a construção de uma *classe paradoxal*[16] que designa apenas que cada elemento do grupo possui uma característica *inagrupável*.

---

[10] MILNER, J. *Os nomes indistintos, Rio de Janeiro: Cia de Freud, 2006,* p. 91.

[11] MILNER, J. *Os nomes indistintos.* Rio de Janeiro: Cia de Freud, 2006, p. 91.

[12] NASCIMENTO, C.; VORCARO, A. Desmontagem do diagnóstico e orientação para o singular: uma análise das apresentações de pacientes de Jacques Lacan. [S.l.: s.n.], 2020.

[13] FREUD, S. "Psicoterapia da histeria". In:_____. O.C. vol. 2 (1893-1895). São Paulo: Cia das Letras, [1895] 2016.

[14] LACAN, J. "Introdução à edição alemã de um primeiro volume dos *Escritos*". In: _____. *Outros escritos.* Rio de Janeiro: Jorge Zahar, [1973] 2003a.

[15] SORIA, N. ¿*Nineurosisnipsicosis?*Buenos Aires: Ediciones Del Bucle, 2015.

[16] MILNER, J. *Os nomes indistintos.* Rio de Janeiro: Cia de Freud, 2006.

É exatamente esse déficit da instância da classe num indivíduo que faz o traço do sujeito num indivíduo.[17] Portanto, o diagnóstico implica o julgamento de cada caso, decidindo se uma regra de pertinência classificatória se aplica. Contudo, a unicidade do caso não implica destituir a presença de formas generalizáveis e transmissíveis nos tipos clínicos. Longe de ater-se ao que há de romântico e restritivo no singular do caso, a psicanálise requer, de cada caso, uma formalização que modalize a articulação da singularidade subjetiva no discurso que a transmite.[18]

Trata-se de rastrear a lógica das defesas próprias do sujeito, para delas decantar suas respostas específicas em seu trânsito no laço social, discernindo as invenções subjetivas que o articulam. Seus sintomas não são parasitas a serem extirpados, mas efeitos da modalização de operações fundamentais de dimensões – real, simbólica e imaginária – de sua realidade, cuja condição de tensionamento, articulação e representação podem produzir congelamentos devastadores.

Assim, crianças constringidas por graves psicopatologias podem ser *convocadas* a experimentar e constatar as determinações do campo da linguagem em que está imersa, através do seu ato de dizer, mesmo que tomar a criança como sujeito incomensurável seja margem muitas vezes estreita demais quando a função da fala está comprometida. Acolher o sujeito na criança exigirá do outro *dis-pôr-se*, para situar as condições nas quais a criança manifesta-se, seja por adesão, recusa ou oposição. Seus sintomas poderão, assim, ser surpreendidos, de modo a convocar a criança a distinguir-se do monólogo em que naufraga. Somente desse modo seu ato poderá engendrar o exercício de um dizer que a instaure e a diferencie no laço social.

Discriminar modalidades de amarração e de desatamento das dimensões do seu dizer exige reconhecer as cifras (e o modo próprio de cifrá-las) postas em jogo pela criança em seu encontro com o que lhe faz alteridade, posto não haver o anonimato que qualquer sistema classificatório

---

[17] MILNER, J. *Os nomes indistintos*. Rio de Janeiro: Cia de Freud, 2006.
[18] TEIXEIRA, A. M. R. "Neurose, psicose, perversão: a implicação do sujeito na nosologia freudiana". In: _____. *Neurose, psicose, perversão*. Obras incompletas de Sigmund Freud. Belo Horizonte: Autêntica, 2016.

cataloga, ao reconhecer nela comportamentos antecipados por um tipo clínico já descrito. Modos de apresentação da criança podem repetir padrões classicamente previstos num quadro, mas é somente ao concatená-los e articulá-los numa leitura – ou seja, passando pelo outro – que podem operar um dizer que distinga e franqueie a criança ler e transpor suas próprias cifras, desarrimando o excesso de gozo que lhe está apenso.

As urgências que a estruturação subjetiva exige desdobrar, na experiência, dependem, necessariamente, dos efeitos da leitura de um outro que posiciona o sujeito no campo simbólico para articulá-lo às impregnações imaginárias e ao real, o que franqueia o acolhimento de seus enigmas, abrindo a possibilidade do equívoco e, assim, a outras significâncias. Desse modo, a criança pode apoiar-se no lugar que a leitura do outro lhe confere para operar deslocamentos de posição. Sendo o efeito dos desdobramentos de relações estabelecidas pela criança, apenas no seu *caso* se reconhece a especificidade subjetiva da criança e testemunha-se a não coincidência entre cada sujeito e uma estrutura psicopatológica já estabelecida.

Afinal, na plataforma giratória estrutural do funcionamento da linguagem, as crianças apresentam uma frequente reversibilidade de posições em relação à fixidez de classes, atravessando distintas vicissitudes em que decantam sua singularidade. Só nesse campo é possível discernir articulações, derivas e impasses nos quais a criança incide em sua diferença subjetiva radical, dando acesso ao real que a constringe. O diagnóstico desse funcionamento não se limita, portanto, a reencontrar categorias de comportamentos, mas é efeito de uma prática da experiência com cada criança.

Possíveis incidências do método psicanalítico na prática de educadores

Distinguidos desde Kanner,[19] dois traços específicos comparecem nos autistas: a busca de solidão e a preocupação com a imutabilidade do

---

[19] KANNER, L. "Os distúrbios autísticos de contato afetivo". *In:* SCHMIDTBAUER, P. (org.). *Autismo*. São Paulo: Escuta, [1943] 1997.

seu entorno. Como veremos, esses traços que nos informam sobre a condição do autista podem conduzi-lo ao laço social.

O autista privilegia um mundo estático que não incida nele. Mudanças do ambiente chegam a ter, para ele, um caráter de mutilação, o que nos adverte para o desamparo em que está tomado e perde a sustentação da garantia de sua existência. O que poderia ser uma imperceptível alteração do ambiente tem, para ele, a escala de terremoto. Um mero olhar do outro pode ser tomado como uma intimação virulenta que decreta sua dissolução, encurralando a criança, sem saída, diante do que só lhe resta debater-se ou paralisar-se. Os deslocamentos exteriores perturbam-na e provocam reações em que ataca indiscriminadamente o outro, objetos empíricos ou seu próprio corpo. Em vez de as coisas do mundo se limitarem a lhe fazer fronteira, o caráter angustiante das modificações do ambiente aponta o quanto o autista se vê fundido a este.

Entretanto, essa indistinção entre seu corpo e o mundo que estabelece certa continuidade com os objetos e, por vezes, com pessoas, não é total. Interessa notar que o congelamento do mundo é apenas a condição para que o autista possa incidir sobre esse mundo, mesmo que seja de modo tateante ou mínimo. Da mesma forma, rompe seu isolamento ao interessar-se, capturar e deixar-se fascinar pelo que lhe aparece enquadrado numa tela (de televisão, de computador ou de telefone) ou pelo objeto a que se conecta. Ele explicita, dessa forma, sua capacidade de admitir, produzir e integrar o funcionamento de um microcampo – desde que, com este, estabeleça um circuito fechado de funcionamento, distinguido por uma moldura virtual que desliga o microcampo da vastidão do mundo. Aí enclausurado, neutraliza aproximações e conjugações inesperadas. Assegurado por esse isolamento, o autista pode, solitariamente, brincar.

Assim, mostra que captura certos elementos simbólicos e dota tais elementos com um intenso *valor de uso*: estabelecendo uma relação surpreendentemente sinérgica com certos objetos, demonstra seu interesse na produção da cultura ao mesmo tempo em que o uso que faz deles exclui absolutamente qualquer *valor de troca* imediatamente reconhecível. Em *sinergia* com certos objetos, associa simultaneamente o objeto a seus movimentos, realizando uma ação coordenada: a criança incide sobre um objeto horas a fio, sem abandoná-lo, exercendo uma mesma operação sobre ele. É comum, por exemplo, girar o objeto sobre o mesmo eixo; acender e apagar o interruptor de uma lâmpada; balançar o próprio corpo; bater a cabeça numa parede etc. Assim a criança perfaz um circuito tão fechado, tão específico, tão mínimo e tão contínuo que parecem, ao observador de seus comportamentos, serem automatismos orgânicos, estereotipias ou manias. A dinâmica da sintonia que se estabelece – entre o seu corpo e tal objeto ou entre seu corpo e o mesmo movimento – é de tal monta que admite considerar que esse objeto funciona como se fosse um órgão de seu corpo.

Com o movimento sobre um objeto ou sobre o próprio corpo, o autista opera um uso que parece lhe servir apenas para dar vigência a uma autoestimulação, ou seja, um modo de usufruir a vida no *gozo de corpo*. Na estimulação dinâmica desse objeto, ele se desvia, exclui o seu entorno e neutraliza demandas que lhe são dirigidas. Na sua ativa exclusão, a criança autista mostra que se aparelha com um objeto para evitar a intromissão do outro, mantendo-o fora do circuito: assim não sofre efeitos do outro ao mesmo tempo em que conquista sua existência.

Recolhendo alguns elementos de seu ambiente, certos objetos interessam ao autista, deixando-se mobilizar por esses produtos simbólicos. Recortando-os do bloco maciço do mundo, emoldura-os e associa-os ao próprio corpo como próteses vitais, transformando-os em índices de gozo ou de sua oposição à interação. Todavia, diferentemente das funções culturais que eles poderiam proporcionar, não são transformados em outros elementos, não ganham novas funções, não se conjugam nem são compartilhados.

Dessa forma, a criança se mantém congelada na borda de seu organismo com um elemento simbólico. Ao contrário da função cultural dos objetos, a captura de objetos pontuais não lhes franqueia nenhum acesso ao laço social. A criança autista toma objetos empíricos, pessoas e ainda sons da língua para um uso autoestimulante e fechado. Longe de ser mera estereotipia ou uma ação reflexa, é determinação do ato de operar uma separação do campo social, em que a solidão, pela aderência fixa a um único elemento destacado, tem função de defesa estratégica para alçar o circuito fechado, circular e recíproco que demarca seu campo neutralizado.

O reconhecimento do jogo de crianças autistas

Consideremos o caso da criança que gira indefinidamente a roda de um carrinho de brinquedo, sem estabelecer uma relação entre essa roda e o próprio brinquedo, sem articular um brinquedo de rodas com a possibilidade de deslizá-lo no chão, sem usá-lo, seja para percorrer um trajeto ou servir-se dele para transportar objetos menores.

Se a criança destaca a roda do ambiente e a coloca em movimento, estabelecendo um vínculo entre o ato de impulsionar a roda e o movimento da roda, ela constata uma correlação que reproduz incessantemente. Trata-se, no mínimo, da ultrapassagem da imutabilidade: ela tem a mobilidade sob seu controle. É o que permite afirmar que ela *sabe* que seu ato gera um movimento e exerce esse saber ao mesmo tempo em que neutraliza qualquer outro movimento presente no ambiente; e também que o objeto *sabe* a gozo, ou seja, tem gosto de gozo. Ao reproduzir o gesto que tem um efeito sobre a roda, fazendo-a girar, constatamos a relação entre o ato da criança e a roda, constituindo o que situamos provisoriamente como *um pacto binário que conjuga um referente a um gesto, tendo por efeito um movimento*. À medida que a localização da roda convoca seu gesto de rodá-la, ela opera a tensão que estabelece, de certo modo, uma substituição entre a roda e seu ato de fazê-la girar: para a criança, a roda *vale* por lhe franquear o gesto de girá-la.

É na autoria desse ato que a criança exerce sua presença e ganha existência: nele, ela insiste reiteradamente e pode usufruir de sua própria existência. Poderíamos considerar que o gesto de *fazer girar* confere *reconhecimento* da roda, por afirmar a roda como existente móvel no seu campo. O gesto remete-se ao referente roda, substituindo o objeto roda pelo gozo usufruído no gesto de movê-lo. Porém, a permanência desse reconhecimento depende de seu ato de girar, ou seja, não se dá no tempo simbólico, mas apenas o prenuncia: o nome do objeto não se produz, mas apenas há um modo inominado de nomeação porque exercida em ato, nomeação reduzida aí a *seu ato de fazer girar*. Biunivocamente, também o nome do *ato de fazer girar* é a materialidade da própria *roda*, e não um significante do campo simbólico, passível de ser partilhado, como a palavra *rodar* exemplifica.

A função do agente da linguagem que testemunha haver um sujeito

Ato de girar e *objeto* estabelecem aí uma continuidade em que não serão diferenciados – tal como é, a própria criança e seu entorno – e só poderão ser separados, escandidos por meio de um intervalo que se interponha e assim convoque uma *nominação simbólica* que remeta a criança à representação do seu jogo, seja para relembrá-lo ou para anunciar a possibilidade de seu reencontro. É o que a criança autista nos mostra quando admite e partilha essa experiência com outro sujeito. Desde que um outro se submeta a seu jogo e o reproduza, com ela, estabelecendo uma forma de vinculação, pode haver um deslocamento desse *saber girar* para outros lugares, por exemplo, inserindo a roda numa rede mais ampla, em que outros elementos linguísticos e materiais, também presentes em torno do circuito do girar a roda, constituam uma trama que os conjugue em articulações. À medida que o outro reconhece na cena do circuito do jogo algum elemento linguageiro qualquer (um fonema, um som, um sinal gestual, uma palavra), tornando-o capaz de franquear a nomeação que substitui um dos termos que está em jogo (o girar ou a roda), essa transposição para outro registro *nomeia,* ou seja, pode estabelecer a presença do funcionamento do jogo em sua ausência. Por mínimo que seja (uma raspada na garganta com o som de "rrr", um ruído qualquer que a própria criança produza e que seja reproduzido pelo outro), esse *nome* pode estender o tempo do exercício de gozo que a criança tem como objeto, na ausência do objeto concreto. Afinal, *o nome é o tempo do objeto*: para além da cena lúdica, a criança pode remeter-se ao jogo ou reconhecer que alguém lhe propõe o jogo. O elemento vocal pode ainda marcar uma antecipação do ato de girar ou uma lembrança deste. Mais ainda, pode ser partilhado com outros que assimilem tal correlação. Na medida em que se ultrapasse a relação imediata *roda-ato de rodar*, pela passagem dessa articulação concreta por um mediador (um signo da relação lúdica), alcançam-se simbolicamente as relações entre a roda e o ato de girá-la. É o que poderá atingir novas relações entre signos, já na ausência da coisa do mundo como referente, tomando outro elemento, da linguagem, como referente.

Estender tal esboço de laço entre a roda e o ato de rodar para que se estabeleça uma relação de representação na rede simbólica propriamente dita, encadeada e tramada em rede, não é uma operação técnica. Constatamos facilmente que o efeito de intromissões nessa autoestimulação a que a criança se constringe é o de causar angústia e intensificar a esquiva. Desse lugar, ela toma o outro como coisa maciça que a atropela e a dissolve. É necessário que o outro se empreste ao seu jogo, testemunhando estar efetivamente concernido no mesmo jogo que ela. A modalidade de funcionamento da criança pode afetar o funcionamento do corpo do outro, que assim também estabelece uma economia própria de gozo, a qual, mesmo não sendo jamais a mesma da criança, pode ser, em certa medida, compartilhada sincronicamente com ela, antes de alçar qualquer diacronia.

Transmitir a riqueza de operações que ela pode fazer sobre uma roda, sem que ela se recuse e se exile ainda mais, implica necessariamente partilhar algo com ela: aquilo que se passa no corpo da criança afetado pela roda também atinge outro sujeito que pode também usufruir desse movimento no espaço e no tempo de, por exemplo, girar a roda de um brinquedo. Também rodando uma rodinha como faz a criança, o outro pode interrogar *o que isso quer dizer*. A partir de tal interrogação, o outro pode inventar um ato que forneça uma resposta à sua própria interrogação. Trata-se, assim, de desdobrar possibilidades, respondendo, inicialmente em ato, por exemplo, imprimindo um ritmo ao girar da roda; fazendo incidir um som enquanto a roda está girando; distinguindo dois ou mais ritmos possíveis ao movimento da roda; cantando uma cantiga acelerando-a ou lentificando-a; introduzindo um terceiro elemento que faça intermediação entre a aplicação da força e o movimento da rodinha; tirando a roda do brinquedo para operar o giro com ela isolada, imprimindo o rolar da roda numa placa de massinha no chão, depois fazendo-a deixar restos num papel etc. Busca-se, assim, construir com ela uma nova *sinergia*, incluindo-se no circuito fechado de seu jogo. Sempre atento ao efeito de cada alteração do girar da roda sobre a criança, partilhando com ela e testemunhando a ela o próprio usufruto da manipulação da roda, o outro pode insinuar sua disposição à partilha para, a partir do assentimento da criança, orientar a atividade em relação a uma série, em sua gradual complexidade, que deve estar ao alcance do que a criança se dispõe.

Nesse percurso, trata-se de partir do funcionamento da criança para também fazer-se reconhecível e mesmo necessário ao seu jogo, na medida da introdução de pequenas parcelas da gama de relações que o circunscrevem. Assim, ao mesmo tempo, o que a criança faz torna-se foco do interesse legítimo daquele que brinca com ela. Trata-se de tomar a articulação *roda-ato* franqueando a introdução da função significante que a roda pode ter. Trata-se de operar a passagem para um jogo muito mais complexo em que a roda se torna um entre outros elementos ali inseridos e conectados. Introduzindo, no espaço do circuito fechado, escansões e continuidades distintas, por meio de objetos, elementos da linguagem e de gestos corporais, é possível formar uma rede de elementos diferenciais. O mais importante nessa atividade é não prescindir de tomar o ato da criança como enigma e insistir em desdobrá-lo, para localizar ou inventar a lógica que ele pode ter. Desse modo são introduzidas formas possíveis de interrogação sobre *como, em que, para que e porque* o jogo pode operar e satisfazer.

Esse é o princípio de uma possibilidade de partilha do gozo possível, sob a vigência simbólica de ambos os atores, criança e outro. Isso implica fazer essa interrogação em ato, um passo à frente (e apenas um) da criança até que ela também possa antecipar, de modo a franquear sua entrada num jogo efetivo com o outro. Vale lembrar que, além dessa experiência clínica desenvolvida com várias crianças autistas, o cotidiano escolar também ensina os efeitos, sobre o autista, das demais crianças presentes. Os colegas sabem fazer essa inserção e a praticam, buscando referências nas próprias crianças autistas para, assim, estabelecer laços com elas.[20]

---

[20] RAHME, M.; VORCARO, A. "Interrogações sobre o estatuto do outro e do outro nos autismos". *Autismo: intervenção, clínica e pesquisa*, Curitiba, n. 22, pp. 29-52, 2011.

É o que nos obriga a uma detenção maior na especificidade do funcionamento não apenas da criança autista, mas na atenção a tais interações, inventadas em grupo de crianças.

Assim, na *geografia* do circuito fechado da criança, produz-se um texto partilhado, até que ela mesma assuma-o como próprio. Fazendo atravessar seu gozo autístico por outros elementos ali articulados, ela pode transformá-lo num gozo recortado pelos instrumentos simbólicos, partilhados com o outro, em que se comunga um saber, até que se aproprie dele. Nosso desafio é o de franquear-lhe o aparelhamento para que possa inventar modos de proteger-se e, ao mesmo tempo, lhe assegure o espaço coletivo, ou seja, sustentar seu saber defender-se sem, contudo, excluir-se do laço social. Nossos instrumentos para tanto são aqueles que a cultura nos legou, desde que também nos deixemos ensinar pelas próprias experiências de cada uma das crianças autistas.

Uma questão de leitura

A clínica psicanalítica pretende operar de modo a deslocar a criança da posição em que o discurso a insere, convocando-a a ultrapassar o real em que naufraga em suas manifestações existenciais, de modo a manter interrogada a modalidade de transmissão da estrutura simbólica a que estas acedem. Em vez de apenas replicar que a apreensão autística da linguagem é sígnica,[21] nos direcionaremos pela noção de *circuito mínimo fechado* para recrutar e apurar as noções de *leitura* e *escrita*, a partir da distinção e constrição das *diz-mansões*(real, simbólica e imaginária) do dizer, presentes na obra lacaniana.[22] Espera-se, assim, admitir o reconhecimento do *dizer* dessas crianças além e aquém da fala. Afinal, a psicanálise concebe que o corpo falante comporta um *dizer de sua existência* que difere da função da fala.

---

[21] MALEVAL, J-C. "Por que a hipótese de uma estrutura autística?". *Opção Lacaniana online*, ano 6, n. 18, nov. 2015. Disponível em: http://www.opcaolacaniana.com.br/pdf/numero_18/Por_que_a_hipotese_de_uma_estrutura_autistica.pdf. Acesso em: 15 ago. 2020.

[22] LACAN, J. *Os não-tolos vagueiam*. Salvador: Moebius [1973-1974] 2016..

O DIZER DE CRIANÇAS QUE NÃO FALAM

A insistente iteração de crianças autistas numa fazenda em Cévennes, no interior da França, foi reproduzida a partir de réplicas dos trajetos repetitivos de crianças autistas. O educador Deligny[23] grafou os circuitos traçados no deslocamento delas, na "ausência de palavras". Definindo-as como "linhas de errância", entre rastro e mistério, essas linhas foram tomadas como a escrita desse "ser em rede", cujos pontos de cruzamento balizam a implicação dos adultos: onde falta o reflexivo 'se' há alguma expressão do 'nós', em mapas que reavivam o que nosso olhar não pode mais ver. Transpondo ao registro escrito o mapa dos deslocamentos espaciais de algumas crianças autistas, o educador avançou ao reconhecer, neles, circuitos que insinuam o tempo e o espaço das *linhas de errância* que traçam o trajeto de sua existência, cujos elementos *podem ser lidos por um outro*. Mesmo que o educador não pretendesse interferir nesse funcionamento, podemos constatar que Deligny[24] leu, no autismo, um *grafismo corporal* cuja coreografia registrou, transpondo-a em mapas. Nossa hipótese é a de que esse discernimento possa franquear uma escrita que concatene a especificidade do *dizer* do autista e ofereça o testemunho para seu reconhecimento pela própria criança.

Trata-se especialmente de distinguir o ciframento que a criança autista faz da relação que estabelece com o que lhe faz alteridade, para situá-la na estruturação subjetiva como efeito de linguagem que, mesmo sem operar na língua, responde ao real que a causa. Essa direção exige a hipótese de haver inexoravelmente um *dizer* veiculado que não se formula na fala. Entretanto, esse *dizer* pode ser lido, mesmo reduzido a uma trajetória mínima que a criança perfaz num circuito curto e fechado. A criança esboça uma escrita, cifrando o percurso que mostra seu modo de existência e se impõe ao espaço e ao tempo como marcas de um trajeto que baliza sua presença constituída no mundo, cujos impasses podem reduzi-la a iterações contínuas a que se mostra aprisionada em limites e bordas.

Reconhecer e concatenar esse percurso, distinguindo-o como uma modalidade própria de inscrição de sua existência subjetiva, na leitura

---

[23] DELIGNY, F. *O aracniano e outros textos*. São Paulo: N-1 edições, [1981-1982] 2015.
[24] DELIGNY, F. *O aracniano e outros textos*. São Paulo: N-1 edições, [1981-1982] 2015.

das cifras do autista, é a tarefa prévia do ato de ler requerido por qualquer laço social para causar o trabalho no qual a função simbólica reduz o usufruto acéfalo do organismo, restringindo seu gozo.

A leitura de um dizer que reconhece a escrita do corpo

O rebatimento da hipótese lacaniana sobre a origem da escrita[25] pelos registros do espaço habitado pelo sujeito (o campo da linguagem) como distintos *habitats* do dizer que compõem a realidade do ser falante,[26] nos permitem tomar Real, Simbólico e Imaginário como *diz-mansões, casas do dizer* não orientáveis e demarcadores deum campo em que o que deixou vestígio (real) foi esquecido, por traz da cinética que o manifesta (simbólico), nas sensações que o testemunham (imaginário). Assim, ultrapassando as dimensões espaciais dos eixos cartesianos e forçando o tensionamento da assertiva "*Que se diga, fica esquecido por traz do que se diz em o que se ouve*",[27] pode-se ler os ditos automatismos, tidos como inócuos, como traços do sujeito, ou seja, recolhidos como esboços (*linhas de errância*) que manifestam a *coreografia* da presença do ser. Essa leitura pretende, portanto, conferir a esses traços o registro de escrita de um sujeito, ultrapassando a ideia de que seriam *signos patognomônicos* de autismo.

Na topologia lacaniana, a tensão entre pontos se determina de modo distinto do plano euclidiano, por manterem-se estritamente equivalentes quanto ao modo de amarrar os dois outros, ao mesmo tempo em que implicam a especificidade que os distingue em três registros. O real (irrepresentável) pode ser cifrado pelo simbólico que o veicula, detido pelo imaginário que, referido ao corpo, ali aloca o sentido.[28] A

---

[25] LACAN, J. *A identificação, seminário 9*. [S.l.: s.n.], [1961-1962] 2003. Publicação não comercial do Centro de Estudos Freudianos do Recife.

[26] LACAN, J. *Os não-tolos vagueiam*. Salvador: Moebius [1973-1974] 2016. Publicação não comercial.

[27] LACAN, J. "Introdução à edição alemã de um primeiro volume dos *Escritos*". In: _____. *Outros escritos*. Rio de Janeiro: Jorge Zahar, [1973] 2003a, p. 448.

[28] LACAN, J. *Os não-tolos vagueiam*. Salvador: Moebius [1973-1974] 2016. Publicação não comercial.

constatação da impossibilidade de recusa à captura da linguagem pelo ser falante franqueia a consideração de modalidades pelas quais as crianças fora da função da fala são *'seres dizentes'*, que mantêm desenodadas as *dit-mansões* Real, Simbólica e Imaginária. Pretendemos, assim, distinguir, o que a criança escreve em sua experiência, inscrevendo-se no mundo, sem se reconhecer nesse grafismo do corpo. Conforme o autista nos permite reconhecer, a leitura semântica de seus gestos é impertinente e sempre truculenta, e nos conduz à leitura do circuito que ele mesmo perfaz, envolvendo a direção, o trajeto e a orientação de suas linhas de errância. Supõe-se que o oferecimento dessa leitura à criança pode franquear a possibilidade de esta chegar a reconhecer a autoria do dizer de seu corpo para transpô-lo a outro registro e, posteriormente, *fala*rem vez de limitar-se a *deixar ver*. Caso possa autenticar o vestígio de seu trajeto, este é passível de ser rasurado, reinscrito e substituído. Tendo seu vestígio sido testemunhado pelo outro que o lê, pode, em certa medida, partilhá-lo, reconhecendo nele não apenas sua assinatura, mas também o que a excede, no eixo a partir do qual pode reinscrevê-lo e substituí-lo, inserindo-se no laço social. Afinal,

> um ser capaz de ler seu vestígio, basta isso para que ele possa reinscrevê-lo noutro lugar que não aquele a que o levara inicialmente. Essa reinscrição, é esse o vínculo que o torna dependente, a partir daí, de um Outro cuja estrutura não depende dele.[29]

Tomar, na fugacidade de movimentos de um corpo no espaço, o trajeto dos gestos em que o sujeito perfaz a demarcação do que há neles de dizer, implica também distinguir a função significante (entre simbólico e imaginário) da *letra* (litoral entre simbólico e real),[30] na borda cujos cristais podem estabelecer uma constelação tensionada de letras passíveis de sustentar outras posições subjetivas (psicose, debilidade) inseridas no dito *espectro autista*. Sustenta-se uma possibilidade de que sua concatenação

---

[29] LACAN, J. *O Seminário, livro 16*: De um Outro ao outro. Rio de Janeiro: JZE, [1968-1969] 2008, p. 304.
[30] LACAN, J. *O Seminário, livro 18*: de um discurso que não fosse semblante. Rio de Janeiro: JZE, [1971] 2009.

pela leitura demarque equívocos e discirna uma escrita na qual tais manifestações de presença traçadas na trajetória do sujeito, depois de terem passado pela estrutura da linguagem agenciada pelo outro, possam ser reconhecidas como próprias e reinscritas pelo próprio sujeito, desdobrando-as em outras formas, em outros lugares.

A função da escrita e o corpo *'dizente'* do autista

Lacan[31] localiza a psicanálise como um discurso totalmente novo, por revelar um *saber-não-sabido* por ele mesmo, saber que, como já explicitara, articula-se estruturado como uma linguagem:

> No ato da enunciação há essa nominação latente, que é concebível como sendo o primeiro núcleo, como significante, do que em seguida vai se organizar como cadeia giratória ... desse centro, do coração falante do sujeito, que chamamos de inconsciente. ... É na medida – e pela menor de suas palavras – em que o sujeito fala, que tudo o que ele pode sempre fazer, uma vez mais, é nomear-se sem saber por qual nome.[32]

A insistência desse não-sabido denuncia seu laço com um gozo possível e, portanto, gozo limitado por diferentes modalidades de negação presentes na linguagem,[33] implicando o corpo que o veicula votado a diferentes formas de fracasso desse gozo[34] já constrito pela lei da linguagem.

Construir uma modalidade de trabalho com crianças que não operam a fala implica interrogar como o corpo transmitiria algo de seu gozo quando a enunciação não se destaca dele. Enquanto no âmbito da

---

[31] LACAN, J. *O seminário, livro 19*: ...ou pior (1971-2). Rio de Janeiro: JZE, 2012.

[32] LACAN, J. *A identificação, seminário 9*. [S.l.: s.n.], [1961-1962] 2003. Publicação não comercial do Centro de Estudos Freudianos do Recife, pp. 101-102.

[33] LACAN, J. *A identificação, seminário 9*. [S.l.: s.n.], [1961-1962] 2003. Publicação não comercial do Centro de Estudos Freudianos do Recife, pp. 101-102.

[34] LACAN, J. *O seminário, livro 19*: ...ou pior (1971-2). Rio de Janeiro: JZE, 2012.

fala o gozo é reduzido ao gozo fálico e ao sentido, a dimensão do *dizer* parece operar no autista por meio do trajeto que seu corpo esboça, apostando que apenas ao ser lido, seus rastros poderão estabelecer a fala que os articula e os representa.

Afinal, nenhum ser humano subsiste fora do campo da linguagem, sendo possível, em cada um, considerar o encontro da língua com o corpo, mesmo no autista, que *ex-siste* ao discurso estabelecido. Tal encontro foi nomeado por Lacan[35] como *lalíngua* para apontar o real que escapa à linguagem. Por sua insistente iteração, esse real pode chegar a ser apreendido pelo sujeito, na medida em que reconhece um retorno do que está excluído do saber sobre si mesmo. Entretanto, conduzidas pelo real, as crianças autistas simplesmente o deixam ver, a despeito de manifestarem, em gestos e comportamentos, certa consistência indutora de metáforas. Nessa direção, reside a proposta de investigação sobre o rastreamento dessa modalidade de funcionamento, instigada pela afirmação de Porge:

> os autistas, não-tolos da metáfora, erram, mas não de qualquer jeito. No só depois, essa errância revela trajetos imantados por certos lugares (a água), momentos, gestos e posturas do corpo (o balançar). Essas linhas de errância são como pedaços de fios de um nó borromeano desfeito, cujos anéis estão esparsos, reduzidos a sua linha de existência. Simbólico e imaginário tornam-se reais, impossíveis de articular, reduzidos ao simbolicamente real e ao imaginariamente real.[36]

Tomando as linhas de errância do circuito da trajetória do autista como rastros que dependem de leitura para sustentarem a possibilidade de inversão dessa relação, a intervenção do outro poderia, talvez, apresentar essa leitura à criança, de modo que esta possa constatar ter sido reconhecida em suas *diz-mansões* específicas, a partir do testemunho de seu corpo, com a rasura e o reconhecimento, pela criança, de suas próprias marcas.

---

[35] LACAN, J. *O seminário, livro 19:* ...ou pior (1971-2). Rio de Janeiro: JZE, 2012.
[36] PORGE, E. *Lettres du symptôme, versions de l'identification.* Paris: Érès, 2010, pp. 29-30.

Essa leitura não trata de operar tradução de um sentido, que é aí inócuo. Trata-se da leitura que conjuga a linguagem ao real das manifestações, na medida em que lhes afere uma lógica: demarcar pontos que angulam a trajetória aparentemente caótica, distinguindo-os e concatenando-os, ou seja, estabelecendo cifras e conjugando-as.

Para tanto, considera-se a hipótese lacaniana de que ecos dos ditos que estabelecem o espaço do organismo ressoam (*resón*) nesse ser, nele escrevendo simples traços e causando as pulsões que conferem a ele suas razões.[37] Portanto, consideramos que o ser nasce no campo da linguagem, que deixa sinais no corpo, o qual, por sua vez, transmite-os em gestos que se inscrevem como marcas. Se tais marcas podem ser lidas como objetos, implicamos aí a função da escrita que está, sob uma forma latente, na própria linguagem.[38] Diante dessas marcas tomadas como signos, o sujeito percebe que estes podem trazer pedaços recortados de sua modulação falante e que, invertendo sua função, esses signos podem ser, em seguida, o suporte fonético.[39] Afinal, antes de todo uso da escrita, os signos aparecem como testemunhas do enlace da linguagem com o real, fora de toda consciência do sujeito. Só em um segundo momento, ocorre o uso combinado desses signos com um uso fonético desses mesmos sinais que têm a aparência de designar alguma coisa. Assim, a estruturação da linguagem implica a recuperação da

> primeira conjugação de uma emissão vocal com um signo como tal, isto é, como algo que já se refere a uma primeira manipulação do objeto...A gênese do traço é o que há de mais apagado, de mais destruído de um objeto. Se é do objeto que o traço surge, é algo do objeto que o traço retém, justamente sua unicidade ... [há] alguma coisa para ser lida, lida com a linguagem quando ainda não há escrita. É pela inversão dessa relação, e dessa relação

---

[37] LACAN, J. *O Seminário, livro 23:* o sintoma. Rio de Janeiro: JZE, [1976-1976] 2007.
[38] VORCARO, A. "Um refrão surdo ressoa no corpo". *In:* BURGARELI, C. *Padecer do significante.* Campinas: Mercado das Letras, 2017.
[39] LACAN, J. *A identificação, seminário 9.* [S.l.: s.n.], [1961-1962] 2003. Publicação não comercial do Centro de Estudos Freudianos do Recife.

de leitura do signo, que pode nascer em seguida a escrita, uma vez que ela pode servir para conotar a fonetização.[40]

Há, assim, contemporaneidade original da escrita e da linguagem. Lacan aponta o trabalho do sujeito para distinguir-se e conjugar-se:

> na raiz do ato de fala ... [há] uma contemporaneidade original da escrita e da própria linguagem, uma vez que a escrita é conotação significante, **não é tanto que a fala a crie mas sim que ela a leia** ... Nessa relação primeira do sujeito, naquilo que ele projeta atrás de si, *nachtraglich*, apenas pelo fato de se engajar por sua fala, a princípio balbuciante, depois lúdica, até mesmo confusional no discurso comum, o que ele projeta atrás de seu ato, é aí que se produz esse algo em direção ao qual temos a coragem de ir, para interrogá-lo em nome da fórmula *wo es war, sol ich werden*, que tenderíamos a empurrar a uma fórmula muito ligeiramente diferentemente acentuada, no sentido de um sendo tendo sido, de um *Gewesen* que subsiste na medida em que o sujeito, ao avançar nesse rumo, não pode ignorar que é preciso um trabalho de profundo reviramento de sua posição para que ele possa apreender-se ali (grifo nosso).[41]

Para concluir

Em psicanálise, as estruturas subjetivas referem modalidades pelas quais a estrutura da linguagem é incorporada, permitindo que o sujeito se mantenha num ponto de exterioridade a ela. Assim, o autismo pode ser concebido como uma modalidade particular de sujeitos a habitar a linguagem que neles incidiu sem, contudo, se aparelhar com ela, por meio da fala, mas respondendo à intrusão da linguagem com angústia e outros atos de defesa. Entretanto, essa resposta pode ser lida e depurada em sua lógica própria.

---

[40] LACAN, J. *A identificação, seminário 9*. [S.l.: s.n.], [1961-1962] 2003. Publicação não comercial do Centro de Estudos Freudianos do Recife, pp. 95-101.

[41] LACAN, J. *A identificação, seminário 9*. [S.l.: s.n.], [1961-1962] 2003. Publicação não comercial do Centro de Estudos Freudianos do Recife, pp. 95-101.

Nossa hipótese é a de que, na posição subjetiva dos autismos, o sujeito fixa-se univocamente em referentes materiais do mundo, limitando-se a operar a matriz imediata objeto-ato e trabalhando na busca de sua reprodução pela via dos automatismos de repetição.[42] Sem mediar sua relação direta ao objeto por meio da representação que negaria a referência material do objeto, o autista recusa qualquer diferença implicada no objeto oferecido para a satisfação narcísica e defende-se dessa diferença ao interpor um elemento a que se aferra em gestos que reproduzem, em circuito fechado, a operação matricial que exclui a mediação da representação. Limitando-se ao circuito fixo do seu gesto, na exclusão operada sobre as semelhanças e dessemelhanças do Imaginário, este não se coloca a serviço de sustentar e amortecer a relação do Simbólico ao Real, pois tudo que ultrapasse a biunivocidade é concebido como inassimilável e, portanto, fadado à experiência avassaladora da angústia.

Sem mensagem e sem equívocos, o autista não se destaca numa enunciação, mas demonstra a insistência de sua subjetivação singular. Considerando a afirmação de que educar é transmitir marcas simbólicas,[43] propomos aqui, aos educadores, reconhecer a linha de trajetos errantes dos autistas na medida em que os localizem operando neles, de modo a testemunhar o ato que a criança opera para lhe franquear seu próprio reconhecimento e sua própria transposição deste para outro lugar.

REFERÊNCIAS BIBLIOGRÁFICAS

ALLOUCH, J. *A clínica do escrito.* Rio de Janeiro: Cia de Freud, 1994.

AMERICAN PSYCHIATRIC ASSOCIATION (APA). *Diagnostic and statistical manual of mental disorder s(DSM-V).* Arlington, VA: American Psychiatric Association, 2015.

BERCHERIE, P. « La clinique psychiatrique de l'enfant, étude historique ». In: _____. *Géographie du champ psychanalytique.* Paris: Navarin, 1988.

---

[42] LUCERO, A.; VORCARO, A. "Do Outro Simbólico ao Outro Real". In: VORCARO, A.; SANTOS, L.; MARTINS, A. (orgs.). *O bebê e o laço social.* Belo Horizonte: Autêntica, 2018.

[43] LAJONQUIÈRE, L. *Figuras do infantil.* Petrópolis: Vozes, 2010.

CENTERS FOR DISEASE CONTROL & PREVENTION (CDC). Disponível em: https://www.aap.org/en-us/about-the-aap/Committees-Councils-Sections/Council-on-Children-with-Disabilities/Pages/Recent-Information.aspx. Acesso em: 15 ago. 2020.

DELIGNY, F. *Oaracniano e outros textos*. São Paulo: N-1 edições, [1981-1982] 2015.

FREUD, S. *"Psicoterapia da histeria"*. In: _____. *O.C.* v. 2 (1893-1895). São Paulo: Cia das Letras, [1895] 2016.

_____. *"Proyeto de psicología"*. In: _____. *O.C.* v. 1. Buenos Aires: Amorrortu, [1895] 1992.

_____. "Nuevas conferencias de introducción al psicoanálisis". In: _____. *O.C.* v. 7. Buenos Aires: Amorrortu, [1933] 1992.

KANNER, L. "Os distúrbios autísticos de contato afetivo". In: SCHMIDTBAUER, P. (org.). *Autismo*. São Paulo: Escuta, [1943] 1997.

LACAN, J. O seminário, livro 6: *o desejo e sua interpretação*. Rio de Janeiro: JZE, [1958-1959] 2016.

_____. *Os não-tolos vagueiam*. Salvador: Moebius [1973-1974] 2016. Publicação nãocomercial.

_____. *O seminário, livro 19*: ...ou pior (1971-2). Rio de Janeiro: JZE, 2012.

_____. *Estou falando com as paredes*. Rio de Janeiro: JZE, [1971] 2011.

_____. *O Seminário, livro 18*: de um discurso que não fosse semblante. Rio de Janeiro: JZE, [1971] 2009.

_____. *O Seminário, livro 16:* De um Outro ao outro. Rio de Janeiro: JZE, [1968-1969] 2008.

_____. *O Seminário, livro 23:* o sinthoma. Rio de Janeiro: JZE, [1976-1976] 2007.

_____. "Introdução à edição alemã de um primeiro volume dos *Escritos*". *In:*_____. *Outros escritos*. Rio de Janeiro: Jorge Zahar, [1973] 2003a.

_____. "O aturdito". In: _____. *Outros escritos*. Rio de Janeiro: JZE, [1973] 2003b.

_____. "A identificação, seminário 9". [S.l.: s.n.], [1961-1962] 2003. Publicação não comercial do Centro de Estudos Freudianos do Recife.

_____. *O Seminário, livro 11*: os quatro conceitos fundamentais da psicanálise. Rio de Janeiro: JZE, [1964] 1988.

_____. "A instância da letra no inconsciente, ou a razão desde Freud". In:_____. *Escritos*. Rio de Janeiro: JZE, 1988.

_____. *O Seminário, livro 2:* o eu na teoria de Freud e na técnica da psicanálise. Rio de Janeiro: JZE, [1954-1955] 1985.

_____. *O seminário, livro 20:* mais, ainda. Rio de Janeiro: JZE, [1972-1973] 1982.

_____. *O Seminário, livro 1:* os escritos técnicos de Freud. Rio de Janeiro: JZE, [1953-1954] 1979.

LAJONQUIÈRE, L. *Figuras do infantil*. Petrópolis: Vozes, 2010.

LUCERO, A.; VORCARO, A. "Do Outro Simbólico ao Outro Real". In: VORCARO, A.; SANTOS, L.; MARTINS, A. (orgs.). *O bebê e o laço social*. Belo Horizonte: Autêntica, 2018.

MALEVAL, J-C. "Por que a hipótese de uma estrutura autística?". *Opção Lacanianaonline*, ano 6, n. 18, nov. 2015. Disponível em: http://www.opcaolacaniana.com.br/pdf/numero_18/Por_que_a_hipotese_de_uma_estrutura_autistica.pdf. Acesso em: 15 ago. 2020.

MAS, N. A. *Transtorno do Espectro Autista: história da construção de um diagnóstico*. Dissertação (Mestrado), Programa de Pós-Graduação em Psicologia Clínica Universidade de São Paulo, 2018.

MILNER, J-C. Os nomes indistintos, Rio de Janeiro: Cia de Freud, 2006.

NASCIMENTO; VORCARO, A. Desmontagem do diagnóstico e orientação para o singular: uma análise das apresentações de pacientes de Jacques Lacan. [S.l.: s.n.], 2020.

PORGE, E. *Lettres du symptôme, versions de l'identification*. Paris: Érès, 2010.

RAHME, M.; VORCARO, A. "Interrogações sobre o estatuto do outro e do outro nos autismos". *Autismo: intervenção, clínica e pesquisa*, Curitiba, n. 22, p. 29-52, 2011.

SORIA, N. ¿*Nineurosisnipsicosis?* Buenos Aires: Ediciones Del Bucle, 2015.

TEIXEIRA, A. M. R. "Neurose, psicose, perversão: a implicação do sujeito na nosologia freudiana". In: _____. *Neurose, psicose, perversão*. Obras incompletas de Sigmund Freud. Belo Horizonte: Autêntica, 2016.

VORCARO, A. "Um refrão surdo ressoa no corpo". In: BURGARELI, C. *Padecer do significante*. Campinas: Mercado das Letras, 2017

_____. *A criança na clínica psicanalítica*. Rio de Janeiro: Cia de Freud, 1997.

POR QUE ESTA CRIANÇA NÃO PARA QUIETA? MAL-ESTAR DE PROFESSORES ANTE O CORPO PULSIONAL

CRISTIANA CARNEIRO

Era uma quinta-feira quando entrei na sala da direção e fui convocada a intervir numa cena caótica. A escola era pequena, destinada somente ao primeiro segmento do ensino fundamental, mas o desespero da professora era enorme a ponto de os gritos ecoarem até o final do corredor... "Por que ele não para quieto? Eu não aguento mais" – repetia com insistência a professora, numa cena clara de descontrole. A diretora, por sua vez, desolada, parecia não ter mais forças para intervir numa situação talvez não tão atípica. Não pude mais sair da sala e, antes mesmo de expor a proposta de trabalho de pesquisa, razão da ida à escola, uma verdadeira enxurrada de descontentamentos desfilou num discurso que me fez de testemunha. O mal-estar era patente e a água com açúcar – que rapidamente uma colega trouxe – não fez mais que dar uma pausa mínima na docente enquanto a boca estava ocupada. Se esta foi uma cena certamente intensa, ela espelha um mal-estar recorrentemente enunciado pelos professores. Alunos que não param quietos, não prestam atenção, não copiam do quadro, enfim, uma miríade de queixas que parece dificultar sobremaneira o cotidiano escolar. Despreparo da escola? Novas patologias da infância?

Indo nessa direção, tenho como objetivo neste capítulo refletir sobre o fazer pesquisa a partir do mal-estar de educadores ante a criança e o adolescente ditos irrequietos. Pergunto sobre os aspectos que poderiam estar subsidiando a produção desse mal-estar e a impossibilidade de acolhimento pelo educador do excessivo pulsional, traduzido por inquietude e, não poucas vezes, hiperatividade. A partir do discurso de educadores, através de um recorte de duas pesquisas de campo, *Corpo pulsional posto à prova pela escola: retratos da medicalização do mal-estar* e *Formação de professores: infância, adolescência e mal-estar na escolarização*, analiso as estratégias que os professores utilizaram para lidar com o mal-estar gerado no encontro com os alunos chamados inquietos e desatentos.

Pesquisar psicanálise e educação

Fazer pesquisa é se embrenhar em uma trajetória que tem como meta iluminar algum aspecto da realidade. Seja predominantemente teórica ou empírica visa aprofundar a compreensão dos fenômenos. Em que pesem a longa discussão já estabelecida entre aquilo que pode se considerar científico ou não e o debate acalorado entre o campo das humanidades e o da natureza, alguns pontos são unânimes no fazer acadêmico. Toda boa pesquisa deve ter um objeto, quanto mais especificado e bem recortado, mais será factível o compreender de forma aprofundada. Se pesquisar é escrever uma trajetória, esse trajeto não pode prescindir de uma bússola, já que corre o risco de se perder. A bússola se configura no problema de pesquisa, motor, ponto de partida e também, de certa forma, de chegada, pois, em última instância, visamos a respondê-lo, mesmo que parcialmente.

Sem uma boa questão, uma questão verdadeira, como diria Blanchot,[1] fica um pouco sem sentido empreender tantos esforços. Pesquisar é custoso, leva tempo, exige um somatório de energia tanto dos pesquisadores quanto da instituição. Como vamos responder ao problema configura o método, ou seja, de que formas vamos ser capazes de, ao escrever uma resposta, construir conhecimento. Ainda que inseridos no campo da

---

[1] BLANCHOT, M. *A conversa infinita*: a palavra plural. São Paulo: Escuta, 2001.

subjetividade, buscamos uma objetividade, rigor e relação com a verdade que nos afaste da opinião. Construir conhecimento na universidade, então, é se afastar da *doxa*. Ainda que possamos refletir, já que para a psicanálise, assim como para a pesquisa social, "a objetividade encontra-se ressignificada para a busca pela singularidade, e não pela replicabilidade".[2]

Em outro trabalho, em que pude discutir a metodologia de estudo de casos múltiplos,[3] apontei para a importância da representatividade na escolha do caso. Nesse sentido, busquei o caso representativo, ou seja, aquele que supostamente representaria melhor o universo de interesse.[4] No entanto, ainda que este tenha sido um princípio norteador metodológico, ao utilizarmos a psicanálise como teoria de referência, sabemos que a singularidade terá sempre um lugar de destaque na compreensão do caso. Num sentido diferente do modelo médico para o qual "o caso remete ao sujeito anônimo que é representativo de uma doença [...] para nós, ao contrário, o caso exprime a própria singularidade do ser que sofre e da fala que ele nos dirige".[5] Se a singularidade é um ponto importante na pesquisa em psicanálise, é também porque ela pode ser dialetizada com outras singularidades, com casos publicados, com a teoria mais geral, seja para afirmar sua diferença, seja para mapear as aproximações. Isso quer dizer que a replicabilidade está descartada em nossas pesquisas, mas uma espécie de análise comparativa se faz necessária, seja interna ao dispositivo da pesquisa, seja mais exterior, como ao articular-se a experiência de campo e o arsenal teórico. Como diz Verztman,[6] "nas

---

[2] SOUZA, B. J. et al. "A Roda de Conversa como dispositivo ético-político na pesquisa social". *In:* LANG, C.; SOUZA BERNARDES, J.; TEIXEIRA RIBEIRO, M. A. et al. *Metodologias*: pesquisas em saúde, clínica e práticas psicológicas. Maceió: EDUFAL, 2015, p. 20.

[3] CARNEIRO, C. "O estudo de casos múltiplos: estratégia de pesquisa em psicanálise e educação". *Psicologia USP,* vol. 29, n. 2, pp. 314-321, 2018. Disponível em: https://dx.doi.org/10.1590/0103-656420170151. Aceso em: 15 jul. 2020.

[4] YIN, R. K. *Estudo de caso*: planejamento e métodos. Porto Alegre: Bookman, 2005, p. 63.

[5] NASIO, J. D. *Os grandes casos de psicose*. Rio de Janeiro: Jorge Zahar, 2001, p. 11.

[6] VERZTMAN, J. S. "Estudo psicanalítico de casos clínicos múltiplos". *In:* NICOLACI-DA-COSTA, A. M.; ROMÃO-DIAS, D. R. (orgs.). *Qualidade faz diferença*: métodos qualitativos para a pesquisa em psicologia e áreas afins. Rio de Janeiro: Loyola, 2013, p. 69.

ciências humanas, um caso é um aspecto da realidade que será investigado e que deve ter certas características regulares".

Mesmo que os resultados de nossas pesquisas sejam ricos e incrementem as práticas, sua aplicabilidade não deve ser posta a princípio, ou seja, ser sua finalidade. Nessa ótica, nos afastamos do conhecimento técnico. Como explicar isso a um entorno que visa à finalidade imediata, à aplicabilidade e ao resultado econômico? Construir conhecimento científico hoje é, de certa forma, nadar contra a corrente no mundo atual. Dito isso, para destacar brevemente a complexidade do pesquisar acadêmico, podemos pensar o que seria fazer pesquisa entre dois campos disciplinares. Um campo disciplinar geralmente leva décadas ou séculos para se constituir, e o faz se distanciando de outro campo no qual fundamentou sua origem.

Um campo constituído é aquele que já passou por idas e vindas, acertos e erros, abandonos e adesões, repetições e criações originais. Apesar de não haver unanimidade absoluta em um campo – pois, como já dizia o poeta, a unanimidade é burra –, há uma espécie de espinha dorsal reconhecida pelo meio acadêmico-científico e pelos pares. Há uma espécie de identidade, por mais que possamos questionar esse termo, que traz alguma integração ao campo. A espinha dorsal de um campo teórico é geralmente aquilo que sustenta o edifício e a partir do que se define estar fora ou dentro daquela circunscrição. Todas as vezes que nos afastamos demais recorremos a ela para uma realocação mais afinada ou para a saída em definitivo. A questão é que esse ir e vir dentro de um mesmo campo disciplinar, embora difícil, movimenta-se em um terreno mais assegurado. Quando se faz entre dois campos, muitas vezes caminha sobre areia movediça...

Nas bordas

Fazer pesquisa em psicanálise e educação não é uma tarefa simples. A começar pela própria forma que nomeamos essa tentativa de articulação. Psicanálise na educação, psicanálise da educação ou psicanálise e educação? Se formos aos currículos dos cursos, tanto na Psicologia quanto na

Educação, veremos que não há unicidade nas formas como chamamos essa aproximação. Pensar a psicanálise na educação, poderia nos indicar uma psicanálise outra, específica, aplicada ao educativo. Psicanálise da educação, de outro modo, poderia quase se confundir com um psicanalisar a educação. Como fazer um entrecruzamento rico, sem colonização de um saber sobre o outro? É nessa tensão que venho tentando trabalhar. Longe de pensar numa psicanálise aplicada, seja para uma finalidade preventiva no educativo, seja para explicar seu fundamento, encontramos um insistente questionamento quanto às contribuições possíveis entre os dois campos. Nesse sentido, psicanálise e educação seria uma forma de nomear os dois campos, mantendo entre eles uma certa força distintiva. A diferença disciplinar dos campos traz muita riqueza, mas também muitos embaraços. É nesse caldeirão vivo e fumegante que decidimos mexer a colher.

Se o saber disciplinar traz uma certa coesão entre teoria e prática, e as metodologias serão norteadas por uma espinha dorsal teórica, o entrecruzamento de dois campos sempre nos empurra a buscar uma certa ossatura naquilo que parece movediço. Como fazer pesquisa em psicanálise e educação e considerá-la psicanalítica? Em recente estadia pelo solo francês, pude constatar que as pesquisas na área por lá se encontram menos florescentes que aqui, no entanto, correm menos o risco de perder a espinha dorsal. Não poucas utilizam apenas metodologias há muito consagradas, como os grupos Pichon-Rivière, e se limitam a fazer clínica na educação. Sendo a clínica o campo de partida e fundamento da teoria psicanalítica, manter-se nesse terreno traria menos questões. Nesse sentido, tudo indica que provavelmente ousamos mais aqui no Brasil, criamos bastante, mas também corremos mais o risco de nos perder. A começar pela dificuldade em estabelecer os domínios e fronteiras, dentro até de uma mesma pesquisa, entre o interventivo e o tratamento do material produzido aí.

A espinha dorsal: o inconsciente

Se pesquisa e clínica em psicanálise andam juntas, a clínica ampliada não deixa de suscitar questões. Talvez o único ponto absolutamente unânime em relação ao entrecruzamento entre psicanálise e educação seja o inconsciente. No entanto, as maneiras de o considerar nas pesquisas são muito plurais. No recorte das pesquisas aqui apresentado, por exemplo, parti da premissa do inconsciente; no entanto, ele não é o ponto de chegada. Isso significa dizer que se parte dele (é tomado como pressuposto), mas o objeto da pesquisa não seriam as formações do inconsciente propriamente ditas: chistes, sintomas, sonhos e atos falhos. Nessa direção, o objetivo da pesquisa não visou a um acesso e alguma possível transformação a partir destas formações. Ao escolher o mal-estar como objeto, sabemos que não se trata de um conceito metapsicológico propriamente dito, mas de um termo escolhido por Freud[7] para evidenciar um constante estado de tensão entre o privado das pulsões e o público das exigências culturais. Tal relação entre indivíduo e civilização evidencia entre ambos uma espécie de hostilidade, reverberando para o sujeito numa constante "luta dentro da economia da libido".[8] Partindo, então, da premissa de uma tensão estrutural na relação entre o sujeito e a civilização, o objetivo é pensar sobre essa tensão, suas formas, seus contornos. Como aponta Kamers,[9] se o mal-estar é uma condição própria do humano, trata-se de refletir de que modo, em cada momento histórico, a civilização lida com este mal-estar. Dessa forma, não basta a constatação da existência do mal-estar, mas um aprofundamento implicado, no qual haja o reconhecimento de que expressa algo da verdade dos sujeitos participantes da cena educativa. Que o corpo inquieto e agitado dos alunos desestabilize e cause mal-estar na escola é algo de certa forma esperado, mas como lidamos com esse mal-estar é uma questão ética diante do contemporâneo consumo exponencial de substâncias psicoativas pelo público infanto-juvenil.

---

[7] FREUD, S. "O mal-estar na civilização". *In:* FREUD, S. *Edição standard brasileira das obras psicológicas completas de Sigmund Freud*. Rio de Janeiro: Imago, [1930] 1980.

[8] FREUD, S. "O mal-estar na civilização". *In:* FREUD, S. *Edição standard brasileira das obras psicológicas completas de Sigmund Freud*. Rio de Janeiro: Imago, [1930] 1980. Vol. XXI, p. 106.

[9] KAMERS, M. "A fabricação da loucura na infância: psiquiatrização do discurso e medicalização da criança". *Estilos Clínica*, São Paulo, vol. 18, n. 1, pp. 153-165, jan./abr. 2013.

Sexualidade infantil e mal-estar

As duas últimas décadas do século XX assistiram a um incremento significativo de encaminhamentos da escola à saúde mental, o que vem crescendo ainda mais nessa segunda década do século XXI.[10] Por que a escola vem encaminhando tantas crianças à saúde mental nas últimas décadas? Estaríamos assistindo a um aumento alarmante de patologias na infância ou compreender a inquietude e desatenção como índices de patologia estaria reduzindo a possibilidade de as compreender como novas linguagens do corpo e, portanto, de criar novas possibilidades de fazer com elas?

Ao nomear o sexual como pulsional, Freud[11] marca que a sexualidade humana, diferente do instinto animal, não se satisfaz como uma necessidade fisiológica, mas está sempre atrelada a uma dimensão de representação, de palavra, que dá forma à fantasia e ao desejo. Assim, a sexualidade humana só se configura a partir dos traços deixados pela infância, que também estão na base da constituição do próprio psiquismo.

Em 1919, em "Bate-se numa criança", Freud faz uma declaração importante dizendo que "o trabalho analítico só merece ser reconhecido como psicanálise quando consegue remover a amnésia que oculta do adulto o seu conhecimento da infância".[12] Nessa afirmação bastante contundente, Freud indica um caminho para a prática analítica, que se daria

---

[10] BOARINI, M. L.; BORGES. F. "Demanda infantil por serviços de saúde mental: sinal de crise". *Estudos de Psicologia*, Natal, vol. 3, n. 1, pp. 83-108, 1998. CAMPEZATTO, P.; NUNES, M.L.T. "Caracterização da clientela das clínicas-escola de cursos de Psicologia da região metropolitana de Porto Alegre". *Psicol. Reflex. Crít.*, Porto Alegre, vol. 20, n. 3, pp. 376-388, 2007. Disponível em: http://dx.doi.org/10.1590/S0102-79722007000300005. Aceso em: 15 ago. 2020. CARNEIRO, C.; COUTINHO, L. G. "O estudo de casos múltiplos: estratégia de pesquisa em psicanálise e educação". *Psicologia USP*, vol. 29, n. 2, pp. 314-321, 2018. Disponível em: https://dx.doi.org/10.1590/0103-656420170151. Aceso em: 15 jul. 2020.

[11] FREUD, S. "Três ensaios sobre a teoria da sexualidade". In: FREUD, S. *Edição standard brasileira das obras psicológicas completas de Sigmund Freud*. Rio de Janeiro: Imago, [1905] 1980.

[12] FREUD, S. "Uma criança é espancada: uma contribuição ao estudo da origem das perversões sexuais". In: FREUD, S. *Edição standard brasileira das obras psicológicas completas de Sigmund Freud*. Rio de Janeiro: Imago, [1919] 1980, vol. XVII, p. 230.

numa espécie de retorno à infância. Se esse modelo é nodal para a clínica psicanalítica e toda uma teorização foi desenvolvida para justamente possibilitar esse processo, tudo indica que ele não ficou restrito ao espaço da clínica. No subtítulo *o interesse educacional da psicanálise*, Freud[13] deixa claro que somente quem puder compreender e se aproximar do psiquismo das crianças será capaz de educá-las e, "nós, pessoas adultas, não podemos entender as crianças porque não mais entendemos a nossa própria infância". Continua dizendo que, graças à amnésia infantil, nos tornamos estranhos à nossa infância. O que podemos vislumbrar, a partir desses enunciados, é que numa perspectiva freudiana, educar pressupõe uma aproximação do adulto educador com a sua própria infância. Nesse sentido, tanto a clínica quanto a educação, ainda que de formas muito diferentes, deveriam ter como bússola operatória a aproximação do adulto ao infantil. A questão paradoxal desse modelo é que durante toda a sua obra, Freud denunciou a distância, as barreiras, os impedimentos, as dificuldades de tal aproximação.

Se hoje, diferentemente da época de Freud, nos parece mais familiar falar de sexualidade infantil, nada indica que seja mais fácil: os impedimentos e barreiras parecem persistir. Suchet[14] aponta que o movimento de resistência ante a postulação da sexualidade infantil foi sobretudo dirigido ao mal-estar diante da magnitude e inexorabilidade da força pulsional; o corpo enquanto lugar de escritura dessa força[15] se oferece como cenário propício a pensarmos a distância entre adulto e infantil. Embora o conceito de corpo em psicanálise seja bastante complexo, envolvendo diversas acepções, aqui privilegiaremos o corpo como o lugar do infantil,[16] mais particularmente naquilo que aponta para uma escritura do pulsional.

---

[13] FREUD, S. "O interesse científico da psicanálise". In: FREUD, S. *Edição standard brasileira das obras psicológicas completas de Sigmund Freud*. Rio de Janeiro: Imago, [1913] 1980, vol. III, p. 224.

[14] SUCHET, D. « *Encore sauvage ou la force du sexuel infantile* ». Paris: Universitaires de France-PUF, 2018. pp. 43-58. Disponível em: https://doi.org/10.3917/apf.181.0043. Acesso: 15 jul. 2020.

[15] LINDENMEYER, C. "O corpo, entre sintoma e cultura". *Revista de Psicopatologia Fundamental*, São Paulo, vol. 18, n. 3, jul/sept. 2015.

[16] LINDENMEYER, C. "O paradoxo do diagnóstico precoce de câncer". *Revista de Psicopatologia Fundamental*, São Paulo, vol. 9, n. 3, pp. 484-495, jul/sept. 2006.

O excessivo, então, demarcaria a magnitude da força pulsional e apontaria para os limites do domínio do eu. Se é em relação ao caráter desorganizativo e disruptivo da força[17] que encontramos toda a sorte de recusa e mal-estar ante a sexualidade infantil, não seria justamente porque isso nos reenvia para a nossa incompletude? A impossibilidade de domínio e controle definitivo do infantil em nós, não seria de certa forma relançada quando diante de uma criança que desafia o ideário de "criança completa"? Nossa hipótese então é de que o abismo que separa o educador adulto de sua própria infância estaria remetido à dificuldade e complexidade de nós, adultos, lidarmos com nosso próprio infantil, marca de nossa divisão constituinte.

Medicalizar o mal-estar

A ilusão de superação definitiva do infantil é cara numa cultura adultocêntrica,[18] em que o adulto é compreendido como uma espécie de modelo finalizado. Nesse sentido, o mal-estar do adulto ante o infantil poderia estar relacionado justamente à desilusão quanto à permanência e garantia de uma estabilidade definitiva. Ora, Freud[19] já tinha advertido que uma felicidade plena e a constância da *felicidade sempre* são vetadas aos sujeitos por sua própria constituição, já que a pulsão jamais será plenamente satisfeita enquanto vivermos. O mal-estar nesse sentido, para a psicanálise, é constituinte, e o corpo, enquanto pulsional, estará remetido a esse paradigma.

Em um sentido contrário, hoje, o mal-estar, ante o corpo pulsional, parece suprimido ou controlável numa leitura do corpo como organismo objetivado. Como nos apontam Guarido e Voltolini,[20] quanto mais a

---

[17] SUCHET, D. *Encore sauvage ou la force du sexuel infantile*. Paris: Universitaires de France-PUF, 2018. pp. 43-58. Disponível em: https://doi.org/10.3917/apf.181.0043. Acesso: 15 jul. 2020.
[18] CASTRO, L.R. de. *O futuro da infância e outros escritos*. Rio de Janeiro: 7 letras, 2013.
[19] FREUD, S. "O mal-estar na civilização". *In*: FREUD, S. *Edição standard brasileira das obras psicológicas completas de Sigmund Freud*. Rio de Janeiro: Imago, [1930] 1980. vol. XXI, p. 95.
[20] GUARIDO, R.; VOLTOLINI, R. "O que não tem remédio, remediado está?". *Educ.*

escola adere a um discurso em que predomina a visão biológica do corpo, mais o corpo pulsional se cala, no sentido de uma supressão de sua voz. Justamente porque o corpo pulsional é historicizado, forma-se a partir da relação com os outros e das formas e sentidos, sempre idiossincráticos, que a sexualidade infantil desenhou. Esse corpo subjetivo, de palavras, e constituído na história de um sujeito vai na contramão da imagem estática e fria do organismo representado no livro, objetivado numa descrição anátomo-fisiológica por exemplo. Se essas duas racionalidades têm sua importância e se articulam a diferentes práticas no mundo ocidental, podemos perguntar porque o corpo objetivado, biológico, tem prevalecido na compreensão da cena educativa. O corpo inquieto, nessa direção, denotaria uma disfunção e apontaria para uma patologia, não poucas vezes farmacologizada. O problema aqui não são os cuidados, certamente, é a ilusão de erradicação do mal-estar, como se fosse possível vivermos em um mundo pleno, onde a felicidade também pudesse ser atingida de forma cabal e definitiva. Endossando essa lógica, a escola estaria também corroborando uma lógica perversa de anulação do sujeito, já que, para encarnar a total normalidade, felicidade e adaptação, teríamos de abrir mão de nossa própria humanidade constituída também pelo que não se representa, pelo limite, pelo inconsciente como jamais suplantado.

A partir disso, em consonância com os achados das pesquisas, pudemos encontrar duas formas preponderantes e diferenciadas do fazer com o mal-estar: a) erradicação do mal-estar numa redução do corpo ao organismo (ilusão de uma civilização sem mal-estar e da existência real de uma criança para a qual nada faltaria – negação do corpo pulsional); b) constatação do mal-estar para fazer dele um motor, acolhimento do corpo pulsional (mal-estar como pressuposto civilizatório, a criança como ideal, "fantasmada" – a falta como motor).

Essa diferença, longe de ser neutra, produz nuances muito significativas no encaminhamento da questão. Na análise do material de campo da pesquisa da qual partiram essas inquietações, por exemplo, ao mapear as estratégias dos educadores frente ao mal-estar, pudemos

---

rev., vol. 25, n. 1, pp. 239-263, 2009. Disponível em: http://dx.doi.org/10.1590/S0102-46982009000100014. Acesso em: 15 ago. 2020.

encontrar essas diferentes formas de fazer com o mal-estar. Na primeira delas, encontramos grande aliança com a perspectiva medicalizante, já que, muitas vezes, o encaminhamento à saúde mental residia na crença de que o saber médico, geralmente através do remédio, acabaria por produzir "a criança completa", devolvendo-a para a escola "sem defeitos". Podemos ouvir no discurso de uma diretora, por exemplo, sobre um aluno cujo "defeito" estava na inquietação. Disse ela: *ele melhorou 100% e não consigo imaginá-lo sem o remédio*.[21] Há nessa frase uma espécie de associação direta entre o aluno desejado e o remédio, e o quanto imaginar algo diferente disso seria impensável para essa educadora. Justamente o corpo pulsional, aquele que carrega as marcas do sexual e que suplanta qualquer redução organicista, fica descartado num discurso em que a inquietude não pode ser tolerada nem imaginada.

O curioso nesse caso é que a incômoda inquietação, compreendida como patologia, não interferia absolutamente na aprendizagem escolar, era um aluno com ótimos resultados. Quando estava sem o uso do medicamento, segundo a família, continuava a ser um grande leitor, a desenhar, a interagir com os colegas, só que parava *"pouco quieto"*. Na perspectiva de que o discurso comporta ideais e que a subjetivação se faz a partir desse referencial,[22] Evandro não passará ileso à constante pressão da escola quanto ao uso do medicamento. As diferentes nomeações patologizantes no decorrer de sua trajetória escolar, a partir de um olhar psicanalítico, terão efeitos sobre ele.

Estratégias medicalizantes: descarte, localização no aluno, dessubjetivação

O mal-estar pode ser incluído como uma produção legítima no seio das relações entre o individual e o coletivo? Há espaço para se falar sobre o mal-estar dentro do dispositivo escolar, sendo incluído como

---

[21] Relatório de observação, Evandro – 9 anos – 25/03/2013.
[22] CAREGNATO, R.C.A.; MUTTI, R. "Pesquisa qualitativa: análise de discurso versus análise de conteúdo". *Texto Contexto Enfermagem*, Florianópolis, vol. 15, n. 4, pp. 679-84, 2006.

produção desse próprio dispositivo e os sujeitos que dele participam? Esses questionamentos são muito importantes, pois nos ajudam a pensar como a escola está fazendo com o mal-estar. Se não há uma escola universal, tampouco educadores iguais, há algumas tendências que podem ser encontradas a partir de ressonâncias discursivas.

O discurso de educadores trazido no presente capítulo, como mencionado, provém de três pesquisas realizadas no Rio de Janeiro, uma já finalizada e duas em andamento. A primeira, um estudo de casos múltiplos, teve como objeto de pesquisa cinco crianças/adolescentes encaminhadas da escola à saúde mental e acompanhadas durante dois anos pelo projeto. O discurso referente ao mal-estar na escolarização foi analisado a partir de quatro grandes eixos – criança/adolescente, família, escola, especialistas.[23]

Em 2017, a pesquisa *Corpo pulsional posto à prova pela escola* continuou trabalhando com o banco de dados da primeira, em articulação à pesquisa-extensão *Formação de professores: infância, adolescência e mal-estar na escolarização*, que realiza oficinas com educadores de escolas públicas do Rio de Janeiro acerca da temática do mal-estar. O objetivo interventivo desses grupos é criar um espaço de circulação de palavra e escuta clínica qualificada a fim de construir saídas para o mal-estar. Todas as oficinas são gravadas e transcritas; além do coordenador, dois observadores participantes escrevem um relato sobre elas, criando um material de entrecruzamento importante em relação ao estudo de casos, já que *a posteriori* também são construídas categorias analíticas. A utilização de várias fontes visou à triangulação, buscando linhas convergentes de investigação e encadeamento de material.[24]

As três pesquisas se inserem na perspectiva da pesquisa-intervenção[25]. A pesquisa-intervenção nas ciências humanas parte da premissa comum

---

[23] CARNEIRO, C.; COUTINHO, L. G. "O estudo de casos múltiplos: estratégia de pesquisa em psicanálise e educação". *Psicologia USP*, vol. 29, n. 2, pp. 314-321, 2018. Disponível em: https://dx.doi.org/10.1590/0103-656420170151. Aceso em: 15 jul. 2020.

[24] YIN, R. K. *Estudo de caso*: planejamento e métodos. Porto Alegre: Bookman, 2005.

[25] CASTRO, L. R.; BESSET, V. L. *Pesquisa-intervenção na infância e juventude*. Rio de Janeiro: NAU, 2008.

de que os sujeitos humanos se constituem no âmbito das práticas de significação, sempre numa situação partilhada com outros, sejam adultos, jovens ou crianças. A palavra ou qualquer ação do pesquisador se realiza na interlocução continuada com os sujeitos através da construção de sentidos para as situações vividas. Nesse sentido, as pesquisas possuem também um viés clínico, sustentado nos pressupostos da psicanálise, naquilo que se pode pensar como clínica ampliada.

Em relação à análise do material, a grande vantagem do *a posteriori* como estratégia analítica, que se coaduna ao fazer psicanalítico, é um certo esvaziamento do saber: ouvirmos o discurso pelo discurso, deixando-nos afetar por aquilo que ele traz de novo, de diferente, de inusitado. Aqui, a postura do pesquisador clínico empresta aquilo que Freud[26] chama de atenção flutuante, para que a voz do sujeito pesquisado se sobrepuje à do pesquisador. Ainda que as pesquisas tenham um *design* bastante diferente, tem como tema o mal-estar, e, em sua fase analítica, criaram uma categoria *a posteriori* que se interessava em mapear as formas de fazer com o mal-estar.

Para fins do presente texto, apenas o eixo escola (discurso de educadores, relatórios escolares, diários de observação na escola, transcrições de oficinas com professores) será aprofundado e desdobrado a partir da categoria *Estratégias da escola frente ao mal-estar*. Nesse sentido, intenta-se apresentar uma reflexão que aproxima e ao mesmo tempo distancia os trabalhos de campo, naquilo que eles podem contribuir para um aprofundamento sobre as estratégias ante o mal-estar trazidas pela voz de educadores.

Se o corpo pulsional evidencia a luta entre o indivíduo e a cultura, como criar espaços que reconheçam a legitimidade dessa luta? A inquietude pode também ser compreendida como forma de expressão desse difícil equilíbrio entre a renúncia e a satisfação? O corpo que transborda, inquieto, que não cabe no enquadre escolar, pode ser acolhido **na escola**? Trazemos um trecho que evidencia o **fora da escola**, por

---

[26] FREUD, S. "Recordar, repetir e elaborar". *In:* FREUD, S. *Edição standard brasileira das obras psicológicas completas de Sigmund Freud*. Rio de Janeiro: Imago, [1914b] 1980.

retratar uma situação com certa recorrência. Podemos ler na fala da diretora sobre um aluno "difícil" acompanhado pelo projeto:

> José havia se comprometido a ir pelo menos às terças e sextas para a escola. Pergunta a Silvia se isso seria possível, ao que ela responde: "Eu posso até permitir, mas isso não vai funcionar" (*sic*). Ela diz, então, que seria melhor que ele fosse para PEJA, porque tal modalidade de ensino seria mais adequada para pessoas que, como José, têm dificuldade de concentração, já que as turmas têm menos professores e são acompanhadas mais de perto pelos mesmos.[27]

No contexto de acompanhamento, essa cena ilustra outras tantas. O *"Eu posso até permitir, mas isso não vai funcionar"* sugere uma espécie de descrédito posto a princípio. Logo a seguir, ela sugere um outro programa FORA daquela escola que, supostamente, seria mais adequado.

Aqui, algumas hipóteses podem ser aventadas. Como as leis de inclusão no Brasil definem como obrigatória a permanência desse aluno, a escola até concorda diante das pesquisadoras, mas rapidamente uma outra escola parece ser a solução. Nossa hipótese é que há uma espécie de "acolhimento" pró-forma e uma rápida estratégia de remoção do aluno. Cansaço diante de um aluno difícil?

O fato é que, na fala, "pessoas com dificuldade de concentração" ficariam melhores fora daquela escola. Parece-nos que a dificuldade de concentração aqui é entendida como um problema individual. Nessa lógica, o aluno ficaria melhor **fora da escola**, ou a escola ficaria melhor sem ele? Talvez porque a escola não possa falar do seu mal-estar diante da situação difícil ou talvez nem perceba seu próprio mal-estar, ela "saiba" prontamente que a outra escola é melhor. Nessa fala, nós podemos considerar como estratégia uma espécie de descarte do mal-estar: se desocupar desse aluno é sobretudo se desfazer do mal-estar que a relação com ele causa.

Num outro caso, a criança de cinco anos já estava na terceira escola, todas as transferências com alegações semelhantes. Nessas indicações de

---

[27] Diretora da Escola, Caso José, 13 anos, maio/2014, Relatório 4 eixos – 2014.

transferência e transferências de fato, predominou um discurso que justificava a saída do aluno para outra instituição mais "adequada" a ele. Em nenhum momento apareceu no discurso o mal-estar dos educadores diante do aluno, ou o esgotamento das estratégias pedagógicas e pessoais diante da criança; na maioria das vezes, era alguma característica do aluno que justificava a "inadequação".

Nesses casos, então, pudemos perceber que o mal-estar não aparecia positivado no discurso; o que podia ser enunciado era uma não adequação da escola à criança, como se existisse uma escola mais afeita àquele tipo de "clientela". Essa situação sugere uma negação do mal-estar estrutural,[28] uma vez que acredita que o bem-estar definitivo é viável em algum lugar. O discurso da transferência da criança para outro local, nesses casos, vinha com uma espécie de roupagem de "sabemos o que é melhor para a criança", mas, nas entrelinhas, algo indicava ser uma espécie de descarte. (Frases como *sei que a criança não quer ficar* ou *não a atendo porque "ela" não quer ficar*, ouvidas de uma professora de criança autista que não falava; ou ainda *aqui não posso dar a atenção que ele ou ela precisa, a escola X é menor*).

Num outro caso, o mal-estar não aparece descartado porque "deslocado" através de uma transferência, quase como um livramento espacial, mas absolutamente localizado num comportamento que é associado a uma falha orgânica:

> As orientadoras trouxeram a questão da melhoria significativa de Evandro quando medicado. A psicopedagoga Nilda informou que ele era "agitado", "não se acalmava", "passava por mim e não me via". Entretanto, após algum tempo, ela percebeu que Evandro a cumprimentava e ela o questionou se ele estava tomando algum medicamento, e ele afirmou que sim.[29]

Como vimos acima, a psicopedagoga demonstra o mal-estar causado pelo aluno por algumas razões: *ele era "agitado", "não se acalmava",*

---

[28] FREUD, S. "O mal-estar na civilização". In: FREUD, S. *Edição standard brasileira das obras psicológicas completas de Sigmund Freud*. Rio de Janeiro: Imago, [1930] 1980.

[29] Relatório de observação, Evandro – 9 anos – 31/07/2014.

"passava por mim e não me via". Porém, quando *ela percebeu que Evandro a cumprimentava*, resolveu perguntar ao menino *se ele estava tomando algum medicamento*. Não "ser visto" incomoda, sem dúvida, mas é necessariamente indício de patologia? A associação imediata entre cumprimentar/tomar remédio indica uma estratégia para lidar com o mal-estar ligada à medicação, num movimento que incide no apagamento das questões subjetivas do aluno, também de si mesma e do contexto. Como se o fato de não a ver ou não a cumprimentar, pudesse ser corrigido com a medicação e não tivesse relação com quaisquer outros fatores.

Nesse caso, especificamente, não só a psicopedagoga, mas a professora e coordenadora traziam constantemente a questão do medicamento. Nossa hipótese é que o fato de sermos pesquisadoras ligadas ao instituto de psiquiatria tenha, transferencialmente, impactado na forma discursiva, num sentido de "nos ajudarem" a acompanhar o uso do remédio. No entanto, ao longo dos dois anos, a partir de intervenções diversas e em diferentes contextos, podemos dizer que, nessa escola, mais do que nas outras, um discurso medicalizante circulava nos diferentes espaços da instituição, de uma forma mais generalizada.

É importante notarmos que, ao associar diretamente os atos cumprimentar/não cumprimentar ao uso do remédio, a educadora associa um comportamento a uma disfunção orgânica. O privilégio dessa forma de compreensão parece apagar outras possibilidades, já que nenhum outro elemento do contexto é trazido no discurso. Aqui, supomos que o corpo orgânico aparece como forma destacada de compreensão do gesto (cumprimentar/não cumprimentar), e que a preponderância dessa forma de inteligibilidade inviabiliza que se pergunte sobre a causalidade do gesto, justamente porque esta já é dada, como orgânica. Ao não ser viável a pergunta, não se incluem os atores participantes daquela cena, nem a educadora, nem a criança, nem as formas institucionais. Nessa direção, a preponderância do orgânico como forma de inteligibilidade da cena contribui para o não acolhimento do corpo pulsional, aquele que se produz na relação com o outro e que presentifica uma história. Ao associar o gesto a um disfuncionamento, apaga-se o contexto e sobretudo não se cria um espaço possível para que a própria educadora possa nomear o seu mal-estar diante de uma criança que não a cumprimenta.

Apoiadas em Guarido e Voltolini, podemos dizer que tal fala faz eco a um discurso médico

> em que o fenômeno subjetivo é visto pela lógica do funcionamento orgânico, a medicação aparece como reguladora da subjetividade, como elemento químico que reordena a desordem de um corpo não-adaptado a uma lógica discursiva que define ideais de produção e satisfação.[30]

Sim, pois a criança da norma, a esperada, é a que cumprimenta. Mas por que a fora da norma sugere prontamente patologia? Como vemos, abaixo, ainda que a mesma criança cumprimentasse num outro momento, isso não foi suficiente para que outra educadora modificasse o discurso:

> A diretora achou que ele estava sem remédio porque achou o comportamento dele muito retraído. Disse que, se ele estivesse no estado normal, iria nos fazer muitas perguntas, mas ele estava tímido, não falou nada, apenas nos olhou e nos cumprimentou cordialmente.[31]

O mal-estar apresentado pela diretora da escola aparece na hipótese levantada pela educadora: o aluno *estava sem remédio*, o que foi justificado pelo fato de a primeira ter achado *o comportamento dele muito retraído*. Mais uma vez, ainda que na fala de outra educadora, um comportamento (tímido) é atribuído ao não uso de medicamento. Não se leva em conta o retraimento diante da pesquisadora que estava na escola ou diante da diretora, que é uma figura de autoridade, tampouco que o aluno foi cordial no cumprimento. Fica sugerido, ainda, que o aluno evidencia, por meio do seu comportamento, um *estado anormal*.

O mais curioso nesse discurso é que, ao mesmo tempo em que há uma espécie de reconhecimento da curiosidade daquela criança,

---

[30] GUARIDO, R.; VOLTOLINI, R. "O que não tem remédio, remediado está?". *Educ. rev.*, vol. 25, n. 1, p. 256, 2009. Disponível em: http://dx.doi.org/10.1590/S0102-46982009000100014. Acesso em: 15 ago. 2020.

[31] Relatório de observação, Evandro – 9 anos – 31/07/2014.

rapidamente se passa a um discurso de normalidade, em que o modelo de aluno exemplar suplanta o que foi anteriormente dito.

A partir desses estratos de fala, sublinhamos duas estratégias dos educadores ante o mal-estar: uma que seria através do descarte e outra através de sua localização na criança. Na primeira, não há propriamente uma positivação do mal-estar no discurso, como se a transferência de escola fosse uma saída corretiva para o engano. Para uma criança específica, uma escola na medida, que lamentavelmente não foi aquela...Nesse caso, o que reafirmaria ser mais um descarte que uma boa recomendação, é a quantidade continuada de transferências. Na segunda estratégia, o mal-estar é localizado na criança, não tem relação com a escola, mas se relaciona a uma característica individual que pode ser controlada a partir do medicamento. Ainda que nesse caso o mal-estar seja positivado na criança, o educador não se diz totalmente excluído – sem dúvida, não da produção do mal-estar numa relação –, mas é convocado a avaliar, acompanhar se o remédio foi ou não dado ao aluno.

A terceira estratégia encontrada ante o mal-estar provocado pelo "fora do esperado" também aponta para uma localização do problema no aluno, a partir de uma patologia individual. No entanto, o destaque se daria para o aspecto de dessubjetivação que isso traz. Conjecturamos que, nesse caso, a dessubjetivação/subjetivação esteja mais presente no discurso por se tratar de um adolescente. Quando, no caso anterior da criança, atribui-se o cumprimentar ou não ao uso do remédio, certamente se apagam os sujeitos dessa cena; no entanto, essa é uma interpretação *a posteriori* das pesquisadoras. Isso significa dizer que não foi encontrada diretamente referida nas fontes primárias. Já no caso da adolescente, a dessubjetivação/subjetivação apareceu positivada na fala de mais de um educador, portanto, no discurso como fonte primária.

Acreditamos que essa diferença possa estar relacionada com a histórica "invisibilidade da infância",[32] ou seja, no caso das crianças, fica subentendido que os adultos sabem mais sobre elas do que elas mesmas. Por isso, a voz das crianças foi menos trazida no discurso dos educadores.

---

[32] CASTRO, L.R. de. *O futuro da infância e outros escritos*. Rio de Janeiro: 7 letras, 2013.

POR QUE ESTA CRIANÇA NÃO PARA QUIETA?...

Para refletir sobre a terceira estratégia, no acompanhamento de uma adolescente de treze anos, constantemente apareceu uma espécie de deslizamento entre agitação e problemas de aprendizagem. A palavra hiperativa apareceu mais de trinta vezes nos registros e a aprendizagem foi frequentemente relacionada a isso. O curioso é que muitas vezes também apareceram relatos de outra ordem, relacionando a não produção esperada a um ato de escolha da adolescente, mas essa reflexão ficou submergida na explicação agitação-aprendizagem como resultado de um disfuncionamento.

Em 23 de agosto de 2013, por exemplo, a professora I. faz uma reclamação via formulário para a orientação pedagógica da escola L. C., em que Ana estuda:

> Aluna indisciplinada, provocando tumulto e falta de vontade de acompanhar a aula, se rabiscando, batendo no colega, levantando o dedo para outro colega e uivando na sala (*sic* prontuário).

Em mais um relatório, sem identificação nem data, nenhuma mudança é relatada em seu comportamento:

> A aluna apresenta um comportamento agitado, não realiza tarefas solicitadas, na maioria do tempo mantém-se distraída com outras coisas, como por exemplo: pintar alguma coisa de forma aleatória no caderno (*sic* prontuário).

Em todos os relatórios anexados ao prontuário de Ana no serviço de psiquiatria, há sempre a mesma reclamação de que ela não consegue acompanhar as aulas por causa de sua agitação. No entanto, em nenhum deles há a especificação do que se entende por agitação. Em entrevistas com os professores de português e inglês, aparece o termo TDAH. Por outro lado, disse o professor de matemática: *que ela não tem nenhum problema, não faz o dever porque não quer.* E ainda diz que: *"Parece que ela quer ficar nas trevas, não quer encontrar a luz"* (sic).

O importante aqui não é julgarmos positiva ou negativamente o que o professor disse, mas acentuar que, nessa última fala, ele inclui de alguma forma a participação da aluna (*Parece que ela quer*). Ou seja, aqui a inquietude não aparece como consequência de uma disfunção orgânica, apesar do sujeito, mas a inclui na cena. A metáfora das trevas era também bastante pertinente, pois a aluna só se vestia de preto. Era como se esse professor pudesse ver que, para ela, poderia haver algum sentido nisso, ainda que sua função de mestre talvez fosse oferecer, para a aluna, *a luz*.

O fato é que, nesse caso, embora apareça também no discurso da escola um discurso mais subjetivado do mal-estar, a supremacia da agitação aludida ao TDAH pareceu calar as vozes. Na compreensão que rapidamente associa comportamento a remédio ou não aprendizagem a transtorno, pode-se refletir no consequente lugar do educador. Como apontam Guarido e Voltolini,[33] a entrada do remédio e da atribuição da não aprendizagem ao orgânico "se dá exatamente ali no lugar antes reservado ao professor, ou seja, não é o professor 'mais' o remédio, senão que o remédio 'menos' o professor". Para esses autores, essa confusão se traduziria numa crise atual da responsabilidade. Sim, pois qual o lugar do educador diante de um disfuncionamento? Auxiliar o médico, administrar o remédio, encaminhar para o serviço de saúde?

Portanto, a partir do discurso de educadores, nas três diferentes estratégias mapeadas ante o mal-estar produzido no encontro com o dito aluno inquieto e desatento – descarte, localização no aluno e dessubjetivação –, o papel do educador fica ou excluído (na primeira estratégia não há educador para aquele aluno) ou minimizado (o educador como acompanhante da evolução do transtorno nas duas outras estratégias).

Num sentido diferente, encontramos, apenas em uma escola contemplada pela pesquisa, uma recorrência expressiva de discursos que apontavam para estratégias ante o mal-estar que incluíam o próprio educador na situação. Paralelamente, falou-se menos de remédios e patologias. A posição dos pesquisadores nesse tipo de dispositivo – oficina – dentro da escola, mais distanciada do serviço de psiquiatria, produziu um discurso diferenciado em relação ao mal-estar. No entanto, como

---

[33] GUARIDO, R.; VOLTOLINI, R. "O que não tem remédio, remediado está?". *Educ. rev.*, vol. 25, n. 1, p. 257, 2009. Disponível em: http://dx.doi.org/10.1590/S0102-46982009000100014. Acesso em: 15 ago. 2020.

essa recorrência se deu em apenas uma de sete escolas onde ocorreram os grupos, supomos que a influência do lugar dos pesquisadores tenha sido menos determinante desse resultado que a especificidade dessa escola, a saber, uma instituição que forma professores e acolhe muitos projetos em parceria com universidades e que, portanto, apresenta como diferencial ante as outras escolas envolvidas, uma ampla abertura para a comunidade externa. Podemos ler de uma professora:

> Eu tô incomodada com eles na minha sala, porque eu não consigo atingir eles. Eu não tô conseguindo fazer uma atividade com eles. Eu falei assim: "Isso tá me incomodando". A Beth falou calma, não sei o quê. Isso está me angustiando, dos alunos ali que eu não tô conseguindo alcançar.[34]

Isso que não se encaixa, esse impossível que causa angústia, pode ser referido à relação entre a educadora e a criança (*eu não tô conseguindo alcançar*), o que situa o mal-estar dentro da escola e não fora dela. Nesse caso, o assunto lhe diz respeito e a põe a se questionar como fazer. O mal-estar aparece incluído na cena educativa, portanto, referido a uma relação. Aqui, parece que há uma espécie de acolhimento do seu próprio incômodo, que não é rapidamente descartado ou atribuído a uma patologia. Nessa estratégia, o que fica sublinhado é a localização do mal-estar dentro da escola, mais relacional, envolvendo também o professor. A criança perfeita é ideal, e a falta —por exemplo, o reconhecimento de não se estar atingindo as crianças — não é negada, mas subsidia um questionamento.

Se não há em uma escola um discurso que articule mal-estar e corpo exclusivamente em uma das dimensões descritas acima, podemos dizer que há preponderâncias. Estas podem se centrar mais no discurso particular de um educador, mas também ser uma tônica encontrada em vários educadores de uma mesma escola.

À guisa de conclusão

A defesa do adulto educador ante o incômodo causado pelo excessivo da criança/adolescente pode se articular à sua própria defesa

---

[34] Professora 1. Transcrição oficina EMBO, 17/10/2017.

ante o infantil, marcado pelo inacabamento. Diante da dinamicidade do infantil e da impossibilidade de sua supressão definitiva, que apontam para algo do incontrolável, a promessa contemporânea da regulação orgânica se oferece como promissora. Ilusão de controle, sem dúvida, não sem consequências. Ao analisar o discurso dos professores, vimos que pensar prioritariamente o corpo a partir de sua organicidade se articula a uma estratégia que localiza o mal-estar fora do ambiente escolar e pouco referido às relações que ali se estabelecem. Naquilo que chamamos de descarte – o aluno enviado para outra instituição –, o mal-estar nem chega a ser relacionado à escola de alguma forma. De outro modo, a localização do mal-estar no aluno, se por um lado, situa-o, de certa forma, na escola, minimiza o papel do educador e da escola na sua produção, individualizando a questão. A preponderância do orgânico, uma visão de funcionamento sem sujeito, dessubjetiva a cena e a reenvia ao saber médico, aquele que se ocupa dos transtornos. Nessa ótica, não há espaço para o corpo pulsional, historicizado, construído a partir do outro e na relação com ele. Quanto mais o corpo/organismo passa a ser a chave de compreensão da inquietude, menos o corpo/sujeito encontra espaços para falar de seu mal-estar.

REFERÊNCIAS BIBLIOGRÁFICAS

BLANCHOT, M. *A conversa infinita*: a palavra plural. São Paulo: Escuta, 2001.

BOARINI, M. L.; BORGES. F. "Demanda infantil por serviços de saúde mental: sinal de crise". *Estudos de Psicologia*, Natal, v. 3, n. 1, p. 83-108, 1998.

CAMPEZATTO, P.; NUNES, M.L.T. "Caracterização da clientela das clínicas-escola de cursos de Psicologia da região metropolitana de Porto Alegre". *Psicol. Reflex. Crit.*, Porto Alegre, vol. 20, n. 3, p. 376-388, 2007. Disponível em: http://dx.doi.org/10.1590/S0102-79722007000300005. Aceso em: 15 ago. 2020.

CARNEIRO, C. "O estudo de casos múltiplos: estratégia de pesquisa em psicanálise e educação". *Psicologia USP*, vol. 29, n. 2, p. 314-321, 2018. Disponível em: https://dx.doi.org/10.1590/0103-656420170151. Aceso em: 15 jul. 2020.

_____. "Infância e adolescência: Como chegam as queixas escolares à saúde mental?". *Educar em revista*, Curitiba, n. 56, pp. 181-192, 2015. Disponível em: http://dx.doi.org/10.1590/0104-4060.37764. Aceso em: 15 ago. 2020.

CAREGNATO, R.C.A.; MUTTI, R. "Pesquisa qualitativa: análise de discurso versus análise de conteúdo". *Texto Contexto Enfermagem*, Florianópolis, vol. 15, n. 4, pp. 679-84, 2006.

CASTRO, L.R. de. *"O futuro da infância e outros escritos"*. Rio de Janeiro: 7 letras, 2013.

CASTRO, L. R.; BESSET, V. L. *"Pesquisa-intervenção na infância e juventude"*. Rio de Janeiro: NAU, 2008.

FREUD, S. "Três ensaios sobre a teoria da sexualidade". *In:* FREUD, S. *Edição standard brasileira das obras psicológicas completas de Sigmund Freud.* Rio de Janeiro: Imago, [1905] 1980.

_____. "O interesse científico da psicanálise". *In:* FREUD, S. *Edição standard brasileira das obras psicológicas completas de Sigmund Freud.* Rio de Janeiro: Imago, [1913] 1980.

_____. "Introdução ao narcisismo". *In:* FREUD, S. *Edição standard brasileira das obras psicológicas completas de Sigmund Freud.* Rio de Janeiro: Imago, [1914a] 1980.

_____. "Recordar, repetir e elaborar". *In:* FREUD, S. *Edição standard brasileira das obras psicológicas completas de Sigmund Freud.* Rio de Janeiro: Imago, [1914b] 1980.

_____. "O inconsciente". *In:* FREUD, S. *Edição standard brasileira das obras psicológicas completas de Sigmund Freud.* Rio de Janeiro: Imago, [1915] 1980.

_____. "Uma criança é espancada: uma contribuição ao estudo da origem das perversões sexuais". *In:* FREUD, S. *Edição standard brasileira das obras psicológicas completas de Sigmund Freud.* Rio de Janeiro: Imago, [1919] 1980.

_____. "Além do princípio do prazer". *In:* FREUD, S. *Edição standard brasileira das obras psicológicas completas de Sigmund Freud.* Rio de Janeiro: Imago, [1920] 1980.

_____. "O mal-estar na civilização". *In:* FREUD, S. *Edição standard brasileira das obras psicológicas completas de Sigmund Freud.* Rio de Janeiro: Imago, [1930] 1980.

GUARIDO, R.; VOLTOLINI, R. "O que não tem remédio, remediado está?". *Educ. rev.*, v. 25, n. 1, p. 239-263, 2009. Disponível em: http://dx.doi.org/10.1590/S0102-46982009000100014. Acesso em: 15 ago. 2020.

KAMERS, M. "A fabricação da loucura na infância: psiquiatrização do discurso e medicalização da criança". *Estilos Clínica*, São Paulo, vol. 18, n. 1, pp. 153-165, jan./abr. 2013.

LINDENMEYER, C. "O corpo, entre sintoma e cultura". *Revista de Psicopatologia Fundamental*, São Paulo, vol. 18, n. 3, jul/sept. 2015.

_____. "O paradoxo do diagnóstico precoce de câncer". *Revista de Psicopatologia Fundamental*, São Paulo, vol. 9, n. 3, p. 484-495, jul/sept. 2006.

SOUZA, B. J. et al. « A Roda de Conversa como dispositivo ético-político na pesquisa social". *In:* LANG, C.; SOUZA BERNARDES, J.; TEIXEIRA RIBEIRO, M. A. et al. *Metodologias*: pesquisas em saúde, clínica e práticas psicológicas. Maceió: EDUFAL, 2015.

SUCHET, D. *Encore sauvage ou la force du sexuel infantile*. Paris: Universitaires de France-PUF, 2018. pp. 43-58. Disponível em: https://doi.org/10.3917/apf.181.0043. Acesso: 15 jul. 2020.

YIN, R. K. *Estudo de caso*: planejamento e métodos. Porto Alegre: Bookman, 2005.

NASIO, J. D. *Os grandes casos de psicose*. Rio de Janeiro: Jorge Zahar, 2001.

VERZTMAN, J. S. "Estudo psicanalítico de casos clínicos múltiplos". *In:* NICOLACI-DA-COSTA, A.M.; ROMÃO-DIAS, D.R. (orgs.). *Qualidade faz diferença*: métodos qualitativos para a pesquisa em psicologia e áreas afins. Rio de Janeiro: Loyola, 2013, pp. 67-92.

Parte V
A PESQUISA EM PSICANÁLISE E EDUCAÇÃO NO CAMPO DA ADOLESCÊNCIA

A ADOLESCÊNCIA NAS OCUPAÇÕES DE ESCOLAS: NOVOS ENLAÇAMENTOS NO DISCURSO?[1]

LUCIANA GAGEIRO COUTINHO
MARIA CRISTINA POLI

Entre os anos de 2015 e 2017, pudemos testemunhar um movimento social juvenil inédito no Brasil, o *Ocupa Escola,* que surpreendeu a todos tanto pela dimensão que alcançou quanto pelas estratégias políticas por ele adotadas. O movimento foi protagonizado por estudantes de escolas e universidades em todo o Brasil, ocupadas por eles como forma de protesto e resistência diante de medidas que ameaçavam a quantidade e a qualidade dos investimentos na educação, tomadas pelos governos em âmbito estadual e federal de forma intermitente neste período. O movimento teve sua primeira grande manifestação em São Paulo no ano de 2015, diante do risco de fechamento de quase cem escolas de nível médio proposto pelo

---

[1] Este capítulo foi escrito partindo de questões semelhantes às desenvolvidas no artigo "Adolescência e o *Ocupa Escola*: retorno de uma questão?", produzido pelas autoras e aprovado para publicação na revista *Educação e Realidade*. Contudo, diferentemente deste, o presente texto aborda a experiência da pesquisa a partir da abordagem dos discursos por Lacan.

governo estadual.[2] Depois teve grande expressividade no Rio de Janeiro em 2016, inicialmente em apoio à greve dos docentes da rede estadual e, por fim, constituindo-se como um movimento à parte, com suas assembleias e pautas próprias.

No final de 2016, o *Ocupa Escola*[3] se avolumou enormemente e se disseminou por mais de mil escolas em todo o Brasil, além de centenas de universidades, em repúdio à Proposta de Emenda à Constituição (PEC) 241, que limita os gastos públicos na área da educação, e a Medida Provisória (MP)746, que determina uma reforma no ensino médio no país. Nesse momento, as ocupações ganharam uma dimensão que surpreendeu e envolveu grande parte da sociedade, suscitando afetos de grande intensidade, seja do lado dos que as apoiaram, seja dos que se opuseram a elas. Como disse na ocasião a jornalista Eliane Brum,[4] em sua coluna no jornal *El País*, a "palavra encarnada" trazida por esses jovens há muito tempo não se fazia presente no campo dos embates políticos no Brasil.

Dentro desse escopo, como psicanalistas em diálogo com os campos da educação e da política, nosso interesse vai além da macropolítica que ocorre nos espaços públicos – e que também não é feita sem sujeitos e sem desejo –, mas concerne também à micropolítica que ocorre nas bordas entre os discursos sociais e os sujeitos por eles atravessados, sendo capazes de subvertê-los. Sabemos que os adolescentes vivem tal subversão intensamente, já que o trabalho da adolescência implica justamente transformar aquilo que recebemos como herança simbólica, tornando possível alguma apropriação singular disso, embora sempre marcada por algo de real que a transcende e a excede.

---

[2] CAMPOS, A.; MEDEIROS, J.; RIBEIRO, M. *Escolas de luta*. São Paulo: Veneta, 2016. (Coleção Baderna).

[3] O movimento foi bastante promovido e expandido através das redes sociais, principalmente pelo *Facebook*, em que podemos encontrar uma página nomeada *Ocupa Escola*, além de diversas outras criadas para cada ocupação de escola ou organização comunitária ligada ao movimento.

[4] BRUM, E. "Ana Júlia e a palavra encarnada". *El País*, Brasil, 31 out. 2016. Opinião. Disponível em: https://brasil.elpais.com/brasil/2016/10/31/opinion/1477922328_080168.html. Acesso em: 7 nov. 2016.

A ADOLESCÊNCIA NAS OCUPAÇÕES DE ESCOLAS

A revolta dos estudantes de 1968, de certa forma, já expressa a potência dessa subversão adolescente para a emergência do desejo em nome próprio que passa pela busca de desalienação das demandas do Outro. É nesse cenário do final dos anos 1960 que tanto Foucault quanto Lacan teorizam sobre os discursos, cada qual a seu modo, e sua participação no novo campo de embates de saberes e poderes em que a política passa a se dar. Mas é também nesse momento que assistimos a uma conjunção até então inusitada de novas relações sociais horizontais e solidárias entre estudantes e operários na luta contra diversas formas de opressão que vão além da esfera econômica e política, abarcando também a dimensão da cultura, da estética, dos afetos e dos saberes instituídos. Vale evocar aqui o que diz Calligaris a partir de sua própria experiência de 1968.

> As Revoluções (com R maiúsculo) não adiantam nada sem o esforço para sermos revolucionários (com r minúsculo), ou seja, sem o esforço para escapar da nossa própria paixão de regrar e controlar a vida concreta, a dos outros e a da gente.[5]

Acreditando na potência da psicanálise como dispositivo que pode contribuir no sentido de um olhar sobre a multiplicidade e abertura que os movimentos de 1968 incitaram,[6] somos instigadas a pensar sobre nosso atual contexto brasileiro. Referimo-nos especificamente aos recentes movimentos espontâneos conformados em grande parte por jovens, tais como as jornadas de 2013 ou diversos movimentos sociais desvinculados de partidos e demais representações institucionais que, desde então, tentam ganhar espaço no cenário político e têm sido desqualificados e deslegitimados de sua potência transformadora. Para além dos discursos fechados e extremistas que têm se disseminado hoje no campo da política, levando a leituras estanques a respeito do fracasso ou sucesso dos movimentos sociais, pensamos que a psicanálise pode contribuir para ampliar o espectro dessa

---

[5] CALLIGARIS, C. "Maio de 68, a revolução que deu certo". *Correio da APPOA*, n. 276, maio/2018. Disponível em: http://www.appoa.com.br/correio/edicao/276/8203maio_de_68_a_revolucao_que_deu_certo/584. Acesso em: 5 jul. 2018.
[6] BADIOU, A. *A hipótese comunista*. São Paulo: Boitempo, 2012.

discussão, o que tentaremos fazer aqui a partir de um olhar sobre a adolescência nas ocupações das escolas do Rio de Janeiro.

Por uma pesquisa em psicanálise no campo da educação

Situando-nos em dissimetria em relação ao fazer da ciência, consideramos que a pesquisa em psicanálise é pautada pelos princípios éticos que norteiam a sua clínica, tomando o desejo do analista (pesquisador) como aquilo que instaura a possibilidade da emergência de um saber. Nesse sentido, visamos a uma fala na qual o sujeito tenha lugar, levando-se em conta a transferência e o lugar simbólico ocupado pelo pesquisador na trama inconsciente tecida a partir da situação de pesquisa.[7] Não buscamos um saber prévio, mas sim possibilitar aos sujeitos da pesquisa formulá-lo a partir do laço transferencial com o pesquisador, e permitir que o inconsciente, que inclui o campo relacional e social estabelecido na pesquisa, possa se expressar.[8]

Partindo desses pressupostos, realizamos uma pesquisa,[9] entre 2016 e 2018, na interface entre a psicanálise, a educação e a política, com o objetivo de investigar e discutir os laços sociais presentes nas ocupações de escolas. A pesquisa teve início, de modo informal, já em 2016, quando acompanhamos, ativamente e com grande envolvimento, o movimento de ocupação de escolas no estado do Rio de Janeiro. Nesse momento, visitamos e participamos das ocupações de diversas escolas, seja através da simples doação de alimentos e conversas informais, até a realização de

---

[7] ROSA, M. D.; DOMINGUES, E. "O método na pesquisa psicanalítica de fenômenos sociais e políticos: a utilização da entrevista e da observação". *Psicologia & Sociedade*, vol. 22, n. 1, pp. 180-188, 2010.

[8] COSTA, A.; POLI, M. C. "Alguns fundamentos da entrevista na pesquisa em psicanálise. Pulsional". *Revista de Psicanálise*, ano XIX, n. 188, pp. 14-21, 2006.

[9] Trata-se da pesquisa intitulada *Adolescência, laço social e educação*, realizada no âmbito da Faculdade de Educação/Programa de Pós-Graduação em Educação da Universidade Federal Fluminense, coordenada por Luciana Gageiro Coutinho, contando com bolsistas de iniciação científica Pibic/Cnpq e Faperj. A pesquisa foi concluída durante a realização de um Pós-Doutorado com a professora Maria Cristina Poli no Programa de Pós-Graduação em Teoria Psicanalítica/UFRJ.

rodas de conversa planejadas em acordo com a organização do movimento. Entretanto, pela ausência de registro mais estruturado e da autorização dos participantes, não pudemos utilizar muito material desse contato inicial com os ocupantes, recorrendo apenas às memórias, fotografias e a pequenos diários de campo escritos após as visitas.

O material da pesquisa[10] propriamente dito derivou do encontro com adolescentes participantes das ocupações realizadas em escolas estaduais e federais do estado do Rio de Janeiro, através de duas fontes principais: 1) entrevistas individuais ou em grupo; 2) diários de campo escritos por aqueles que realizaram as entrevistas.[11] O encontro com os adolescentes foi feito após o término do movimento, através de contatos prévios com os participantes durante a ocorrência das ocupações ou através das redes sociais (troca de mensagens pelas páginas no *Facebook* das ocupações e de grêmios estudantis de escolas que foram ocupadas), e não foi mediado pelas escola, já que o movimento que se deu fora do funcionamento regular dessa instituição. A autorização para participação na pesquisa foi requerida (TCLE e TALA) e concedida pelos próprios jovens ou por seus responsáveis, quando se tratava de menores. Adotamos como critérios de inclusão/exclusão dos jovens na pesquisa os seguintes pontos: possuir entre 14 e 20 anos de idade, ter participado da ocupação da escola onde estuda ou estudava no momento e se dispor voluntariamente a falar sobre sua experiência. As entrevistas foram realizadas em espaços acordados entre os adolescentes e os pesquisadores, geralmente tomando como ponto de encontro inicial a entrada da escola, tendo como questão central a experiência da ocupação na vida do adolescente e em sua relação com essa instituição. Todas as doze entrevistas realizadas foram gravadas e posteriormente transcritas.

Nas entrevistas, exercitando uma escuta psicanalítica no campo da educação, assim como no *setting* analítico, consideramos a fala do

---

[10] A pesquisa foi aprovada pelo Comitê de Ética em Pesquisa/Plataforma Brasil sob o CAAE 63079016.6.0000.5243.

[11] Durante as ocupações também conversamos com os adolescentes ocupantes e foram realizadas algumas rodas de conversa. Mas essas falas não foram registradas, há registro apenas da experiência da coordenadora desta pesquisa, que não deixa de estar incluída nas observações sobre as ocupações relatadas aqui.

entrevistado em associação livre, e a atenção flutuante do pesquisador-psicanalista através de uma posição de saber *não-todo* que sustenta a própria dimensão do inconsciente e abre possibilidades para que o desejo se expresse. Inspirando-nos também na proposta de uma *escuta-flânerie* como dispositivo de pesquisa em psicanálise[12] através dos diários de campo, a experiência do pesquisador nas entrevistas também foi levada em conta, dando lugar para o imprevisível de cada encontro e para aquilo que pode se manifestar não somente através da palavra, mas também através do agir dos adolescentes na relação de pesquisa. Nesse sentido, o modo pelo qual essa relação se deu, considerando o fato de os adolescentes saberem que os pesquisadores vinham da universidade e/ou eram professores, tornou-se um material bastante pertinente no que diz respeito à observação de possíveis mudanças discursivas na escola e no campo da educação de modo mais amplo a partir do movimento das ocupações.

O trabalho com as falas dos ocupantes não visou à construção de categorias sobre o seu conteúdo de forma objetiva e neutra. Inspirando-nos na *atenção flutuante* como modo de escuta do analista tal como propõe Freud[13], foi feita uma *leitura flutuante* do material de campo, articulando-a a referências teóricas da psicanálise sobre a adolescência e o laço social. Assim, as falas que evocamos aqui não cumprem a função de demonstrar considerações teóricas, mas sim nos servem como inspiração para pensarmos a partir delas e para ilustrar aquilo que a pesquisa permitiu apreender.

O adolescente, o Outro e a educação

Para a psicanálise, como tem sido apontado por vários autores,[14] a puberdade impõe a construção de novos circuitos pulsionais a partir de

---

[12] GURSKI, R.; STRZYKALSKI, S. "A pesquisa em psicanálise e o "catador de restos": enlaces metodológicos". *Revista Ágora: Estudos em Teoria Psicanalítica,* Rio de Janeiro, n. 21, pp. 406-415, 2018.

[13] FREUD, S. "Recomendações aos médicos que exercem a psicanálise". *In*: _____. *Obras completas de Sigmund Freud*. Rio de Janeiro: Imago, [1912] 1996. vol. 12, pp. 111-230.

[14] ALBERTI, S. *O adolescente e o outro*. Rio de Janeiro: Jorge Zahar, 2004. COUTINHO, L. G. *Adolescência e errância*: destinos do laço social contemporâneo. Rio de Janeiro:

novos laços sociais, incluindo-se aí o exercício de uma posição sexuada. Podemos dizer então que o trabalho psíquico dos adolescentes é um trabalho de construção de bordas, que dão contornos à pulsão e são retificadas na adolescência, o que não se dá fora da cultura e do laço social, razão pela qual a pesquisa sobre a adolescência nos convoca sempre ao diálogo com outros campos do saber que tratam das relações humanas, sejam eles a educação, as ciências sociais e políticas, o campo jurídico, entre outros.

Numa visada freudiana, como já foi trabalhado por Kupfer,[15] para aprender/crescer é necessário superar o mestre – ou seja, tornar-se seu próprio mestre – a partir da apropriação de seus ensinamentos. Podemos pensar que esse conflito expressa um embate entre o sujeito e a educação, já que para crescer, leia-se também aprender, é necessário matar simbolicamente o mestre. Mais especificamente, a relação dos adolescentes com os educadores, de modo análogo à relação com os pais, é atravessada também pela queda de ideais e pelo desligamento da figura paterna, como observou Freud.[16] Essa relação de transferência aparece sob a forma de uma ambivalência do aluno em relação ao professor e, por outro lado, repercute sob a forma de um mal-estar recorrente na prática educativa com adolescentes. Assim, o adolescente pode tanto se identificar com o mestre quanto desqualificar sua autoridade.

A tensão entre a alienação e a separação, teorizada por Lacan,[17] é central na adolescência.[18] Dessa forma, podemos situar o paradoxo

---

Nau, 2009. POLI, M. C. *Clínica da exclusão*: a construção do fantasma e o sujeito adolescente, 2ª ed. São Paulo: Casa do Psicólogo, 2014. RASSIAL, J.-J. *A passagem adolescente*: da família ao laço social. Porto Alegre: Artes e Oficios, 1997.

[15] KUPFER, M. C. *Freud e a educação*. São Paulo: Scipione, 1996.

[16] FREUD, S. "Recomendações aos médicos que exercem a psicanálise". In: FREUD, S. *Obras completas de Sigmund Freud*. Rio de Janeiro: Imago, [1912] 1996. vol. 12, pp. 111-230.

[17] LACAN, J. *O seminário, livro 11:* os quatro conceitos fundamentais da psicanálise. Rio de Janeiro: Jorge Zahar, [1964] 1988.

[18] ALBERTI, S. *O adolescente e o outro*. Rio de Janeiro: Jorge Zahar, 2004. COUTINHO, L. G. *Adolescência e errância*: destinos do laço social contemporâneo. Rio de Janeiro: Nau, 2009. POLI, M. C. *Clínica da exclusão*: a construção do fantasma e o sujeito adolescente. 2ª ed. São Paulo: Casa do Psicólogo, 2014.

fundamental vivido pelo adolescente em relação ao mundo adulto: encontrar/confrontar para dele se separar, identificar-se para singularizar-se. O declínio das idealizações dos pais é alimentado pelo movimento de separação, de saída de uma posição de dependência e alienação vivida como mortificante, na adolescência. O adolescente vive sob a permanente ameaça de objetalização, e essa ameaça estará presente em todas as relações com os representantes do mundo adulto, o que se faz presente de modo marcante na escola.

O questionamento relativo ao lugar de mestria é intrínseco ao trabalho de desalienação em curso na adolescência. Nesse sentido, o professor é convocado a se posicionar em sua docência a partir de seu inconsciente, marcado pelo desejo e pela falta na sua relação com o saber. Por outro lado, o adolescente muitas vezes tenta desestabilizar aquele que ocupe um lugar de mestria, já que seu próprio trabalho subjetivo implica se separar e exige do professor a possibilidade de ser um mestre não-todo.[19]

Contudo, diante de um contexto que preconiza a técnica e a eficácia, quando o educador se retira e renuncia a ocupar esse lugar tão incômodo hoje, prevalece a anomia no laço educativo, deixando aberto assim o espaço para um discurso social legitimado pela ciência e pela racionalidade instrumental que estigmatiza, segrega e/ou vitimiza crianças e jovens.[20] Quando não há mais lugar para o ofício impossível do educador, muitas vezes entra em cena o médico, o juiz, o empresário, aliados ao poder do Estado ou do mercado, e os adolescentes são muitas vezes destituídos de sua palavra e de seus atos, sendo-lhes oferecida como única possibilidade de nomeação uma identidade patologizante, criminalizante ou, de alguma forma, marginalizante. Com isso, como observa Rosa,[21]

---

[19] PEREIRA, M. R. *O nome atual do mal-estar docente*. Belo Horizonte: Fino Traço, 2016.

[20] ROSA, M. D.; VICENTIN, M. C. "Os intratatáveis: o exílio dos adolescentes do laço social pelas noções de periculosidade e irrecuperabilidade". In: GURSKI, R.; ROSA, M. D.; POLI, M. C. (orgs.). *Debates sobre a adolescência contemporânea e o laço social*. São Paulo: Juruá, 2013, pp. 39-58.

[21] ROSA, M. D. *A clínica psicanalítica em face da dimensão sociopolítica do sofrimento*. São Paulo: Escuta, 2016.

corre-se o risco da naturalização do desamparo social, que apaga a força discursiva dos que a ele estão submetidos, de forma que, aliado ao desamparo social, produz-se o desamparo discursivo desses sujeitos adolescentes, silenciados e excluídos do campo de saberes e poderes.

Portanto, o trabalho da adolescência implica muitas vezes em atos de resistência e subversão em relação a discursos instituídos, de modo que ao campo subjetivo está sobreposto um campo político de embates e disputas com o qual o adolescente tem de se deparar. Assim, o lugar ocupado pela escola é fundamental enquanto espaço público potencial para a reconfiguração da rede simbólica na adolescência, propiciando novos encontros com o Outro e com os outros, novos enlaçamentos discursivos, o que não se dá fora do embate discursivo presente no campo social mais amplo que ali se atualiza.

Na ocupação: novos enlaçamentos no discurso?

Em contraste com o discurso dominante acerca dos embates inevitáveis entre os adolescentes e a escola, a rotina das escolas ocupadas era marcada pelo forte envolvimento dos ocupantes com a escola, seja nos cuidados com o seu espaço físico e com a manutenção da ocupação, seja na programação das atividades que ali se realizavam, ambos sustentados por regras e funções pactuadas e compartilhadas por todos. Diversas atividades educativas e culturais aconteciam na escola, programadas pelos próprios estudantes, muitas vezes com a colaboração de pais, professores e membros da comunidade do entorno que se ofereciam para contribuir. Durante a ocupação, a escola era gerida por várias comissões que se responsabilizavam por diferentes funções estabelecidas para garantir o funcionamento do espaço: a recepção, a cozinha, a limpeza, a segurança, a comunicação e o conteúdo pedagógico.

Quase sempre os adolescentes se mantinham no mesmo comitê ao longo de toda a ocupação, pois achavam que isso facilitava o aprendizado e a execução das tarefas. Mas, quando necessário, eram feitas trocas ou outros vinham ajudar a um comitê específico em um momento de maior necessidade, como era o caso da cozinha em momentos de grande movimento no horário das refeições. Havia um respeito absoluto pelo trabalho de cada comitê. O movimento caracterizou-se desde o início pela horizontalidade das relações, seja dentro de uma mesma escola, seja no que diz respeito às trocas com outros ocupantes, alavancadas em grande medida pelas redes sociais, que, sem dúvida ajudaram a consolidar as estratégias e a organização das ocupações no Brasil, também a partir da experiência de outros países como o Chile.

Nas conversas com os adolescentes participantes das ocupações de escolas, em sua maioria de ensino médio, alguns pontos nos chamaram a atenção e nos fizeram trabalhar a partir deles. Em primeiro lugar, cabe mencionar que, das doze entrevistas realizadas, apenas duas foram feitas individualmente. Apesar das pesquisadoras terem feito um contato prévio com cada adolescente individualmente, no momento da entrevista, foi recorrente o pedido para a participação de outro(a) companheiro(a) de ocupação para falar em conjunto.

Nesse sentido, foi interessante observar como cada pesquisadora reagiu a esse pedido, respondendo a ele com alguma resistência ou simplesmente acatando essa demanda como algo a ser compreendido na transferência constituída na situação de pesquisa. Algo semelhante também ocorreu a respeito da escolha do local onde ocorreria a entrevista. Inicialmente, os encontros foram marcados em frente à escola na qual o adolescente estudava. Na maioria dos casos, no entanto, o adolescente convidava a pesquisadora a entrar na escola, fazendo-a testemunhar sobre seu livre acesso à direção para pedir a autorização de entrada, bem como sua propriedade de transitar por vários espaços dentro da escola. Através desse ato, os adolescentes endereçavam-se à direção da escola como Outro da educação que lhes acolhia, autorizando-os a se pronunciarem. De modo semelhante, podemos supor que talvez a pesquisadora, advinda da universidade, também tenha sido posicionada na transferência de forma semelhante, já que, diante dela, não se sentiram acuados e se permitiram participar da construção da situação de pesquisa, seja propondo o lugar aonde seria feita a entrevista, seja convidando colegas a participarem.

Nas falas dos adolescentes, podemos destacar muitas menções a experiências tanto de identificação quanto de encontro com a alteridade nos laços sociais estabelecidos durante as ocupações. Por um lado, temos a referência à identificação, ao outro enquanto semelhante, presente em laços horizontais, de amizade, possibilidade de compartilhar experiências e ajudar-se mutuamente; por outro, temos a experiência do outro como alteridade, quando o outro aparece enquanto diferente e incita ao "senso de coletividade", tal como é nomeado pelos secundaristas.

> E eu vi aquilo e, cara, isso aí é a ocupação. É a união. E eu ficava olhando as pessoas fazendo tudo aquilo. É um sentimento de pertencimento, de orgulho. Isso aqui é ser aluno do X. Isso aqui é ser aluno e estar lutando pelo que a gente quer. (Sônia, 3º ano do ensino médio).[22]

> Se preocupar com coisas além do colégio, mas que tem muito a ver com a educação também, com o senso de coletividade [...]. Como você é um indivíduo, você vive tudo no micro. Quando você tá na ocupação, você acaba vendo um pouco mais no macro. (Marina, 3º ano do ensino médio).

A importância do lugar do semelhante na constituição do sujeito, assim como dos laços horizontais na sustentação do laço social, é bastante enfatizada por Kehl,[23] quando propõe uma "função fraterna". Com isso, a autora pensa a participação do semelhante como uma condição necessária e não contingente na constituição do sujeito. A experiência da fratria é tomada como uma reedição ao que se deu no estádio do espelho, promovendo a "socialização do narcisismo", tal como nomeia Assoun.[24] O irmão introduz para a criança a experiência da semelhança na diferença, que força uma reelaboração da relação especular com o eu ideal e produz um distanciamento da identificação alienante ao Outro. Já na adolescência "as experiências compartilhadas pela fratria confirmam

---

[22] Os nomes atribuídos aos entrevistados são fictícios e as escolas não foram identificadas, embora seja importante informar que todos os entrevistados são (ou eram na época das ocupações) alunos de escolas da rede pública de ensino, estaduais ou federais, situadas em diversas localidades do estado do Rio de Janeiro.
[23] KEHL, M. R. (org.). *Função fraterna*. Rio de Janeiro: Relume Dumará, 2000.
[24] ASSOUN, P.-L. *Leçons Psychanalytiques sur Frères et Soeurs – Tome 1*: Le Lien Inconscient. Paris: Anthropos, 1998.

e ao mesmo tempo relativizam o poder de verdade absoluta da palavra paterna, possibilitando ao sujeito reconhecer-se como criador de linguagem e/ou de fatos sociais".[25]

De fato, a partir da fala dos ocupantes, podemos pensar os laços identificatórios horizontais nas ocupações de escolas no sentido de dar sustentação a novas redes de significantes em que os sujeitos possam se dizer e se situar frente ao Outro na esfera extrafamiliar, por exemplo, "ser aluno da escola X" ou "ser do movimento dos secundaristas" com as novas implicações sociais que tais insígnias podem apontar. Além disso, como nos têm alertado alguns psicanalistas[26], o eixo horizontal das identificações, o sentido de fratria, pode ser importante para conceber modos de fazer frente a discursos sociais hegemônicos, excludentes e estigmatizantes que silenciam o sujeito ao lhe atribuir identidades totalizantes.

A forma como se pode testemunhar a construção de laços solidários, nos quais a diferença pode ter lugar, na relação entre os jovens que ocuparam as escolas indica uma possibilidade de abertura a uma outra lógica do que aquela presente na psicologia das massas. Diferente do que ocorre nos fenômenos de grupos instituídos, descritos por Freud[27], marcados pela regressão, pela ilusão de onipotência e por uma lógica identitária, que remete ao eu ideal, as identificações horizontais ali instituídas remetem à lógica fraterna, tal como proposto por Assoun[28] e Kehl.[29]

> Com a ocupação, eu conheci as pessoas de outros turnos que até hoje são os meus amigos. Eles saem comigo hoje. A gente combina.

---

[25] KEHL, M. R. (org.). *Função fraterna*. Rio de Janeiro: RelumeDumará, 2000, p. 44.

[26] KEHL, M. R. (org.). *Função fraterna*. Rio de Janeiro: RelumeDumará, 2000.
MUSATI, A. P.; ROSA, M. D. "Articulações entre psicanálise e negritude: desamparo discursivo, constituição subjetiva e traços identificatórios". *Revista da ABPN*, vol. 10, n. 24, pp. 89-107, nov. 2017-fev. 2018.

[27] FREUD, S. "Psicologia de grupo e análise do ego". *In*: FREUD, S. *Obras completas de Sigmund Freud*. Rio de Janeiro: Imago, [1921] 1977. vol. 13, pp. 87-179.

[28] ASSOUN, P.-L. *Leçons Psychanalytiques sur Frères et Soeurs – Tome 1*: Le Lien Inconscient. Paris: Anthropos, 1998.

[29] KEHL, M. R. (org.). *Função fraterna*. Rio de Janeiro: RelumeDumará, 2000.

A ADOLESCÊNCIA NAS OCUPAÇÕES DE ESCOLAS

> Eu falo sobre a minha vida com eles. Eles se sentem à vontade para falar sobre a vida deles também comigo. São pessoas de diversas idades e diferentes gostos, mas que eu me identifiquei de alguma forma. (Marina, 3º ano do ensino médio).
>
> Eu vejo uma pessoa do oitavo ano e eu falo "E aí, como que tá? Precisa de alguma ajuda?" Eu tenho essa liberdade, sabe? Acho que as pessoas também não estão naquela coisa de hierarquia. (Carolina, 3º ano do ensino médio).

A partir das falas acima, somos levados a supor que uma das marcas do laço social que ali se faz é o fato de se fundar em condição similar ao pacto fraterno, apoiado no trabalho comum de luto pelo pai/mestre destituído. Tal pacto, que está na base da democracia, implica o reconhecimento do desamparo, da falta e das diferenças entre seus membros, mais uma vez diferente do que se dá nos laços horizontais totalitários das massas, regidos pela lógica do idêntico e pela onipotência narcísica do eu ideal. Trata-se de uma aposta no viver coletivo para a construção de novos discursos que sustentem a renovação do pacto civilizatório. O sentimento de pertencer é evocado, mas não sem estar ancorado em modos singulares de ser e de estar, numa realização do singular no coletivo.

> A gente conseguia lutar pelos nossos direitos como aluno e tudo mais. O que faz muita diferença para mim, sabe? Querendo ou não, eu sou uma aluna negra, pobre, menina dentro de um colégio elitista, branco, que os homens prevalecem na questão da inteligência e tudo mais. E que as chances de eu estar dentro do colégio eram pouquíssimas, sabe? E ver também como o colégio como instituição, sem ser na ocupação, não estava preparado para ter um aluno assim que não se identificasse e não gostasse tanto, que não se sentia tão confortável, mas que está aí para ver e ocupar o espaço. Na ocupação, eu senti mais isso. Eu senti mais liberdade para mostrar quem eu era, para mostrar o que eu sentia, mostrar que eu era mais humana também [...] Não vou falar que eu estava fora desse mundo, mas eu me sinto mais dentro dele. Eu tenho essa sensação de que, no ambiente que eu vivo, eu pertenço mais a esse espaço como um indivíduo, como uma pessoa que tem características e que aceita isso. (Marina, 3º ano do ensino médio).

A partir da fala transcrita acima, a convivência entre os adolescentes ocupantes evoca o encontro do Outro em si próprio, através das experiências com a diferença na semelhança. Para além da identificação, a convivência entre os ocupantes na escola promoveu também o encontro com a alteridade. As falas dos ocupantes nos mostram uma oscilação entre identificação e singularização presente o tempo todo no movimento, denotando a tensão entre alienação e separação que se faz presente na relação do sujeito com o movimento.

A questão dos laços sociais é pensada por Lacan[30] através do conceito de discurso. Os discursos, para Lacan, designam formas de liame social fundadas na linguagem, o que permite analisar a coletividade e a relação entre os sujeitos como efeitos de sua inscrição no simbólico. Há um impossível radical na relação do sujeito e o Outro; o que os discursos visam produzir é um tratamento que permita que isso cesse de não se inscrever. Assim, o discurso como operador da relação social estabelece lugares, posições discursivas que se organizam e estruturam em relação ao impossível que é constitutivo dos laços. Dentre as instituições sociais, a escola sustenta na cultura sua função de produtora de laço social. Nesse sentido, a teoria lacaniana do discurso como laço social também se torna um operador para pensarmos o mosaico de práticas discursivas no contexto escolar.

Para introduzir a teoria dos discursos, Lacan[31] relembra os três os ofícios impossíveis apontados por Freud:[32] educar, governar e psicanalisar. A cada um deles, Lacan fez corresponder um discurso diferente, demarcando que os laços sociais expressam diferentes posições e são estruturados como linguagem. Aos três ofícios impossíveis freudianos, Lacan acrescenta ainda um quarto, o de fazer desejar, e assim descreve, respectivamente, os quatro discursos: o discurso do universitário, do mestre, do analista e da histérica. Os discursos são apresentados por Lacan

---

[30] LACAN, J. *O seminário, livro 17: o avesso da psicanálise*. Rio de Janeiro: Jorge Zahar, [1969-1970] 1992.

[31] LACAN, J. *O seminário, livro 17: o avesso da psicanálise*. Rio de Janeiro: Jorge Zahar, [1969-1970] 1992.

[32] FREUD, S. "Análise terminável e interminável". In: FREUD, S. *Obras completas de Sigmund Freud*. Rio de Janeiro: Imago, [1937] 1976. vol. 23, pp. 237-287.

como estruturas necessárias, que definem laços sociais, dispensando até mesmo as palavras. Em termos históricos, a postulação dos quatro discursos pode ser considerada como uma resposta de Lacan ao movimento de maio de 1968. Como observa Roudinesco,[33] Lacan adota uma posição claramente antimaoísta: a revolução, segundo ele, sempre acabava por engendrar um mestre mais feroz que o que ela havia, supostamente, abolido.

Em um dos seminários, Lacan[34] apresenta os quatro discursos, nos quais quatro termos fundamentais – objeto a, S_1, S_2 e \$ – articulam-se de modos diferentes. Os discursos representam quatro modos de laço social que demarcam, fundamentalmente, formas variadas de tratar o gozo, sendo referências diretas à noção de repetição desenvolvida por Freud.[35] Todos eles estão presentes no laço social, mesmo considerando que existem discursos preponderantes em algumas instituições, como a escola, o discurso universitário e o discurso do mestre.

O discurso universitário visa sempre à universalidade e, ao objetivar um conhecimento organizado e cumulativo, acaba apagando o desejo de saber. Segundo Jorge,[36] o discurso universitário vem demarcar justamente a ação de um processo de 'colonização', à medida que o outro é tratado enquanto um objeto e a partir do qual se quer produzir um sujeito conforme o saber constituído. Essa ação provoca o silêncio do sujeito, que se dissocia do seu saber e dos significantes primordiais de sua própria história. O sujeito se torna, nesta posição, um repetidor, um reprodutor de enunciados.

No discurso do mestre, o estudante, como todo trabalhador, tem que produzir alguma coisa.[37] Ordenado pelo mecanismo da identificação,

---

[33] ROUDINESCO, E. *Jacques Lacan*: esboço de uma vida, história de um sistema de pensamento. São Paulo: Companhia das Letras, 1994.

[34] LACAN, J. *O seminário, livro 17: o avesso da psicanálise*. Rio de Janeiro: Jorge Zahar, [1969-1970] 1992.

[35] FREUD, S. "Além do princípio do prazer". *In:* FREUD, S. *Obras completas de Sigmund Freud*. Rio de Janeiro: Imago, [1920] 1977. vol. 18, pp. 12-85.).

[36] JORGE, M. A. C. Sexo e discurso em Freud e Lacan. Rio de Janeiro: Jorge Zahar, 1988.

[37] LACAN, J. *O seminário, livro 17: o avesso da psicanálise*. Rio de Janeiro: Jorge Zahar, [1969-1970] 1992.

no discurso do mestre o sujeito procura formas de identificação com as quais possa se nomear para entrar na engrenagem da produção, apagando-se em sua singularidade. Tal discurso comparece na visão normalizante da política educativa, que massifica o sujeito e dissolve as diferenças. Trata-se da lógica da massa, da qual tratávamos anteriormente, em distinção à lógica fraterna.

As formas discursivas presentes no discurso do universitário e no discurso do mestre demarcam posições que, embora diferentes, são recorrentes na forma do sujeito/estudante estar na escola; nelas se exclui do laço a presença do singular e do desejo. Articulado a esses dois discursos, podemos perceber também o quanto o discurso capitalista, formulado por Lacan,[38] também está presente na escola na instrumentalização e individualização da relação dos alunos com o conhecimento. Como já apontou Voltolini,[39] a política educacional, tanto estatal quanto privada, regida por esse discurso, investe na padronização dos sistemas de ensino, alimentada pela outra face do discurso do capitalismo no campo educacional, o discurso universitário-científico. Configura-se, assim, um discurso do domínio e do poder do qual o sujeito com sua singularidade e desejo são excluídos, o que, supomos, só contribui para fomentar os desencontros do adolescente com o saber escolar.

Além disso, se a oferta de conhecimento deixa de se conectar com o campo desejante e se esgota em uma função acumuladora, utilitária e individualista, seguindo os princípios da lógica capitalista, ela cai no *nosense*, já que o sentido é algo que não pode ser encontrado fora de uma dimensão coletiva e, portanto, de uma tradição.[40] Logo, vale arriscar supor que, nas ocupações, pudemos testemunhar momentos de um resgate à significação coletiva do conhecimento, partilhado seja nas atividades para as quais eram convidados e recebidos aqueles que se dispuseram a estar

---

[38] LACAN, J. « Du discours psychanalytique ». In : LACAN, J., *Lacan en Italie*. Paris: Seuil, 1972, pp.32-55.

[39] VOLTOLINI, R. "Do contrato pedagógico ao ato analítico: contribuições à discussão da questão do mal-estar na educação". *Estilos da Clínica*, São Paulo, vol. 6, n. 10, pp. 101-111, 2001.

[40] VOLTOLINI, R. "O conhecimento e o discurso do capitalista: a despsicologização do cotidiano social". *Estilos da Clínica*, São Paulo, vol. 17, n. 1, pp. 106-121, 2012.

lá, seja nas rodas de conversa em que a palavra circulava e os saberes eram construídos horizontalmente entre os próprios ocupantes.

Pensamos, assim, que os laços fraternos possibilitaram, nas ocupações, um esteio para a construção de novas narrativas e para a restituição de redes discursivas nas quais o sujeito adolescente possa se localizar, a partir de articulações entre diversos saberes. Por outro lado, cabe considerar que a ocupação também trouxe algum mal-estar e experiências difíceis de nomear para os adolescentes que dela participaram. Há algo do real – termo lacaniano que se refere ao indizível – que parece comparecer e alimentar a mobilização e a adesão ao coletivo. Isso é enunciado através de falas sobre o que não se sabe bem dizer, explicar, mas que foi intenso, algo inédito, nunca antes sentido, que poderia trazer mal-estar, mas também os movia e os atraía fortemente a participar.

> [...] era muita pressão de fora, de dentro e de dentro delas mesmo. Eu acho que você não dá conta de aguentar isso durante três meses, é pesado. Eu acho que fiquei doente também por isso. Aí eu tive que dar um tempo para respirar, entender e voltar a vir pra cá. (Gabriela, 1º ano do ensino médio).
>
> Nos três primeiros dias, eu não dormi mesmo. Eu tive uma parada que eu nunca senti. Foi tipo uma angústia ou sei lá. Era uma coisa que eu precisava estar ligada a todo momento. Aí eu fiquei 'Caraca, eu nunca senti isso. Não sei o que está acontecendo' e eu ficava muito estressada. (Carolina, 3º ano do ensino médio).

Em contraste com a apatia que predomina no cotidiano escolar, o que pode ser pensado como efeito da presença maciça do discurso capitalista, os ocupantes mostram-se bastantes desejantes e enlaçados com o movimento da ocupação. Nas ocupações, assistimos ao questionamento dos universalismos e das imposições de modelos de forma hierárquica e burocrática, através de laços sociais marcados pelo desejo, o que nos permite também pensar a adesão ao movimento a partir do discurso da histeria, tal como proposto por Lacan.[41] Isso não desqualifica a potência

---

[41] LACAN, J. *O seminário, livro 17: o avesso da psicanálise*. Rio de Janeiro: Jorge Zahar, [1969-1970] 1992.

dos laços sociais estabelecidos a partir da identificação à falta e ao desejo do Outro, como já apontou Freud em 1921. Ao introduzir a noção de um discurso da histeria, Lacan aponta para a ideia de que a histeria não se define apenas pelo sintoma histérico, mas sim por um tipo de laço social, fundado pelo desejo.

Em ressonância às rebeliões de 1968, Lacan[42] responde aos estudantes ao denunciar, no movimento revolucionário, a aspiração por um novo mestre, aproximando-o, de certa forma, do discurso histérico[43]. Com base nas experiências das ocupações, podemos tentar avançar no sentido da construção de uma outra leitura disso. Há um laço que se faz a partir da partilha de um ideal inatingível e transitório, no sentido do esquema freudiano da fratria, que indicamos acima, ou aquele que se estabelece na identificação a um desejo, tal como o laço histérico formulado por Lacan. Este laço, segundo Soler,[44] remete à transferência almejada em uma análise em que o desejo produz saber, mas não se contenta com o mestre. Por isso, o trabalho do analista se orienta em direção à histericização do discurso. Assim, vale evocar a potência transformadora que tal discurso contém, posicionando no lugar do agente o sujeito do desejo, marcado pela castração, pelo seu não saber, que faz o movimento de dirigir-se ao mestre (S1) e produz saber (S2).[45]

Supondo que a ocupação abalou os mestres instituídos que orientam o funcionamento regular da escola, entre eles, a ciência, a burocracia e o capital, parece-nos que os adolescentes puderam produzir giros discursivos capazes de abalar laços sociais instituídos no cotidiano da escola. Enquanto as políticas educativas apostam ainda, muitas vezes, no mecanismo da servidão voluntária das massas, no qual o sujeito é anulado em nome do Um homogeneizante, nas ocupações, os estudantes

---

[42] LACAN, J. *O seminário, livro 17: o* avesso da psicanálise. Rio de Janeiro: Jorge Zahar, [1969-1970] 1992.

[43] FERREIRA, P. P. "Coletividade e histeria: psicanálise e manifestações sociais". *Revista Polis e Psique*, vol. 8, n. 2, pp. 67-92, 2018.

[44] SOLER, C. *O que faz laço?* São Paulo: Escuta, 2016.

[45] LACAN, J. *O seminário, livro 17: o* avesso da psicanálise. Rio de Janeiro: Jorge Zahar, [1969-1970] 1992.

A ADOLESCÊNCIA NAS OCUPAÇÕES DE ESCOLAS

nos falam de experiências singulares, inéditas, marcadas pela presença do corpo e do desejo, trazendo para o centro dos debates que aconteciam em grande parte das atividades temas da vida como sexualidade, lugar social, corpo, culinária etc.

Evidenciando um lugar para o sujeito do desejo no espaço escolar, os ocupantes nos fazem pensar sobre as questões relativas à transmissão. Ao fazer referência a diferentes experiências de relação com o processo de saber/aprender, eles indicam a distância entre o que ocorre no funcionamento regular da escola e o que se passou durante o momento das ocupações. Há, pois, que se observar a diferença entre um saber prévio que dispensa o sujeito de seu processo de construção e aquele que, sendo fruto da experiência, o inclui por princípio.

> A gente teve um monte de aprendizado do tipo... A gente não teve um aprendizado muito acadêmico, muito de matéria que a gente aprende na escola. Mas a gente teve aprendizado de vivência do tipo saber viver com o outro, saber respeitar o tempo do outro também é muito importante. (Marina, 3º ano do ensino médio).
>
> Fazer da escola um espaço geográfico que você usa para um determinado fim. A gente usava, antes da ocupação, para estudar e, depois, a gente usou também para aprender, só que outras coisas. A forma de ensinar mudou e a minha forma de aprender também mudou muito. (Gabriela, 1º ano do ensino médio).

Ao tocarem nas questões do ensinar e do aprender, os ocupantes interrogam a escola e o campo da educação através de elementos que parecem ser desconhecidos por ambos, mas que dizem respeito ao que, em psicanálise, se denomina transmissão. Consideramos que o campo da educação tem muito a ganhar se puder tirar consequências daquilo que os adolescentes ocupantes disseram sobre a experiência inédita com o saber proporcionada nesse movimento, experiência que partiu do não-saber vivido na adolescência e compartilhado por eles em direção à produção de saberes e discursos que lhes possibilitam novos enlaçamentos no Outro social.

Sendo assim, supomos que o movimento da ocupação de escolas promove uma perturbação na ordem discursiva estabelecida, produzindo mudanças que talvez a aproximem dos efeitos do discurso da histérica. A posição discursiva do estudante, nesse caso, parece reintroduzir a dimensão do desejo, excluído da ordem discursiva hegemônica no cotidiano escolar. Aqui a marca do discurso histérico aparece também pelo tom reivindicatório presente no movimento, fato este que faz interpelar tanto o discurso do universitário, quando o outro assume um lugar de objeto, como o discurso do mestre, quando o outro é tomado/ submetido ao saber do Outro.

Como afirmamos, encontramos no movimento da ocupação um laço social inédito na escola no qual o sujeito, com sua singularidade e o seu desejo, tem voz, ao mesmo tempo em que surgem novos endereçamentos possíveis para isso. Isso permite aos adolescentes novos enlaçamentos discursivos que, muitas vezes, coincidem com o trabalho psíquico da adolescência na busca por novos Outros a quem endereçar seu desejo. Seja através da concepção de fratria, extraída do paradigma freudiano, seja pela proposição dos discursos em Lacan, entendemos que, na convergência entre os campos psíquico, educativo e político, as ocupações permitem pensar sobre a possibilidade de instauração de novos modos de fazer laço dentro da escola, protagonizados pelos adolescentes, que dão lugar ao desejo e ao singular na transmissão do saber.

A aproximação entre política, educação e vida nas ocupações nos remete à insistência do desejo em retornar à escola – a despeito dos discursos hegemônicos que nela se fazem presentes – através da recorrência de questões como sexualidade, feminismo, racismo e diversas formas de opressão social, subversões discursivas nas quais se entrelaçam as esferas educativa, subjetiva e política. Consideramos, portanto, que, sem efeitos visíveis nem alcances previsíveis, as ocupações produziram muitas mudanças. Trata-se de efeitos que não são passíveis de medir pela lógica da eficácia e dos resultados, tão presente no cotidiano escolar, mas que podem ser observados se pensarmos no que esse acontecimento proporcionou quanto à possibilidade de criar novos enlaçamentos discursivos que inscrevam o desejo no mundo.

REFERÊNCIAS BIBLIOGRÁFICAS

ALBERTI, S. *O adolescente e o outro*. Rio de Janeiro: Jorge Zahar, 2004.

ALBERTI, S.; ELIA, L. *Clínica e pesquisa em psicanálise*. Rio de Janeiro: Rios Ambiciosos, 2000.

ASSOUN, P.-L. *Leçons Psychanalytiques sur Frères et Soeurs – Tome 1*: Le Lien Inconscient. Paris: Anthropos, 1998.

BADIOU, A. *A hipótese comunista*. São Paulo: Boitempo, 2012.

BRUM, E. "Ana Júlia e a palavra encarnada". *El País*, Brasil, 31 out. 2016. Op*Ini*ão. Disponível em: https://brasil.elpais.com/brasil/2016/10/31/op*In*ion/1477922328_080168.html. Acesso em: 7 nov. 2016.

CALLIGARIS, C. "Maio de 68, a revolução que deu certo". *Correio da APPOA*, n. 276, maio/2018. Disponível em: http://www.appoa.com.br/correio/edicao/276/8203maio_de_68_a_revolucao_que_deu_certo/584. Acesso em: 5 jul. 2018.

CAMPOS, A.; MEDEIROS, J.; RIBEIRO, M. *Escolas de luta*. São Paulo: Veneta, 2016. (Coleção Baderna).

COSTA, A.; POLI, M. C. "Alguns fundamentos da entrevista na pesquisa em psicanálise". *Pulsional. Revista de Psicanálise*, ano XIX, n. 188, p. 14-21, 2006.

COUTINHO, L. G. *Adolescência e errância*: dest*In*os do laço social contemporâneo. Rio de Janeiro: Nau, 2009.

FACEBOOK. "*André Maurois em luta*". Disponível em: https://www.facebook.com/ocupaandremaurois/. Acesso em: 20 nov. 2016.

FERREIRA, P. P. "Coletividade e histeria: psicanálise e manifestações sociais". *Revista Polis e Psique*, vol. 8, n. 2, p. 67-92, 2018.

FREUD, S. "Recomendações aos médicos que exercem a psicanálise". *In*: _____. *Obras completas de Sigmund Freud*. Rio de Janeiro: Imago, [1912] 1996. vol. 12, pp. 111-230.

_____. "Totem e tabu". *In*: _____. *Obras completas de Sigmund Freud*. Rio de Janeiro: Imago, [1913] 1974. vol. 13, pp. 11-191.

_____. "Algumas reflexões sobre a psicologia escolar". *In*: _____. *Obras completas de Sigmund Freud*. Rio de Janeiro: Imago, [1914] 1974. v. 13, pp. 245-250.

_____. "Além do pr*In*cípio do prazer". *In*: _____. *Obras completas de Sigmund Freud*. Rio de Janeiro: Imago, [1920] 1977. vol. 18, pp. 12-85.

_____. "Psicologia de grupo e análise do ego". *In:* _____. *Obras completas de Sigmund Freud*. Rio de Janeiro: Imago, [1921] 1977. vol. 18, pp. 87-179.

_____. "Análise termInável e IntermInável". *In:* _____ *Obras completas de Sigmund Freud*. Rio de Janeiro: Imago, [1937] 1976. vol. 23, pp. 237-287.

GURSKI, R.; STRZYKALSKI, S. "A pesquisa em psicanálise e o 'catador de restos': enlaces metodológicos". *Revista Ágora: Estudos em Teoria Psicanalítica,*Rio de Janeiro, n. 21, pp. 406-415, 2018.

JORGE, M. A. C. "Sexo e discurso em Freud e Lacan". Rio de Janeiro: Jorge Zahar, 1988.

KEHL, M. R. (org.). *Função fraterna*. Rio de Janeiro: Relume Dumará, 2000.

KUPFER, M. C. *Freud e a educação*. São Paulo: Scipione, 1996.

LACAN, J. *O semInário, livro 16:* de um Outro ao outro. Rio de Janeiro: Jorge Zahar, [1968-1969] 2008.

_____. *O semInário, livro 11:* os quatro conceitos fundamentais da psicanálise. Rio de Janeiro: Jorge Zahar, [1964] 1988.

_____. *O semInário, livro 17: o* avesso da psicanálise. Rio de Janeiro: Jorge Zahar, [1969-1970] 1992.

_____. Du discours psychanalytique ». *In:* LACAN, J. *Lacan en Italie*. Milão: La Salamandra, 1972, p. 32-55.

MUSATI, A. P.; ROSA, M. D. "Articulações entre psicanálise e negritude: desamparo discursivo, constituição subjetiva e traços identificatórios". *Revista da ABPN*, v. 10, n. 24, p. 89-107, nov. 2017-fev. 2018.

PEREIRA, M. R. *O nome atual do mal-estar docente*. Belo Horizonte: FIno Traço, 2016.

POLI, M. C. *Clínica da exclusão*: a construção do fantasma e o sujeito adolescente. 2. ed. São Paulo: Casa do Psicólogo, 2014.

RASSIAL, J.-J. *A passagem adolescente*: da família ao laço social. Porto Alegre: Artes e Oficios, 1997.

ROSA, M. D. *A clínica psicanalítica em face da dimensão sociopolítica do sofrimento*. São Paulo: Escuta, 2016.

ROSA, M. D.; DOMINGUES, E. "O método na pesquisa psicanalítica de fenômenos sociais e políticos: a utilização da entrevista e da observação. *Psicologia & Sociedade"*, vol. 22, n. 1, pp. 180-188, 2010.

ROSA, M. D.; VICENT. *In*: M. C. "Os *In*tratáveis: o exílio dos adolescentes do laço social pelas noções de periculosidade e irrecuperabilidade". *In:* GURSKI, R.; ROSA, M. D.; POLI, M. C. (orgs.). *Debates sobre a adolescência contemporânea e o laço social.* São Paulo: Juruá, 2013, pp. 39-58.

ROUDINESCO, E. *Jacques Lacan*: esboço de uma vida, história de um sistema de pensamento. São Paulo: Companhia das Letras, 1994.

SOLER, C. *O que faz laço?* São Paulo: Escuta, 2016.

VOLTOLINI, R. "Do contrato pedagógico ao ato analítico.: contribuições à discussão da questão do mal-estar na educação". *Estilos da Clínica*, São Paulo, vol. 6, n. 10, pp. 101-111, 2001.

_____. "O conhecimento e o discurso do capitalista: a despsicologização do cotidiano social". *Estilos da Clínica*, São Paulo, vol. 17, n. 1, pp. 106-121, 2012.

A ESCUTA DE ADOLESCENTES COMO DISPOSITIVO DE RESISTÊNCIA À LÓGICA DA CULTURA DIGITAL

NÁDIA LAGUÁRDIA DE LIMA
MÁRCIO RIMET NOBRE

O surgimento da cultura digital está atrelado a fatores históricos que motivaram o aparelhamento tecnológico da comunicação e da informação, a partir do período do pós-guerra. É somente após esse incremento, que tem por base o desenvolvimento da linguagem computacional, que o capitalismo fez alastrar seu discurso sobre praticamente todos os campos da ação humana.

O que vem sendo nomeado sob a expressão "cultura digital" diz respeito às trocas culturais que se tornaram possíveis em virtude do processo de digitalização em que os dados, antes analógicos, são transcritos para a linguagem numérica. No espectro desse processo, é o próprio modo de vida contemporâneo que se modifica, pois se inicialmente o uso do computador recaía sobre a dimensão cognitiva e organizacional da vida moderna, com a invenção da internet o maquinário tecnológico se acopla a domínios subjetivos somente cogitados na literatura de ficção. A realidade virtual torna-se um novo lócus para a ação humana em toda sua amplitude, e a ideia de separar a vida *on-line* da vida concreta, *off-line*, já parece obsoleta. É o que se observa sobretudo a partir do surgimento das "redes sociais" que, em diferentes formatos e especializações, hoje parecem abarcar os mais variados nichos da cultura, tendo virtualizado as relações e colonizado definitivamente o laço social.

Mesmo que a tecnologia seja essencialmente a mesma e ainda não estejamos presenciando a experiência de uma propalada "inteligência artificial" em toda a extensão do primeiro termo, bastou manejar categorias como tempo e espaço e estimular o gerenciamento de si por meio de uma lógica de exibição para capturar o sujeito com todas as suas nuances simbólicas e afetivas, operando radicalmente sobre nosso desejo e nossa fantasística, elementos de realidade psíquica, segundo Freud.[1]

Para além dessa intensa adesão, o discurso capitalista opera sob o signo de um instrumental tão pouco suscetível de verificação que se torna inquestionável, sobretudo se considerarmos que nossa adesão à vida virtual é da ordem de um fascínio que extrapola qualquer relação com as tecnologias até então existentes, quase todas muito mecânicas, pontuais e essencialmente pragmáticas. Ocorre que, movidos por esse encantamento, abrimos mão de itens até então imprescindíveis, como privacidade e segurança e, por mais estranho que pareça, do direito de não ter que estar sendo informado sobre praticamente tudo e em tempo integral.

É notável como toda a multiplicidade de gêneros, de idades e de classes sociais encontra-se hoje, de bom grado, tutorada pela lógica do algoritmo digital que, captando cada clique de nossa navegação, pode controlar nossos padrões de interesses, gosto e preferências, ditando o ritmo de futuras escolhas. Tratados com o máximo de individualidade, o aparato da vida virtual se nos oferece como vitrines para que possamos exibir nossos "conteúdos". As redes nos convidam a nos reeditarmos de modo ininterrupto, pondo-nos em um patamar único no qual somos vorazes consumidores, mas também objetos a serem consumidos. Desse modo, tornado informação – esse objeto máximo do presente momento – cada um de nós desenvolve um ritmo e estilo próprio de nos colocarmos,

---

[1] FREUD, S. "A interpretação dos sonhos – segunda parte". *In:* FREUD, S. *Obras psicológicas completas de Sigmund Freud*. Rio de Janeiro: Imago, [1900]1996.

de tempos em tempos, no zênite social.[2] Assim, no intercâmbio de espetáculos pessoais, ao mesmo tempo em que consumimos, aprimoramos nossa própria habilidade de nos mostrarmos como objeto, de gerenciar o "Eu S.A.".[3] O fato é que, ao desprezar as categorias antes caras à estatística convencional, o governo algorítmico nos numeriza e nos mantém sob adorável e consentida vigilância. "Sorria! Você está sendo filmado!", e também registrado e rastreado pelo *big data*.

Nesse cenário, uma parcela da população parece ainda mais permeável à fruição tecnológica, como também mais suscetível aos efeitos desse instrumental e, particularmente, das redes sociais. Trata-se do adolescente que, por ocasião de sua inserção na vida social para além dos limites familiares, encontra no grupo o espaço de acolhimento para as novas questões subjetivas e identitárias nas quais se encontra imerso. Além disso, em virtude do interesse pelo novo, vê-se atraído pelas incessantes inovações do mercado, sendo essa velocidade das mudanças justamente aquilo que empresta o tom grandiloquente para o discurso capitalista. O adolescente, ávido por abandonar antigos parâmetros familiares, mergulha na lógica do consumo, que é o que se coloca como pano de fundo de todas as benesses que aí se distribuem.

É para esse grupo que a presente reflexão está voltada. Assim, trabalhando com a metodologia da conversação junto aos adolescentes, buscamos propiciar que sejam evidenciados os furos de um discurso que, travestido de benesses para o "indivíduo hipermoderno", vem carregado de um excessivo estímulo ao consumo pelo sujeito. A partir da escuta psicanalítica, observamos que tais furos são percebidos e apontados pelos próprios jovens a partir do mal-estar, desde o momento em que tomam a palavra.

A oferta da escuta, seu enquadre e dimensão ética

No grupo de pesquisa "Além da tela: psicanálise e cultura digital" (PPGPSI/UFMG), investigamos as repercussões desse processo de

---

[2] LACAN, J. "Radiofonia". In: _____.*Escritos*. Rio de Janeiro: Jorge Zahar, 1998a.
[3] SIBILIA, P. *O show do eu*: a intimidade como espetáculo. Rio de Janeiro: Nova Fronteira, 2008.

digitalização, tendo a psicanálise como base de leitura, mas em constante diálogo com outros campos que também se debruçam sobre tais fenômenos. O grupo tem pesquisado sobretudo os temas relacionados às transformações no laço social, às novas relações do sujeito com o saber e ao lugar do corpo nesse contexto. Em muitos casos, trata-se de assinalar os sintomas sociais resultantes da aliança entre as tecnociências e o mercado, dando destaque para efeitos que se tornaram visíveis em nossa época.

As investigações incidem ainda mais particularmente sobre as peculiaridades dos usos que os adolescentes fazem dos dispositivos tecnológicos. Nesse caso, buscamos observar tanto os aspectos dignos de cuidados diante dos riscos da exposição excessiva na rede, quanto aqueles que resultem em soluções criativas para os impasses característicos dessa fase, impasses estes observados a partir da modernidade[4]. Compreendemos, assim, que o modo como os jovens utilizam as tecnologias pode ser tomado também da perspectiva dos recursos que eles constroem, no contexto da cultura digital, para lidar com os desafios impostos pelo encontro com o real do sexo.

Uma das metodologias de pesquisa-intervenção que utilizamos com os adolescentes é a conversação de orientação psicanalítica, que ocorre em grupos formados no próprio ambiente escolar, uma vez que a demanda nos chega a partir de professores e coordenadores das redes pública ou privada. Na experiência do nosso grupo de pesquisa e extensão, que teve início em 2013, as queixas das escolas que demandam intervenção geralmente se referem ao uso excessivo dos dispositivos eletrônicos, como *tablets* e *smartphones*, aos conflitos entre os adolescentes que têm origem em postagens nas redes sociais e em conversas nos grupos de *WhatsApp*, bem como às situações de risco com as quais alguns estudantes se envolvem na internet.

Diante disso, são propostos pequenos grupos coordenados por um(a) psicanalista, com o suporte de um(a) estagiário(a) estudante de psicologia ou de um psicólogo. Os adolescentes são sempre convidados

---

[4] LE BRETON, D. *Uma breve história da adolescência.* Belo Horizonte: Puc Minas, 2017.

a participar das conversações, de modo a favorecer seu engajamento a partir de sua escolha própria. Essa possibilidade de opção pelo aluno já faz parte do nosso acordo prévio com as escolas. Invariavelmente observamos que os jovens se interessam em frequentar a conversação. A atitude no grupo irá variar daqueles mais falantes e participativos aos mais tímidos e observadores, mas sempre com todo o colorido pulsional peculiar ao momento de vida.

O número de encontros, o tempo de duração de cada conversação e o número de participantes variam de acordo com a proposta e as características de cada grupo, das possibilidades de execução junto ao calendário e da própria demanda de cada instituição. A supervisão do trabalho ocorre semanalmente com a coordenadora do projeto, com a participação ativa de todos os pesquisadores, seguida de um grupo de estudos sobre os temas relacionados à pesquisa ou que surjam no decorrer dos encontros.

As experiências com os grupos de adolescentes são bastante heterogêneas, cada uma guardando suas particularidades e efeitos próprios. Nossa proposta é de escutá-los, partindo do que têm a nos dizer sobre o uso que fazem desses dispositivos eletrônicos. Como a demanda inicial é da escola, a oferta da palavra pode levar os adolescentes a formularem sua própria demanda. Como eles têm usado as redes sociais? Como articulam os espaços virtuais e não virtuais? Que impasses e/ou problemas vivenciam nas redes sociais?

A conversação busca possibilitar que cada um possa nomear de forma própria o mal-estar que vivencia na relação com o Outro na rede. Certamente nesse processo logo se apaga a distinção sobre "dentro e fora" da rede, do mundo virtual, e os conteúdos, bem como seus efeitos, chegam-nos como um todo sobre o qual se busca refletir. De qualquer modo, percebemos que o mal-estar gerado pela experiência da virtualização do laço social está articulado às suas dificuldades no laço com o Outro e ao seu modo de gozo. A conversação visa, fundamentalmente, à responsabilização do sujeito pelas suas palavras e pelo seu agir na *web*.

É importante destacar que, do ponto de vista ético, a psicanálise se ampara em parâmetros próprios à noção de subjetividade inaugurada por Freud, ou seja, àquela relativa ao desejo inconsciente. É nesse sentido que nosso fazer é guiado, e não pelas balizas e padrões morais mais ou menos universais em cada sociedade, quase sempre anacrônicos com relação ao sujeito. Diferentemente da moral social corrente dos gregos a Kant, a ética da psicanálise está relacionada a esse elemento esdrúxulo à racionalidade, mas íntimo ao sujeito, ainda que não sabido. Trata-se de algo da ordem de um "saber que não se sabe", o que Lacan[5] irá propor como uma de suas definições acerca do inconsciente. Trata-se de um saber não sabido que, ao aflorar nas falhas de nosso discurso corrente, evidencia que ali está algo que não pode ser ludibriado por qualquer moral e que se faz presente, a despeito de toda a negligência da razão.

No que diz respeito ao moderador que conduz a conversação, sua postura, para ser analítica, deve ser a de quem se esquiva de ocupar o lugar de saber, evitando ser identificado com as figuras tradicionais do campo da educação. É nesse sentido que o lugar de escuta livre e flutuante da psicanálise pode propiciar outras possibilidades de equações simbólicas que, quando atreladas às consistências imaginárias da instituição escolar, tendem a repetir bordões pedagógicos e tolhem, muitas vezes, a contribuição genuína por parte daqueles que a compõem: alunos, professores etc. É, portanto, do lugar dessa ética comprometida com uma postura do "não saber" característico do inconsciente que a conversação se coloca como via de acesso ao sujeito adolescente, esse mesmo que se compraz em atravessar esse tempo de delicada transição,[6] na interface com novas e múltiplas realidades.

A cultura digital e seus efeitos sobre o laço social

Do ponto de vista da lógica do capital, o adolescente mostra-se alvo preferencial do mercado. É nesse momento em que ele se depara com o real do sexo, em meio a tantas mudanças corporais, que também

---

[5] LACAN, J. "Subversão do sujeito e dialética do desejo no inconsciente freudiano". *In:* _____. *Escritos*. Rio de Janeiro: Jorge Zahar, 1998.
[6] LACADÉE, P. *O despertar e o exílio*: ensinamentos psicanalíticos da mais delicada das transições, a adolescência. Rio de Janeiro: Contracapa, 2011.

irá se dar conta do grande vazio que caracteriza, de modo geral, o não saber sobre o sexo. Podemos dizer que esse não saber é tributário da própria impossibilidade da relação sexual que, por seu caráter contingencial, não comporta fórmulas e não pode ser circunscrita por conhecimento – portanto, por um saber – prévio.

A rigor, essa impossibilidade revela-se tributária da própria limitação da linguagem, pois, como sustenta Lacan,[7] "[...] desde que o ser humano é falante, está ferrado, acabou-se a coisa perfeita, harmoniosa da copulação, aliás impossível de situar em qualquer lugar da natureza". É a essa impossibilidade que os discursos, articulados sob a forma do matema, buscarão oferecer saída e, por isso, sua marca é incluída nos quatro discursos radicais por ele propostos.

Ocorre que, em sua lógica totalitária marcada pelo excesso de informação, a cultura digital propaga-se negando toda falta, negando a hiância que habita o sujeito, sendo a lacuna do não saber rechaçada de saída. Assim, nesse contexto, nada pode ficar sem resposta, bastando acionar os mecanismos de buscas virtuais para perceber que a impossibilidade característica dos discursos, conforme problematizou Lacan, está, ela própria, pretensamente ausente.

Mas o próprio Lacan,[8] poucos anos após lançar mão de sua teoria do laço social e vislumbrando o espaço conquistado pelo mercado, irá propor seu quinto discurso – o do capitalista – que designa como aquele que não propicia o laço social.

Apontado como o "mestre moderno", em sua pretensão de obturar as impossibilidades, o discurso capitalista é esse que vende e que, ao contrário do primeiro (discurso do) mestre, nos impele ao gozo e quer nos manter sob a ilusão de que nada, para o mercado, é impossível. É no bojo desse espírito e já no limiar de um novo século que a fruição dos processos de digitalização entra em nossos lares, alcançando nossas relações

---

[7] LACAN, J. *O seminário, livro 17*: o avesso da psicanálise. Rio de Janeiro: Jorge Zahar, [1969-70]1992, p. 31.

[8] LACAN, J. Discours de Jacques Lacan à l'Université de Milan le 12 mai 1972, paru dans l'ouvrage bilingue: Lacan in Italia 1953-1978. Milan: Salamandra, 1978, pp. 32-55.

sociais e afetivas e se expandindo para todo o modo de vida contemporâneo. Temos a ilusão de que não há mais lugar para dúvidas, para o hiato existente entre o sujeito e seus objetos, esse espaço necessário para o desejo e para o exercício da dialética simbólica, cada vez mais inábil para fazer o contraponto com a consistência imaginária.

Mas, toda essa investida do capital sobre o sujeito não é sem furos, já que a equação proposta no matema do capitalista, de fato, não pode fechar. A impossibilidade é inerente ao laço e cada discurso é sempre mais ou menos contingencial. Além disso, por mais que se apresente fragilizado, o simbólico ainda está em pauta, pois o mal-estar insiste em se fazer presente no laço e o campo da virtualidade não está isento disso, mas, ao contrário, no caso do adolescente, produz efeitos de desamparo e de intensa angústia.

A partir de nossas observações nos grupos de conversação, é possível destacarmos alguns efeitos do uso contínuo das redes sociais pelos adolescentes: eles se queixam de conversarem mais a distância que presencialmente; reclamam da desatenção da parte dos adultos e até mesmo de colegas; e criticam as postagens que instigam a violência, o preconceito e o racismo nas redes sociais. Podemos identificar, portanto, três efeitos da cultura digital sobre o laço social, a partir das falas dos adolescentes: o afastamento dos corpos, o declínio da escuta e a dificuldade em aceitar o diferente.

Tendo em vista as consequências assinaladas, destacamos alguns fundamentos da metodologia de conversação, os quais, sustentados pela ética da psicanálise, fazem resistência à lógica da cultura digital, conforme veremos a seguir.

A oferta da escuta

As redes sociais digitais se inserem numa cultura de intenso estímulo à participação, envolvendo o imaginário de cooperação, comunidade e amizade. A interconexão permite contatos contínuos, que não são afetados pela distância geográfica. Assim, a facilidade de comunicação no contexto digital favorece a ilusão de uma interação sem perdas. Contudo, em tempos de *hiperconexão*, os adolescentes se queixam de não serem escutados pelos pais, professores e colegas. Todos estão *online* e em igual condição, investidos dos laços virtuais e voltados para as informações que lhes chegam de modo incessante. Da mesma maneira, os adolescentes comunicam-se a todo instante na rede, mas, ao participarem da conversação, é comum mostrarem-se surpresos, pois finalmente estão "sendo escutados".

Essa situação nos conduz a refletir sobre o fato de que a comunicação virtual não garante que o sujeito seja escutado. Ao contrário, os espaços virtuais estão carregados de monólogos coletivos. A conversação psicanalítica se dá a partir da escuta clínica, que pode ser ofertada em qualquer contexto, desde que se resguarde o espaço da singularidade, aspecto central para a dimensão ética da psicanálise. Nesse sentido, a conversação em grupo revela-se adequada ao trabalho com adolescentes, pois visa, no espaço coletivo, à manifestação das singularidades. À medida que a palavra circula entre os jovens, eles se deparam com suas diferenças pessoais, como as predileções por um tipo ou outro de rede social, de *sites* e *blogs*, revelando seus interessantes de pesquisa e se percebendo e se interpelando como usuários da internet. Ao longo dos diálogos, questionam-se mutuamente sobre os efeitos do excesso de tempo dedicado à internet e encontram diferentes tipos de explicação: "Minha mãe não tem tempo para mim. Ela não trabalha fora, mas está o tempo todo ocupada no *WhatsApp*".

Observamos que, ao refletir sobre o modo como familiares e amigos utilizam e dedicam tempo à internet, os adolescentes refletem sobre seu próprio uso, muitas vezes se deparando com um vazio que persiste para além do excesso de informação ao qual estão submetidos. A conversação instaura um espaço para que esse vazio, inusitado num mundo interconectado, possa ficar evidente, permitindo a reflexão crítica, que pode levar à responsabilidade pela palavra e à construção de um saber-fazer com os próprios dispositivos tecnológicos ofertados pela cultura.

O saber do adolescente

Para a psicanálise, o estatuto do saber é de ordem inconsciente e tem intrínseca relação com o corpo. A noção de saber aparece já nos textos iniciais de Freud, estando atrelada à pulsão como uma especialização da pulsão sexual. É Lacan quem irá ligar a ideia de saber ao inconsciente, ao indicá-lo como um sujeito que "não sabe o que diz e nem sequer que está falando".[9]

Do ponto de vista do saber, portanto, ao abrir espaço para o inconsciente por meio da oferta da escuta, o analista não faz mais que dar um tiro no escuro, numa postura em que se esquiva ele próprio de ocupar o lugar de saber. Trata-se, sobretudo, de uma aposta nessa espécie de *saber que não se sabe,* o que, no caso do adolescente, consiste em convidá-lo a refletir sobre aquilo que ele traz consigo, indicando-o como sujeito de um saber prévio, um saber a ser reconhecido primeiramente por ele e pelo grupo. É muito comum, por exemplo, que os adolescentes duvidem ou se espantem com o interesse dos moderadores com relação à sua vida, suas histórias, suas habilidades em manejar com as diferentes redes sociais, jogos etc., assim como do grupo como um todo: "mas vocês se interessam mesmo pela gente!"; ou ainda, "você quer mesmo que eu explique algo sobre isso?".

É nesse sentido que a escuta em conversação psicanalítica possibilita que o adolescente, inserido em seu grupo social, consiga se perceber a partir de outro ângulo, num lugar em que lhe é outorgado o que lhe é de direito, ou seja, o de sujeito singular, único conhecedor de sua história. Desse modo, de posse de seu saber singular, o adolescente pode se mover em outras direções no interior do grupo, sendo reconhecido por peculiaridades que venham a ser positivadas, permitindo, em muitos casos, uma desidentificação com lugares estigmatizantes.

Os adolescentes, especialmente os mais pobres, negros e originários das periferias, muitos dos quais cometeram atos infracionais ou apresentaram dificuldades escolares, são tomados pelo Outro social como dejetos, como resto, e não como sujeitos que têm um saber que poderia ser colocado a serviço da sociedade. Nas redes sociais da internet, circulam mensagens de ódio dirigidas aos adolescentes, especialmente àqueles que

---

[9] LACAN, J. "Subversão do sujeito e dialética do desejo no inconsciente freudiano". In: _____. *Escritos*. Rio de Janeiro: Jorge Zahar, 1998b, p. 815.

cometeram alguma transgressão, o que só reforça o lugar de "objeto-dejeto" ao qual tais adolescentes são destinados. Com a escuta analítica, o psicanalista dirige-se ao adolescente como um sujeito capaz de produzir e se posicionar em termos de seu próprio saber. Desse modo, a suposição de saber está do lado do adolescente, que deve formular as suas próprias questões em torno da transferência. Trata-se, portanto, de algo da ordem de um saber não todo.

O encontro corpo a corpo

A "proximidade" virtual se dá na distância entre os corpos, ou seja, a ilusão de proximidade virtual esconde um distanciamento dos corpos[10]. Assim, a virtualidade pode ser utilizada para evitar o encontro corpo a corpo, situação particularmente tocante no que diz respeito ao adolescente, que se encontra às voltas com sua sexualidade. A conversação, ao contrário das redes sociais da internet, aproxima os corpos. O corpo é o suporte do excesso, daquilo que a palavra não alcança. As palavras, assim como as imagens editadas e postadas incessantemente nas redes sociais, podem fluir ao sabor do vento, tecendo infindáveis redes de sentido. Ao contrário, o corpo, em sua dimensão real, é o local do silêncio da palavra, do limite do sentido, por onde ecoa a pulsão.[11] O corpo não se apreende pelo sentido, mas faz ressoar: "O corpo testemunha a presença de um gozo opaco, estranho, um vazio ou furo de significação, o íntimo, que não faz laço social".[12]

Os excessos pulsionais ressoam no corpo do adolescente, por exemplo, através dos atos desmedidos e das compulsões. O sujeito na

---

[10] LIMA, N. L.; BERNI, J. T. "A intolerância na atualidade: entre as redes sociais e a escola". In: PEREIRA, M. R. (org.). *Os sintomas na educação de hoje: o que fazemos com isso?* Belo Horizonte: Scriptum, 2017.

[11] VIOLA; LIMA; NOBRE, 2019.

[12] LIMA, N. L.; COELHO DOS SANTOS, T. "O crescimento da exposição ao real traumático na adolescência: declínio do pudor no imaginário contemporâneo". *Cadernos de Psicanálise*, Rio de Janeiro, vol. 31, n. 34, pp. 265-284, 2015. Disponível em: http://spcrj.org.br/admin/data/pdf/944e5154302d90d388abfd69683dbc04.pdf. Acesso em: 23 fev. 2019.

relação transferencial é tomado por experiências afetivas imemoriais e inomináveis que são atualizadas de forma viva e intensa no grupo.[13] A aproximação entre os corpos na experiência da conversação deixa entrever o desarranjo, o disruptivo de cada um, confrontando os adolescentes com a inexistência da complementariedade entre os sexos. A conversação inclui e acolhe a dimensão pulsional no discurso. O mediador da conversação coloca em cena o seu próprio corpo através do tom e das inflexões de voz, do gesto e do olhar.[14] O corpo, com seu excesso, e ao mesmo tempo, com sua significação vazia, pode ter efeito de furo, permitindo que "a transferência tome corpo".[15]

O acolhimento da diferença no grupo

As manifestações de intolerância para com o estranho, o diferente, revelam a dificuldade em lidar com a própria alteridade. Lacan, nos anos 1960, adverte que a reorganização dos agrupamentos sociais pela ciência e a constituição dos mercados comuns (a globalização) seriam compensadas por um progressivo endurecimento do processo de segregação.

Hoje observamos que o crescimento das relações virtuais na *web* promove a ilusão da igualdade e a recusa ao diferente. Tais efeitos levam ao aumento das práticas de segregação na rede, como manifestações de ódio claramente movidas pela intolerância ao gozo do Outro. Se a tendência a segregar o diferente é de ordem estrutural, dadas as condições de nossa época, ela pode se transformar em intolerância, racismo e violência, em virtude da expansão das relações especulares e da pretensa situação de liberdade no espaço virtual, em que se confunde a liberdade de expressão com o direito de ofender e de agredir todo aquele que manifesta uma diferença.[16]

---

[13] VIOLA, D.; LIMA, N. L.; NOBRE, M. R. "*A conversação psicanalítica e a transmissão de narrativas no mundo da informação*".

[14] VIOLA; LIMA; NOBRE, 2019.

[15] GOROSTIZA, L. Pienso, luego se goza. "El cuerpo y los gozos en los confines de lo simbólico, Cuerpos escritos, cuerpos hablados". *Revista ELP 21*, Barcelona, n. 21, abril 2012.

[16] LIMA, N. L.; BERNI, J. T. "A intolerância na atualidade: entre as redes sociais e a

Nas conversações, introduzimos um espaço para o questionamento dessas manifestações que ocorrem nas redes, pensando ainda sobre seus efeitos para os sujeitos, no intuito de permitir que eles desfaçam significações cristalizadas. Isso abre espaço para que os significantes exerçam sua função de fazer furo no discurso capitalista e se descolem das significações, podendo, ao se deslocar na cadeia, favorecer a emergência de novos sentidos.

Ao invés de buscar extinguir o gozo, as intervenções visam a acolhê-lo, para que cada sujeito possa nomeá-lo de forma própria. No espaço dialógico da conversação, as diversas opiniões são acolhidas, favorecendo a manifestação das diferenças no grupo. Nesse espírito, os adolescentes têm a chance de pensar criticamente sobre os usos que fazem desse espaço virtual, bem como sobre os efeitos de suas palavras e de suas ações sobre os corpos, responsabilizando-se pelo seu modo de gozo. Mesmo que precise do grupo para se situar na vida social, o adolescente pode encontrar, assim, uma forma de articular o singular, tão estranho a si mesmo, ao universal do grupo.[17]

REFERÊNCIAS BIBLIOGRÁFICAS

FREUD, S. "A interpretação dos sonhos – segunda parte". *In:* FREUD, S. *Obras psicológicas completas de Sigmund Freud.* Rio de Janeiro: Imago, [1900]1996. v. 5.

GOROSTIZA, L. "Pienso, luego se goza. El cuerpo y los gozos en los confines de lo simbólico, Cuerpos escritos, cuerpos hablados". *Revista ELP 21*, Barcelona, n. 21, abril 2012.

LACADÉE, P. *O despertar e o exílio*: ensinamentos psicanalíticos da mais delicada das transições, a adolescência. Rio de Janeiro: Contracapa, 2011.

LACAN, J. "Radiofonia". *In:* _____.*Escritos.* Rio de Janeiro: Jorge Zahar, 1998.

---

escola". *In:* PEREIRA, M. R. (org.). *Os sintomas na educação de hoje*: o que fazemos com isso? Belo Horizonte: Scriptum, 2017.

[17] LIMA, N. L.; BERNI, J. T. A intolerância na atualidade: entre as redes sociais e a escola. *In:* PEREIRA, M. R. (org.). *Os sintomas na educação de hoje*: o que fazemos com isso? Belo Horizonte: Scriptum, 2017.

_____."Subversão do sujeito e dialética do desejo no inconsciente freudiano". *In:* _____. *Escritos.* Rio de Janeiro: Jorge Zahar, 1998b.

_____. *O seminário, livro 17:* o avesso da psicanálise. Rio de Janeiro: Jorge Zahar, [1969-70]1992.

_____. *Discours de Jacques Lacan à l'Université de Milan le 12 mai 1972, paru dans l'ouvrage bilingue:* Lacan in Italia 1953-1978. Milan: Salamandra, 1978, p. 32-55.

LE BRETON, D. *Uma breve história da adolescência.* Belo Horizonte: PUC Minas, 2017.

LIMA, N.L.; BERNI, J.T. "A intolerância na atualidade: entre as redes sociais e a escola". *In:* PEREIRA, M.R. (org.). *Os sintomas na educação de hoje*: o que fazemos com isso? Belo Horizonte: Scriptum, 2017.

LIMA, N.L.; COELHO DOS SANTOS, T. "O crescimento da exposição ao real traumático na adolescência: declínio do pudor no imaginário contemporâneo". *Cadernos de Psicanálise,* Rio de Janeiro, vOL. 31, n. 34, p. 265-284, 2015. Disponível em: http://spcrj.org.br/admin/data/pdf/944e5154302d90d388abfd69683dbc04.pdf. Acesso em: 23 fev. 2019.

SIBILIA, P. *O show do eu*: a intimidade como espetáculo. Rio de Janeiro: Nova Fronteira, 2008.

VIOLA, D.; LIMA, N.L.; NOBRE, M.R. "A escuta de adolescentes na ruidosa cultura digital". *In:* Lima, N.L; Berni, J.T. & Dias, V.C. *A escola navega na web: que onda é essa?* Belo Horizonte: Universo & Cidade, 2019 (p. 185-203).

NOTAS

NOTAS

NOTAS

A Editora Contracorrente se preocupa com todos os detalhes de suas obras! Aos curiosos, informamos que este livro foi impresso no mês de outubro de 2020, em papel Pólen Soft 80g, pela Gráfica Copiart.